MANEJO BÁSICO DE RESTAURANTES
TEORÍA Y PRÁCTICA

MICHAEL ANKER
VINAY K. BATTA

MANEJO BÁSICO DE RESTAURANTES TEORÍA Y PRÁCTICA

COMPAÑÍA EDITORIAL CONTINENTAL, S.A. DE C.V.
MÉXICO

Título original de la obra:
BASIC RESTAURANT. THEORY AND PRACTICE

Publicada por:
© LONGMAN SCIENTIFIC AND TECHNICAL
LONGMAN GROUP, U.K.

Traducida por:
MARÍA DEL CONSUELO HIDALGO Y MONDRAGÓN
Doctora en Química

Revisada técnicamente por:
Gerardo Foyo
Técnico Hotelero
Escuela Panamericana de Hotelería
Excatedrático del Tecnológico Hotelero
México.

Miembro de la Cámara Nacional de la Industria Editorial
Registro Núm. 43

ISBN 968-26-1140-7
ISBN 0-582-41358-3 (de la edición original)

Primera edición 1992

Impreso en México
Printed in Mexico

Para el entrenamiento dado por Strand Hotels Ltd. y el entonces Westminster Technical Institute, sin los cuales este libro nunca se hubiera podido escribir.

1983

A la memoria de un gran amigo y colega, Vinay K. Batta, quien lamentablemente nos dejó en julio de 1985; él tenía mucho que dar y tristemente se ha perdido.

MICHAEL ANKER,
Octubre de 1986

AGRADECIMIENTOS

Queremos agradecer la ayuda del Director y Jefe del Departamento de Estudios sobre Servicio de Alimentos del Southgate Technical College por permitirnos el uso de sus instalaciones para producir las fotografías tomadas por los autores.

Por los comentarios constructivos durante el tiempo que nos llevó hacer el trabajo, damos las gracias a M.R. Anker, del Stafford Technical College, y a G. Shurman, del South Downs College.

Por otras fotografías e instalaciones ofrecidas generosamente, estamos en deuda con las siguientes empresas y organizaciones: G.N. Burgess & Co. Ltd.; Buttapatta Co. Ltd.; Crest Hotels Ltd.; Hobart Mfg. Co. Ltd.; The London Coffee Information Centre; Moore, Paragon U.K. Ltd.; Arthur Price of England; Sea Containers Services Ltd. (V.S.O.-E); Sheldon Cutlery Division of Chinacraft Ltd; Steelite International p.l.c.; W.M. Still & Co. Ltd.; The Tea Council; Trusthouse Forte Restaurants Division (Café Royal).

Hemos tratado de agradecer debidamente todo texto y fotografías, pero si existiera alguna omisión, ofrecemos nuestras disculpas y sugerimos que la persona interesada se ponga en contacto con los editores para que podamos añadir su nombre a la lista de agradecimientos en una impresión o edición futura.

Finalmente, estamos en deuda de gratitud profunda con nuestras esposas y familias por el tiempo que pasamos en la preparación de este libro y que podría haber sido disfrutado en su compañía.

M. Anker
V. K. Batta

PREFACIO

A pesar de la tecnología actual, el servicio de comidas según el modelo clásico del *restaurant français* que existe en la mayoría de los hoteles de importancia, así como en los restaurantes individuales de reputación, no ha cambiado. Por consiguiente, es necesario enseñar y aprender con entusiasmo las habilidades clásicas elementales, a fin de obtener el resultado que se desea, tanto para el cliente como para el establecimiento.

Los autores consideran que el propósito de este libro es satisfacer una necesidad: la de desarrollar los conocimientos prácticos del servicio de comidas, sobre los cuales la mayor parte de los autores han tratado escasamente.

Trabajos previos sobre el tema han omitido las cuestiones que en él son obvias; no obstante, consideramos que el aprendizaje de las habilidades psicomotoras puede acelerarse mucho enseñando lo obvio, que resulta tan oscuro para el aprendiz.

Los elementos prácticos aquí contenidos se expresan en términos objetivos similares a los de los examinadores, con lo que permiten una referencia fácil. Hemos adoptado el planteamiento de que para realizar una tarea, deben existir dos elementos: habilidad y conocimientos; aunque no se puede poner en práctica ninguna habilidad sin algún conocimiento, una parte importante del componente de conocimiento ayuda solamente al desarrollo de la competencia profesional. En vista de lo anterior, el grado necesario de conocimientos se divide en:

lo que se debe saber
lo que se debería saber
lo que se puede saber

hasta donde sea prácticamente posible, a fin de dedicar a las habilidades toda la atención que merecen.

La primera parte de este libro contiene conocimientos fundamentales sobre los cuales se irán desarrollando las habilidades.

La segunda incluye las habilidades básicas que se ponen en práctica una y otra vez para realizar varias tareas del servicio. Estas habilidades deben ser dominadas antes de intentar aprender las tareas de servicio de alimentos que constituyen la tercera parte de este libro.

En la segunda y la tercera partes, el énfasis está en las habilidades junto con la parte correspondiente de conocimientos.

Nuestra experiencia en el pasado nos ha demostrado que, para acelerar la adquisición de habilidades básicas, solamente debe incluirse “lo que se debe saber" del componente de conocimiento en las primeras etapas, para no ocultar las habilidades en un conjunto innecesario de conocimientos.

El conocimiento adicional de antecedentes relacionados con esas habilidades y tareas se ha clasificado e incluido en la cuarta parte.

Aunque este libro es útil para el maestro o capacitador, será invaluable para el estudiante entusiasta como una forma de adquirir habilidades por su cuenta.

A lo largo de este libro los autores se han esforzado por reflejar las prácticas actuales y las normas de calidad de la industria en general, y donde ha existido la posibilidad de más de una variante reconocida, se hizo todo el esfuerzo por tratar sobre ella. Sin embargo, debe haber variaciones y se pueden presentar adaptaciones.

PRÓLOGO

Con gusto presento este magnífico libro teórico-práctico sobre la administración de restaurantes, obra de los reconocidos profesionales Michael Anker y Vinay K. Batta. A lo largo de su notable trayectoria dentro del ramo, los autores han destacado también en la investigación, que han realizado juntos durante muchos años para transmitir modernas técnicas y eficientes métodos de operación y administración a las generaciones que ya han tomado y en el futuro tomarán en sus manos el maravilloso mundo de los restaurantes.

Esta obra, sin duda alguna, será una valiosa aportación al acervo bibliográfico de nuestro país en esta materia. En México existen ya 289 escuelas y universidades turísticas a las que asisten más de 50 mil estudiantes. Gracias a este tipo de aportaciones, cada día será más fácil preparar y desarrollar profesionales en los distintos campos de la gran industria gastronómica.

Esta publicación trata sobre temas básicos, desde el desarrollo de la restaurantería hasta cada uno de los departamentos que actualmente la integran, así como las tareas prioritarias previas al servicio y propias de él.

Me es grato honrar la memoria del desaparecido profesor Batta, felicitar al profesor Anker e invitarlo a que persevere en la noble causa de la enseñanza, que enaltece y dignifica al hombre por su elevado interés altruista.

Profr. Miguel Torruco Marqués
Presidente de la
Escuela Panamericana de Hotelería
México

CONTENIDO

1

EL HOTEL Y LA INDUSTRIA DE SERVICIO DE COMIDAS

Fig. 1.1 *Frontispicio*

1.1 HISTORIA Y DESARROLLO DE LA INDUSTRIA

Aunque ahora vemos al hotel y a la industria del servicio de comidas en cuarta posición en el cuadro de la unión industrial del Reino Unido, en lo que se refiere al número de empleados y al volumen anual de transacciones, su estado actual es de origen muy reciente, datando de la introducción de diligencias regulares de correo a finales del siglo XVIII y con un desarrollo posterior con el advenimiento del ferrocarril y después con el del automóvil, el cual dio al hombre común el medio para viajar con mayor facilidad.

Ciertamente han existido posadas desde los tiempos bíblicos, y sin duda desde antes, y en todas las religiones orientales, al menos, se prescribe dar comida y bebida al viajero como una obligación que ha persistido incluso hasta nuestros días.

La historia de la industria está ligada con su etimología en varias lenguas, y algunos términos ganan o pierden popularidad de tiempo en tiempo. Las dos raíces principales parecen ser el latín y el alemán, como sigue:

LATÍN		ALEMÁN	
Hospitale = un lugar para huéspedes de donde provienen:	Hospitalidad	Herbegen = esconderse o refugiarse (en) de donde provienen:	Auberge (fr.)
	Hospicio		Albergo (it.)
	Hostal		Inn (ing.)
	Hostería		
	(H)ostler (ing.)		Gast; Guest (alem.; ing.) = huésped
	Hôte (tanto anfitrión como huésped) (fr.)		Gasthaus = Posada
	Hôtel (fr)		
	Ostería (it.)		Gastgeber = Posadero
			Gastwirtschaft = Industria de la hospitalidad o del servicio de comidas

Originalmente, en los países predominantemente cristianos, la obligación de cuidar de los viajeros en el camino era cumplida por las órdenes monásticas, pero en Inglaterra, después de la disolución de los monasterios, esta tarea fue llevada a cabo por la aristocracia provinciana como una obligación en sus casas solariegas, las cuales eran *privadas*, o por mesoneros, en sus casas, que estaban abiertas al *público* (de aquí casas públicas).

1.2 EL RESTAURANTE Y SUS VARIACIONES

Los orígenes del restaurante son tan antiguos como los de las posadas y hoteles, pero desde el siglo XI ha estado ligado con las tabernas y cervecerías.

Originalmente las tabernas ofrecían pan y queso o carne a sus huéspedes; después se establecieron cocinas que se encargaron de estas tareas, por sí mismas o como auxiliares de las pastelerías, haciendo pasteles de carne, etc. Éstas y otras carnes cocinadas se comían principalmente fuera de los establecimientos, aunque algunos de ellos ofrecían acomodo para quienes deseaban comer.

Hacia 1650 era costumbre en pueblos y ciudades que algunas personas se reunieran para comer juntas, y con la introducción de las nuevas bebidas de té, café y chocolate, éstas se añadieron a la lista de vituallas que se ofrecían. También se proporcionaban periódicos para ser leídos por quienes sabían hacerlo.

A principios del siglo XVIII aparecieron los "ordinarios", una especie de fondas en las que se servía pan, carne y cerveza diariamente, y que resultaban tan generosas como baratas.

Originalmente del francés *se restaurer* (restablecerse), la palabra *restaurant* (restaurante) no apareció sino hasta 1765 en París, y cruzó el Canal de la Mancha sólo a mediados del siglo XIX. Cuando las compañías inglesas de ferrocarriles construyeron grandes y prestigiados hoteles, instalaron el clásico restaurante "francés" con servicio completo de plata, lo que resultaba muy extraño para la mayoría de los ingleses, pero que pronto se hizo muy popular. Cuando el viajar se convirtió en práctica común, aparecieron esos establecimientos en las poblaciones pequeñas, y las posadas para diligencias, que estaban en decadencia, transformaron sus "ordinarios" en restaurantes.

La idea de "comer fuera" atrajo a las masas, y en este tiempo tuvieron lugar numerosos cambios. En 1884, la Aerated Bread Co. abrió su primer salón de té, seguida, unos diez años después, por J. Lyons & Co. –los precursores de dos grandes cadenas que iban a hacer sonar el toque de difuntos para las tabernas y las cocinas económicas.

En un principio, los salones de té solamente servían esa bebida, pero después sirvieron alimentos más sustanciosos, volviéndose muy populares entre las mujeres, a quienes no se permitía por entonces frecuentar las tabernas, a menos que fueran con algún acompañante. En 1873, la Great Northern Railway Co. abrió el primer carro comedor en los trenes que comunicaban Londres con Leeds.

Surgieron restaurantes de todos tipos, especialmente en Londres. En la zona de Soho, cuya población era en gran parte de origen francés e italiano, florecieron muchos tipos de restaurantes y de cafés. Soho se convirtió así en el centro de la industria de servicio de comidas de Londres, y el semillero que daría la mayor parte del personal para los grandes hoteles que se estaban construyendo a finales del siglo.

Todos estos hoteles tenían grandes restaurantes palaciegos llenos de latón y de mármol, con lámparas de cristal que usaban la nueva luz eléctrica; todos los clientes se vestían de gala para la hora de la cena, y eran servidos con suntuosos menús a la carta.

Muchos de estos hoteles tenían *grill rooms*, que se parecían a los restaurantes y tenían menús similares, pero en los que no era obligatoria la ropa de etiqueta.

También en esta época, con el advenimiento de los edificios con estructura de acero, se construyeron grandes salones sin las columnas que anteriormente eran necesarias, y se pudieron usar para grandes reuniones y banquetes; por entonces, los banquetes llegaron a la cima de la opulencia y no eran desconocidas las comidas compuestas de 14 platillos.

La llegada de la Primera Guerra Mundial en 1914 y el necesario racionamiento de los alimentos originó una reducción en el número de platillos, tanto en los banquetes como en los restaurantes normales, y lo que se puso en boga fueron las comidas de tres o cuatro platillos con café, costumbre que aún perdura.

El número de platillos se redujo nuevamente durante la Segunda Guerra Mundial, y las restricciones gubernamentales de diciembre de 1939 hicieron que los menús incluyeran avisos tales como "sólo se permite un platillo principal", o "no más de un platillo subrayado", con un precio de venta máximo de no más de 5 chelines (25 peniques), práctica que se mantuvo por un periodo de unos ocho años, hasta 1952, cuando finalmente se suprimió [¡se permitía un cargo adicional de 2 chelines (10 peniques) sobre el precio de 5 chelines si durante las comidas tocaba una banda de música!].

Después de suprimidas las restricciones de los tiempos de guerra, se regresó gradualmente a las existentes antes de 1939, pero como el tren de vida se aceleró, y también debido al gran número de tropas extranjeras estacionadas en Gran Bretaña, aparecieron otros tipos de servicio de comidas.

Durante los años treintas aparecieron bares de leche con largos mostradores, según el modelo de las farmacias estadounidenses, y a principios de los años cincuentas empezaron a proliferar, seguidos de una moda de bares de café con rocolas y máquinas para preparar expreso tipo italiano.

Persistía el bronce y el mármol en los restaurantes clásicos, pero en los restaurantes populares desapareció la mantelería de lino, y tanto las mesas como las paredes fueron recubiertas de formica o de otros materiales plásticos; finalmente, aun el servicio con meseros y meseras de los salones de té de J. Lyons & Co. y las *Corner Houses* cedieron su lugar al autoservicio, con el sistema de cafetería, antes de desaparecer por completo. No obstante, se iniciaron los bares Wimpy de Lyons como una franquicia que aún existe, compitiendo con las más recientes importaciones estadounidenses de McDonald's, Burger King, Wendy's, etc.

En muchos hoteles, debido a los cambios en los hábitos de alimentación y en un intento por contrarrestar la inflación ofreciendo un servicio parcial, sólo se dispone de un restaurante del tipo "francés" clásico, abierto únicamente a las horas de la comida y de la cena. De manera usual se opera un tipo de "cafetería" abierta hasta 18 horas al día como complemento de lo anterior; en los hoteles de los aeropuertos, la cafetería abre las 24 horas. Estas cafeterías están dotadas de cafeteras y porciones individuales de café instantáneo, "sustituto de la crema", azúcar, bolsitas de té y aun cereales, panecillos y mermeladas, para tomar algo en la mañana con el sistema de "hágalo usted mismo", o bien, un desayuno continental. En la Fig. 1.2 se muestra una cafetería moderna.

Se han hecho muy populares los restaurantes individuales del tipo de las tabernas; existen también otros de cocinas típicas de distintos países, como italiana, india, pakistaní, bengalí, turca, griega, china y muchas otras, que ofrecen tanto servicio en la mesa como "para llevar".

Aunque no están exactamente dentro del objetivo de este libro, se debe hacer mención de otros tipos de operaciones de servicio de comidas, tales como las que se encuentran dentro de las tiendas de departamentos, y otras operaciones no comerciales, como hospitales, servicios en las prisiones y operaciones que comúnmente están subsidiadas, como los comedores industriales, en donde los ti-

Fig. 1.2 Cafetería del Hotel Crest, Eastleigh

pos de servicio varían desde el autoservicio para el personal de trabajo hasta el servicio completo para los directivos en salas comedor.

El servicio de alimentos a bordo de embarcaciones es idéntico al de los hoteles de primera clase, pero aparte del servicio en el "Concorde", en la mayor parte de las líneas aéreas el servicio de comidas se hace por medio de charolas preparadas con anterioridad, en las cuales se sirve de inmediato una comida completa a todos los pasajeros.

El servicio de comedor en los ferrocarriles también varía desde el dė tipo cafetería hasta el servicio con meseros, con ventas de bocadillos, bebidas, etc., en carritos. En la Fig. 1.3 se muestra el opulento interior de uno de los carros Pullman del "Expreso de Oriente".

1.3 CARACTERÍSTICAS NECESARIAS DE UN RESTAURANTE

La administración debe hacer una cuidadosa selección del tipo de restaurante que desea operar.

Ante ellos se abren muchas opciones, y todas ellas deben ser consideradas.

1. ¿El restaurante será operado como autoservicio o con personal de meseros?
2. Si es con personal de meseros, ¿los alimentos serán servidos en platos, directamente de la cocina, o los meseros emplearán el "servicio de plata"?
3. ¿Qué hay acerca del restaurante mismo? ¿Será del estilo clásico o del moderno, rústico o ultramoderno?
4. ¿Se usará mantelería o mesas recubiertas de plástico o de madera pulimentada?
5. ¿Qué tan grande será? ¿Cuántos clientes se esperan?

Fig. 1.3 Interior de un carro Pullman (Expreso de Oriente, Venecia-Simplón)

Sin importar cómo se responda a estas preguntas, se debe proporcionar servicio de sanitarios y de guardarropa, y probablemente, si el restaurante va a ser del estilo clásico, en donde los clientes no estarán con prisa, deberá haber una zona confortable de espera, posiblemente un bar en el cual los clientes puedan esperar a que se desocupe una mesa, y también donde se puedan relajar con un café después de la comida si éste se sirve en el propio restaurante.

La decoración es también de lo más importante para proyectar la imagen que se desea, al igual que las buenas condiciones de clima para las comidas, ni demasiado caliente, ni demasiado fresco, sin corrientes de aire ni olores de la cocina que pasen al comedor, con ventilación suficiente para eliminar el humo del tabaco, si está permitido fumar. En la Fig. 1.4 se muestra un pequeño restaurante moderno de un hotel.

En resumen, cualquiera que sea el tipo del restaurante, debe ser atractivo para el tipo de clientes para el cual se ha planeado y debe dar la necesaria atmósfera de confort, posiblemente con ayuda del uso juicioso de arreglos florales, etcétera.

Las mesas deben ser lo bastante grandes como para permitir colocar sobre ellas los artículos necesarios para el número de comensales que se esperan en cada una; las sillas deben estar tapizadas para ofrecer comodidad en los restaurantes de lujo, pero no deben ser tan cómodas en los restaurantes populares, y tan sólo rudimentarias para la mayor parte de los restaurantes de comida rápida,

Fig. 1.4 Sala comedor - Plough & Harrow (Hoteles Crest)

donde no se estimula a los clientes a permanecer sentados después de la comida, sino a irse al terminar de comer para dejar su lugar a otros comensales.

Si se han colocado alfombras, éstas deben ser de la mejor calidad para asegurar larga duración; debe haber suficiente espacio entre los clientes sentados para permitir el libre paso de los meseros entre ellos, junto con carritos, etc., sin golpear el respaldo de las sillas ni tropezar con las mesas.

1.4 AUXILIARES DEL RESTAURANTE Y OTROS DEPARTAMENTOS RELACIONADOS

El gerente del restaurante usualmente debe tener control sobre los siguientes auxiliares: cuarto de destilados, almacén de la plata y cuarto de la vajilla; almacén de loza (de reserva); almacén de cristalería (de reserva); despensa del restaurante; almacén de mantelería; zona de lavado de los cubiertos y la vajilla.

En un hotel, el restaurante debe tener contacto, en mayor o menor grado, con los departamentos siguientes en la medida en que sea necesario, con algunos de ellos diariamente y con otros sólo "cuando sea necesario": despensa del bar y cava; departamento del cajero; cuarto de mantelería; almacén de productos secos; oficina de Control; departamento de camareras; departamento de limpieza; departamento de mantenimiento e ingeniería.

La zona de calentamiento de platos debe estar bajo el control directo del *chef*.

Los auxiliares arriba enumerados deben estar situados fuera del restaurante en una posición adecuada para permitir un flujo de trabajo lógico, permitiendo a los meseros depositar los artículos que se han ensuciado para lavarlos antes de recoger de la cocina los artículos fríos, seguidos de los calientes, de modo que el calor de estos últimos no se pierda mientras están en la zona de servicio.

En la Fig. 1.5 se presenta la disposición típica de la zona de servicio de un restaurante.

1.4.1 CUARTO DE DESTILADOS

El nombre "cuarto de destilados" tiene origen en una habitación en la cual se realizaba la destilación de una casa grande, y que posteriormente se transformó en el almacén del ama de llaves. Su nombre en inglés, *still room,* no se debe, como

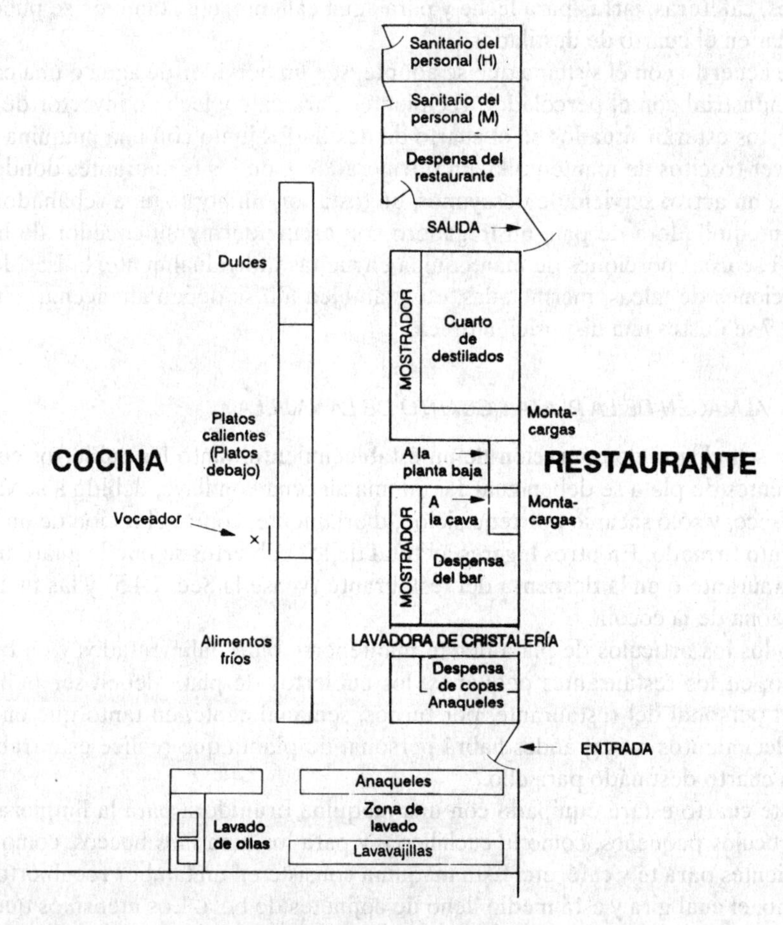

Fig. 1.5 Plano de la zona de servicio típica de un restaurante

erróneamente se ha creído, a los conocidos fabricantes ingleses de marmitas y cafeteras, los señores William Still & Sons Ltd. de Hastings, dos de cuyos productos se presentan en las Figs. 1.6(*a*) y 1.6(*b*).

Su objetivo en un restaurante es ser una ampliación de la cocina en la que se preparen todas las bebidas no alcohólicas, que no sean refrescos o jarabes de frutas, como té, café, chocolate, bebidas de extractos comerciales de carne de res, tisanas (infusiones de hierbas) y leche (caliente y fría).

También es la zona en donde se preparan las raciones de mantequilla, pan, alimentos tostados, panecillos y huevos cocidos para el desayuno. En los hoteles que ofrecen servicio de té por las tardes en el salón de estar, se pueden preparar en el cuarto de destilados pan tostado para el té, bollos, molletes, etc., así como pastas y emparedados procedentes de la sección de pastelería de la cocina y de la despensa, respectivamente.

Los utensilios necesarios para el servicio de lo que arriba se menciona, como teteras, cafeteras, jarras para leche y para agua caliente, etc., también se pueden guardar en el cuarto de destilados.

De acuerdo con el sistema que se adopte, sea un hervidor de agua o una cafetera industrial con el percolador, recipientes para café y leche e inyector de vapor, éstos estarán situados en el cuarto de destilados junto con una máquina para hacer trocitos de mantequilla, un refrigerador y, en los restaurantes donde se prevea un activo servicio de desayunos, un tostador, un horno, una rebanadora y enmantequilladora de pan, un fregadero con escurridero y un cocedor de huevos. Si se usan porciones de mantequilla envueltas individualmente, bolsas de té y porciones de jaleas, mermeladas, etc., también allí se deben almacenar. En la Fig. 1.7 se ilustra una disposición típica.

1.4.2 ALMACÉN DE LA PLATA Y CUARTO DE LA VAJILLA

Según sea el tipo de operación de un establecimiento, tanto los cubiertos como las fuentes de plata se deben guardar en una alacena con llave, debido a su valor intrínseco, y sólo sacarse por requisición, diariamente, contra el recibo de un documento firmado. En otros lugares, el total de los cubiertos se puede guardar en el restaurante o en la despensa del restaurante (véase la Sec. 1.4.5) y las fuentes en la zona de la cocina.

Todos los artículos de plata deben mantenerse bien pulimentados y en buen estado; en los restaurantes pequeños, los cubiertos de plata deben ser pulidos por el personal del restaurante, por turnos, semanalmente, en tanto que en los establecimientos más grandes habrá personal de planta que realice este trabajo en un cuarto destinado para ello.

Este cuarto estará equipado con una máquina bruñidora para la limpieza de los artículos pequeños, como la cuchillería, y para los utensilios huecos, como los recipientes para té y café, etc. Esta máquina consiste en un tambor recubierto de caucho, el cual gira y está medio lleno de cojinetes de bola. Los utensilios que se van a limpiar se ponen dentro del tambor, mismo que se llena con una solución

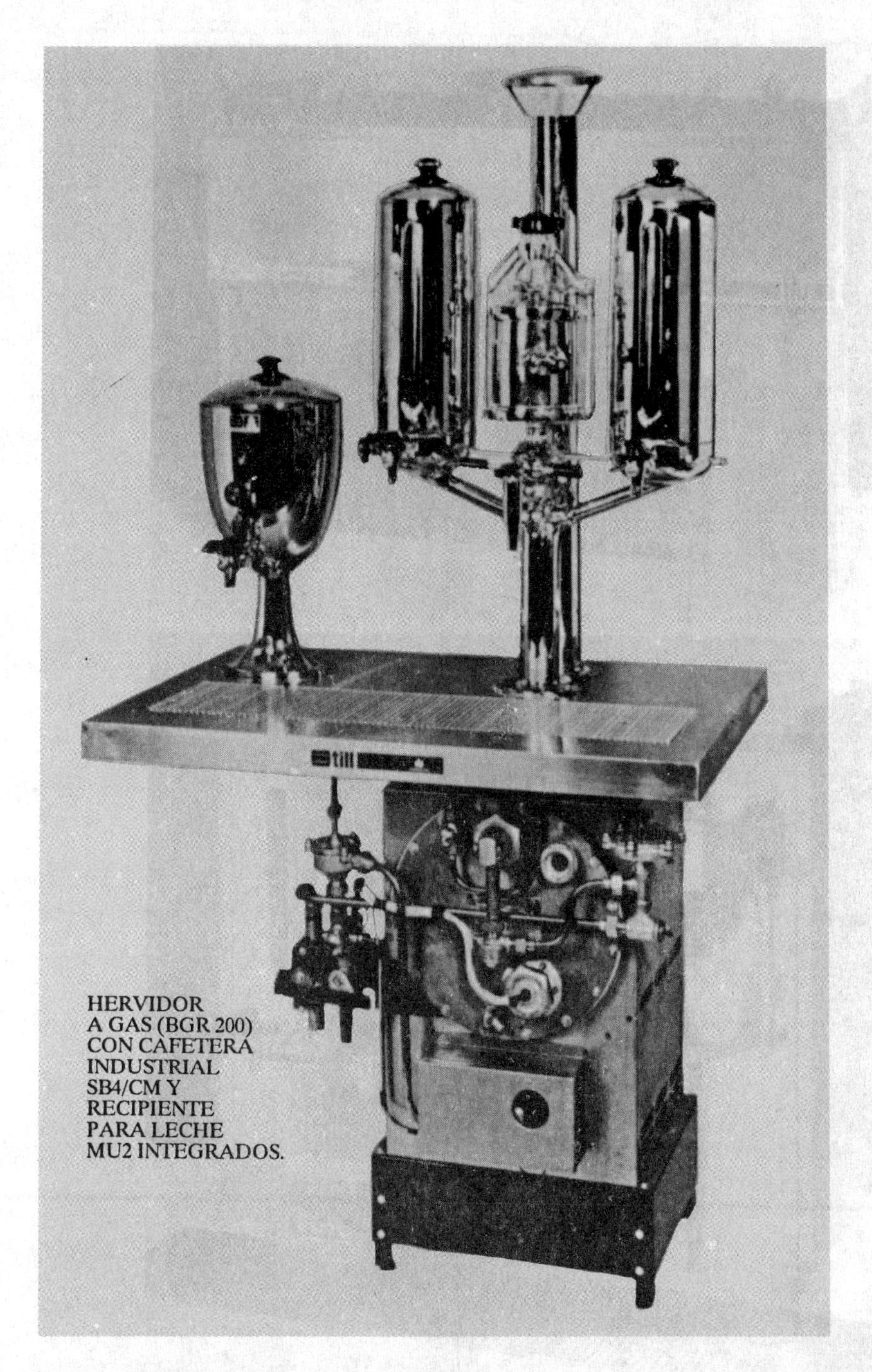

Fig. 1.6 (a) Cafetera industrial y hervidor típicos (se ha retirado el frente para mostrar el hervidor) (W.M. Still & Sons Ltd)

Fig. 1.6 (b) Modelo reciente de cafetera industrial, "Electromatic Mk II" (W.M. Still & Sons Ltd)

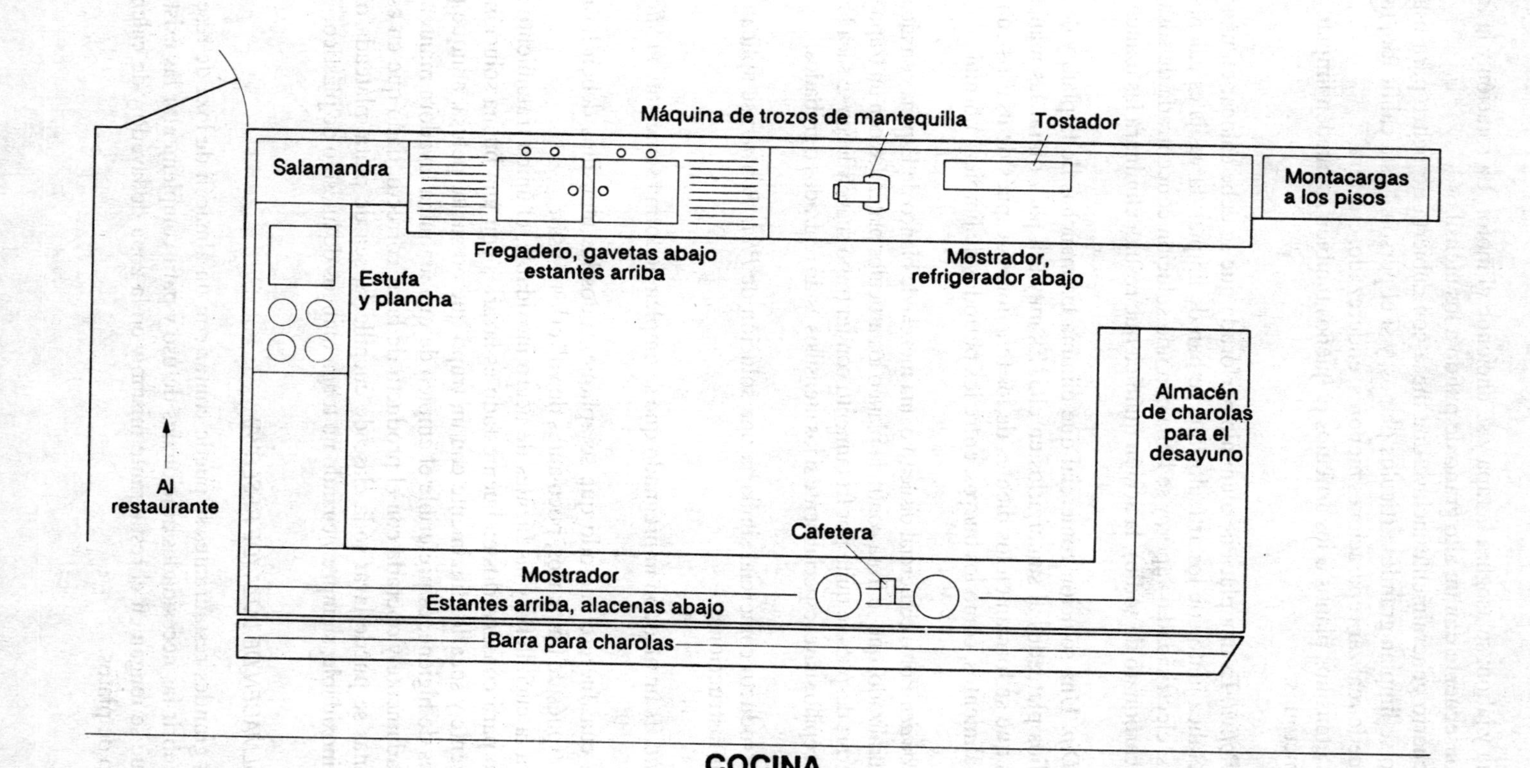

Fig. 1.7 Plano de un cuarto de destilados típico

de agua y jabón; se asegura la tapa y se enciende el motor. La rotación y la fricción consecuente dan un alto grado de pulido a los utensilios.

El cuarto generalmente incluye una mesa con cubierta de fieltro para usarla cuando se limpian grandes artículos planos, y si el personal está calificado, también puede realizar reparaciones menores, enderezado, etcétera.

Los utensilios planos o los artículos pequeños también se pueden limpiar por otros métodos:

Placa Polivit. Es una placa de aluminio perforada que se debe colocar en una vasija metálica junto con los artículos que se han de limpiar; la vasija es calentada por gas, electricidad o vapor, y se llena con una solución concentrada de sosa de lavar (carbonato de sodio); la acción química que resulta eliminará las manchas.

Silver Dip. Una solución comercial que elimina las manchas de la plata y de los utensilios plateados al sumergirlos en ella. Es muy útil para quitar las manchas negras que se forman en los dientes de los tenedores después de usarlos con algunos alimentos, como los huevos, entre los periodos de limpieza normal.

Plate Powder. Polvo comercial disuelto o una mezcla de blanco de España con alcohol desnaturalizado, que se frota contra la plata o los artículos plateados con un trapo y se deja secar; después se quita por frotamiento con un trapo suave y luego se saca lustre con un cepillo suave, especialmente si los utensilios están realzados o grabados.

Silvo. Producto comercial similar a una solución de *Plate Powder*; se aplican las mismas instrucciones.

Duraglit. Es un algodón impregnado que se emplea de forma semejante al *Silvo.*

Sea cual fuere el método que se aplique, todos los utensilios deben lavarse bien después de limpiarlos, poco antes de volverlos a usar.

Para la cuchillería y las fuentes de acero inoxidable, el único tratamiento necesario para conservarlos en buen estado es lavarlos con una buena solución de detergente y secarlos finalmente con un trapo que no suelte pelusa, aunque por razones de higiene, es preferible el empleo de una máquina lavadora mantenida adecuadamente y operada con el producto de lavar correcto, dado que en estas máquinas se puede lavar toda clase de cuchillería, sea de plata, plateada o de acero inoxidable, siempre y cuando no tenga mangos de hueso o de plástico.

1.4.3 ALMACÉN DE LOZA (DE RESERVA)

En los grandes restaurantes se puede contar con un almacén de loza de reserva para cubrir las necesidades adicionales de uso y para complementar las existencias que se tengan en el restaurante mismo y en la zona de lavado y de calentamiento de platos.

Las existencias de reserva considerables deben guardarse en un almacén grande próximo a la zona de recepción de artículos, y deben quedar bajo la responsabilidad del almacenista o del departamento de compras.

El almacén de reserva puede ser un cuarto pequeño o una alacena, y la loza se debe guardar en anaqueles hechos de tablas de madera resistentes o en estantes de metal como Dexion u otro sistema comercial, según sea el volumen de existencias que se almacenen.

Los utensilios pesados, como los platos dobles, los platones, etc., deben guardarse a poca altura debido a su peso, y los más pequeños, como tazas, platos pequeños, etc., en los niveles superiores.

Cuando se apilan los artículos, hay que tener mucho cuidado de que las pilas sean estables para impedir que caigan, y de no hacerlas tan altas que su peso pueda romper o fracturar los utensilios que están más abajo.

1.4.4 ALMACÉN DE CRISTALERÍA (DE RESERVA)

Las indicaciones anteriores sobre el almacenamiento de la loza se aplican también al de la cristalería, excepto en que las copas se deben guardar en las cajas que se recibieron, o acomodarse en cajones especialmente construidos para copas.

1.4.5 DESPENSA DEL RESTAURANTE

El tamaño de ésta puede variar, desde consistir en un corredor entre el cuarto de destilados y el restaurante, hasta un cuarto que puede contener al de destilados mismo, junto con la zona de lavado, la despensa de cristalería, la despensa del bar, el almacén de calentamiento de platos, etc., y si la cocina no está en el mismo nivel, un montacargas para alimentos en contacto directo con la cocina.

También debe haber una alacena para las vinagreras y los condimentos, la cuchillería y demás equipo de restaurante que no se guarde en el "cuarto". Aquí también se puede colocar una caja para depositar la mantelería sucia.

Se puEde emplear personal de planta para ayudar a los meseros y para que se responsabilice de la limpieza de la zona.

La distribución debe ser lógica para evitar entrecruzamientos del personal y posibles accidentes. Abajo se muestra una distribución típica, dispuesta de modo que los meseros puedan depositar las copas, platos, vajilla, etc., usados antes de recoger nuevas órdenes; éstas serán recogidas según el orden de bebidas, alimentos fríos, y alimentos calientes, con el fin de que estos últimos no se enfríen mientras se recogen otros artículos. En la Fig. 1.8 se muestra una disposición típica.

1.4.6 ALMACÉN DE MANTELERÍA

Si el restaurante es parte de un hotel, sólo tendrá la existencia de manteles suficiente para un día entero, como máximo, y cuando menos la suficiente para el siguiente servicio de comidas.

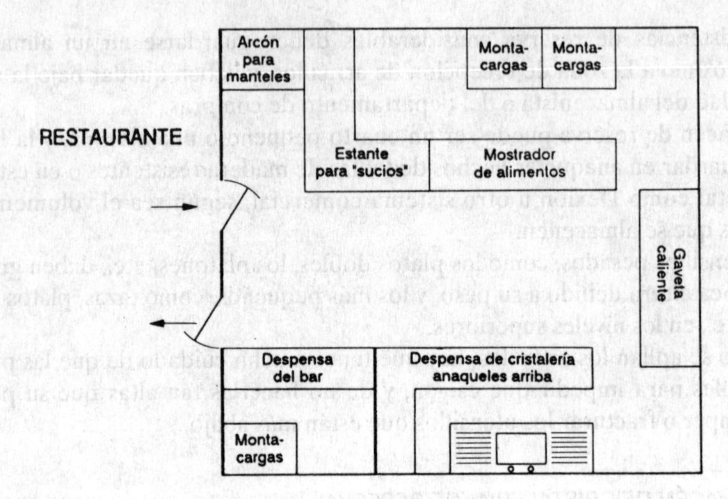

Fig. 1.8 Plano de la despensa típica de un restaurante

Generalmente hay que contar con manteles, lienzos de meseros y servilletas, junto con lienzos para vasos, para aparadores y sacudidores. Los artículos sucios deben intercambiarse con el cuarto principal de ropa blanca "uno por uno", es decir, recibiendo un artículo limpio por cada sucio que se devuelve.

El nivel de existencias inicial que se debe tener en el almacén del restaurante debe decidirlo la administración, dependiendo del uso determinado durante cierto periodo.

El almacén puede ser un cuarto pequeño o una alacena grande, y debe estar equipado con anaqueles de madera forrados de papel. Todas las existencias se deben guardar cubiertas de papel blanco limpio para repeler el polvo; las existencias se deben someter a rotación, ya que la mantelería se deteriora si se guarda demasiado tiempo.

1.4.7 ZONA DE LAVADO DE CUBIERTOS Y VAJILLA

Esta zona debe encontrarse siempre lo más cerca posible de la puerta de "salida" hacia el restaurante para posibilitar que el personal de meseros descargue sus charolas de los artículos sucios antes de pasar a la zona de calentamiento de platos. El tamaño y el tipo del lavavajillas dependerá del número promedio de clientes atendidos en el restaurante y de la magnitud de los cubiertos y la vajilla que se tengan, con el fin de asegurar que no haya retardos para el personal de meseros. En la Fig. 1.9 (*a*) se muestra un lavavajillas de paso de gran volumen, y en la Fig. 1.9 (*b*) se muestran los diversos procesos de su funcionamiento.

La mesa para recibir la loza sucia o el "carrusel" deben ser del tamaño adecuado para recibir toda la vajilla y los cubiertos que pueden llegar en determinado momento para evitar que se formen peligrosas "torres".

Fig. 1.9 (a) El modelo más reciente de lavavajillas "Flight" (Hobart Mfg Co Ltd)

Se debe emplear el personal adecuado para apartar y apilar tanto los utensilios sucios como los limpios, a fin de prestar un buen servicio al personal de meseros.

Las copas se pueden lavar en el lavavajillas, pero ésta no es una práctica recomendable dada la posibilidad de roturas; por otra parte, a menos que se utilice un ablandador de agua, muchas máquinas lavadoras de platos dejan sobre las copas manchas de agua que se incrustan debido al calor del agua de enjuague y a las delgadas paredes de las copas.

El mejor método para lavar las copas es utilizar una máquina especial para ello; su tipo depende de la cantidad de copas que se deban lavar. Conviene guardar las copas en charolas hechas para ese fin, según sea su tamaño, evitando así su inadecuado manejo y su posible ruptura.

Es aconsejable instalar anaqueles apropiados para colocar charolas de almacenamiento de plástico que sirvan tanto para la vajilla como para la cristalería y los cubiertos, de modo que el personal de meseros pueda encontrar los artículos que necesitan sin pérdida de tiempo.

Hay que tener cuidado de evitar escurrimientos de agua o grasa en esta zona para que el personal de meseros y de otro tipo no resbale.

1.4.8 DESPENSA DEL BAR Y CAVA

La despensa del bar existe solamente para proveer al personal de meseros de lo que requiere de bebidas alcohólicas, aguas minerales y aquellas bebidas que no

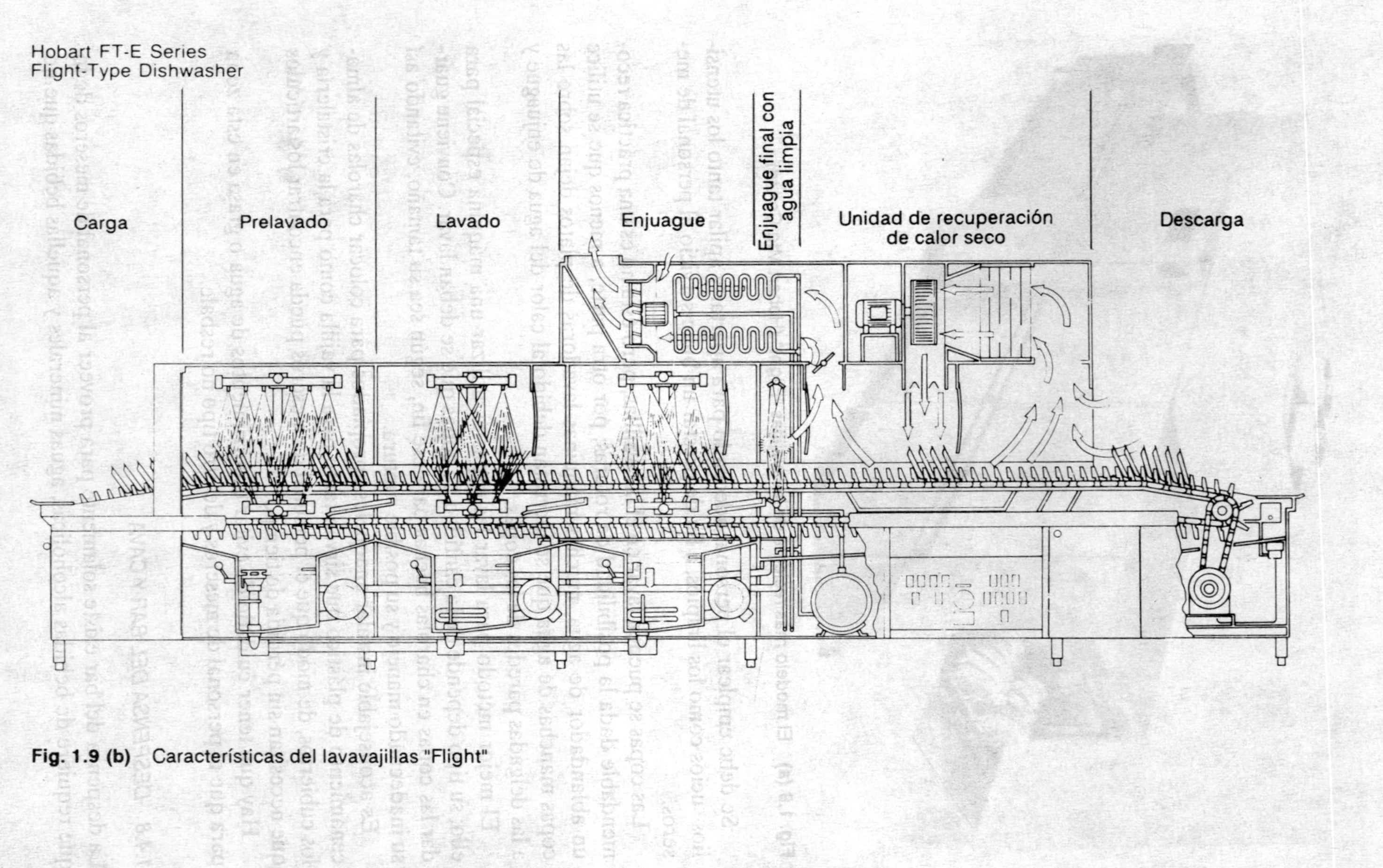

Fig. 1.9 (b) Características del lavavajillas "Flight"

se sirven en el cuarto de destilados ni se guardan en el restaurante, en el carrito de licores.

Dependiendo de la distribución del edificio, la despensa del bar puede formar parte de las cava si ésta está a igual del piso. Si no es así, debe estar comunicada con la cava por medio de un montacargas de servicio, suficientemente grande para transportar cajas de botellas, barriles y cilindros de gas, etcétera.

Si está completamente separada de la cava, debe contar con existencias de todos los artículos que figuran en la lista de vinos, en cantidad suficiente para cubrir una comida o un día entero, siendo reabastecida durante la mañana o por la tarde.

La despensa del bar debe contener anaqueles para los vinos tintos, gabinetes enfriados para los blancos y para las cervezas embotelladas y aguas minerales, una máquina para hacer hielo, un abridor de botellas y medidas "ópticas" para los licores comunes almacenados, así como un fregadero con escurridor.

Todas las entregas deben hacerse contra órdenes de mesero solamente, sin ricibir efectivo.

1.4.9 DEPARTAMENTO DE CAJA

El contacto entre el restaurante y el departamento de caja dependerá, principalmente, del sistema de cobros y de contabilidad que se adopte.

En la mayor parte de los restaurantes, se emplea un cajero que prepara las cuentas de las comidas a partir de las copias de órdenes suministradas por los meseros, según el sistema "continental" de hacer las órdenes por triplicado. Otros pueden utilizar el sistema de tipo "café", en donde el comensal paga al mesero, quien hace sus propias cuentas. Incluso otros restaurantes utilizan cuentas hechas por el jefe de meseros (véase la Sec. 4.4).

En cualquier caso, *todas* las cuentas deben ser contabilizadas y registradas en un resumen que indique las operaciones realizadas durante la comida o el día en cuestión, y deben pagarse en la oficina del cajero principal (en el caso de un hotel) o al gerente, según la costumbre del establecimiento.

Recientemente se han refinado mucho los programas de computadora destinados a la cobranza y a la contabilidad, y muchos hoteles emplean un sistema que informa de la cuenta de una comida en el restaurante directamente a la cuenta del hotel.

1.4.10 CUARTO DE MANTELERÍA

En la Sec. 1.4.6 se hizo mención del almacén de mantelería. El mantenimiento de las existencias de manteles, dentro del contexto de un hotel, será responsabilidad total de ese departamento.

En el caso de un restaurante independiente, la administración habrá de tomar la decisión de mantener sus propias existencias, considerando el trabajo y los costos de capital al sustituirlas, distribuirlas, llevar la contabilidad de la mantelería, repararla, etc., o bien, de celebrar un contrato con una empresa alquiladora de mantelería, adonde ésta se envía regularmente recibiéndose de vuelta una o más veces a la semana, según sea la cantidad de uso que se le dé.

1.4.11 ALMACÉN DE PRODUCTOS SECOS

El contacto del restaurante con los productos secos se limita normalmente a obtener suministros de sal, pimienta, mostaza, azúcar, salsas embotelladas, materiales de limpieza, papelería, servilletas de papel (en caso de que se usen), palillos de dientes, artículos de escritorio, etcétera.

Todos los artículos deben estar sujetos a requisición firmada, y las órdenes para artículos que normalmente no se tienen en existencia deben ser contrafirmadas por alguna persona autorizada.

1.4.12 OFICINA DE CONTROL

El contacto entre el restaurante y la oficina de control es indirecto; normalmente se hace a través de la caja del restaurante y de las cajas de control que contienen las órdenes recibidas en la cocina, en la despensa del bar, en el cuarto de destilados, etcétera.

La función de la oficina de control a este respecto es la de asegurar que todos los artículos a los que se dio salida hayan sido cargados a las cuentas de los comensales, o hayan sido autorizados por una persona responsable (jefe de meseros o gerente) para su salida libre, por ejemplo, en caso de un accidente o de queja de algún cliente, etcétera.

Otra importante función realizada por la oficina de control es informar de cualquier práctica fraudulenta que se haya descubierto en el curso del control (véanse también las Secs. 2.2.12 y 3.2.2.12).

1.4.13 DEPARTAMENTO DE CAMARERAS

Este departamento está encargado de lo que hay "detrás del escenario", la limpieza de la cocina y de las zonas de servicio, y tiene muy poco contacto con el restaurante.

1.4.14 DEPARTAMENTO DE COMPRAS

El departamento de compras sólo se ocupará, en lo que se refiere al restaurante, de la compra de equipo nuevo, mobiliario, cuchillería y vajilla o artículos como cortinas, alfombras o la impresión y grabado de los menús.

Las decisiones sobre la compra de cualquiera de los artículos arriba mencionados normalmente deben ser tomadas por la gerencia del restaurante, en colaboración con el propietario o el gerente general, reunidos con el gerente de compras. También se puede incluir a los gerentes de mantenimiento, comercialización, ventas, e incluso al gerente de alimentos y bebidas, según sea la forma en que el restaurante esté organizado o cuál sea el asunto de que se trate.

1.4.15 DEPARTAMENTO DE LIMPIEZA

El contacto con el departamento de limpieza en los restaurantes de los hoteles se limita generalmente a la limpieza de cortinas, tapices y alfombras, a menos que exista un contrato con una compañía de limpieza, de operación nocturna. Normalmente las operaciones de limpieza diaria son realizadas por personal fijo.

1.4.16 DEPARTAMENTO DE MANTENIMIENTO E INGENIERÍA

Este departamento suele encargarse de las reparaciones a la estructura del edificio o a otros equipos fijos, tales como el acondicionamiento de aire, la ventilación y la calefacción. En un gran hotel, el personal interno también se puede encargar de ello, además de la reparación de alfombras, de pulir los muebles y cosas semejantes, pero en los establecimientos pequeños habrá que contratar a alguien de afuera o emplear a un técnico.

1.5 TIPOS Y ESTILOS DE SERVICIO

Existe una gama muy amplia de estilos que se pueden adoptar en el servicio de comidas.

Algunos de ellos se pueden sobreponer, y en algunos casos se sigue un estilo para el desayuno y otro para la comida y la cena, en el mismo restaurante.

Generalmente se pueden dividir en dos especialidades principales: servicio de comedor popular con comidas rápidas, y servicio de tipo restaurante.

1.5.1 SERVICIO DE COMEDOR POPULAR

Los principales tipos de servicio que se encuentran en negocios de esta clase son los siguientes:

Para llevar

El cliente se dirige a un mostrador y ordena platillos de un menú que permanece a la vista. Se pretende que la comida sea consumida fuera de las instalaciones, y es empacada en recipientes térmicos especiales para conservarla caliente.

Autoservicio

Se encuentra con frecuencia en situaciones de servicio masivo de alimentos, como en las tiendas de departamentos, en el servicio de comedor industrial e institucional. El cliente toma una charola y escoge sus alimentos de estantes exhibidores calentados o refrigerados que tienen un riel para las charolas en el frente. Todos los platillos principales se han servido con anterioridad en platos, así como los "húmedos" o "pegajosos", que no se prestan a ser envueltos en películas plásticas como los emparedados, galletas, etcétera.

La disposición acostumbrada de este mostrador es la del orden normal de la comida, pero con los alimentos fríos antes que los calientes, y las bebidas calientes al final del mostrador, justamente antes de la caja registradora. Los cubiertos y artículos varios, tales como condimentos, si no se han colocado sobre las mesas, estarán colocados después de la caja, fuera del paso para evitar aglomeraciones.

El levantar los platos usados en un restaurante de autoservicio se puede conseguir de dos maneras: que los clientes lleven las charolas a sus mesas y al terminar de comer las devuelvan con todo y platos a un anaquel para charolas, o que empleados que se han contratado exprofeso recojan de las mesas los platos y cubiertos usados.

Autoservicio ayudado

En esencia igual que el anterior, pero detrás del mostrador hay empleados para servir los alimentos, los postres, etc., en platos para los clientes. Este tipo de servicio no es tan rápido como el de autoservicio puro, y en situaciones en que se espera que pasen numerosos clientes en un breve espacio de tiempo, se usan varios tipos de configuraciones de mostradores, como se muestra en la Fig. 1.10.

Los tipos anteriores de servicio también se conocen como servicio de cafetería o servicio de mostrador, y tanto el tamaño como la configuración dependerán del número de alimentos que deban servirse y del tipo de menú de que se trate.

Detalles más completos de éstos se pueden encontrar en *Food Service Operations* de P. Jones (Holt, Rinehart & Winston), 1983.

1.5.2 SERVICIO DE RESTAURANTE

Por este servicio se entiende una comida servida al cliente por un mesero o mesera, en una forma que dependerá del estilo o del tipo de restaurante, del menú de que se trate y del precio que se cobre. Puede variar desde lo sencillo hasta lo complejo; cada uno de los tipos principales tiene su propio nombre, y aunque cada uno es diferente, algunos establecimientos pueden ofrecer una mezcla de tipos.

Servicio en el plato

Todos los platillos son preparados y servidos completos en la cocina, de acuerdo con la orden dada por el cliente al mesero.

Servicio en el plato y en la mesa

Los platillos que contienen carne o pescado se sirven en platos en la cocina; las papas y verduras se ponen en fuentes de plata o de porcelana para que el mesero o la mesera las sirvan en la mesa.

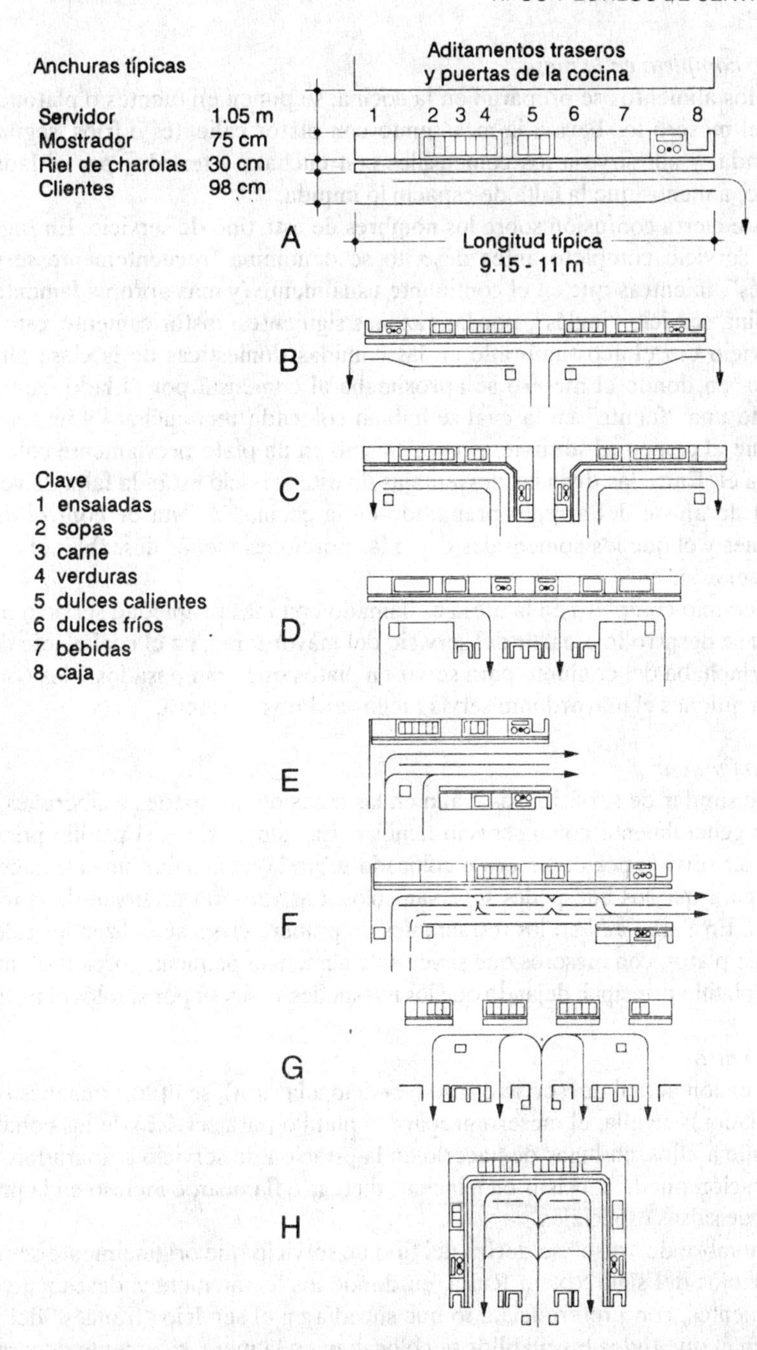

Fig. 1.10 Diagramas de disposiciones de servicio de mostrador: A) Mostrador de línea sencilla; B) Mostradores divergentes; C) Mostradores convergentes; D) Mostradores convergentes (alternativa); E) Circulación paralela; F) Circulación paralela (con pasos secundarios); G) Mostradores de circulación libre; H) Mostradores perimétricos.

Servicio completo en la mesa

Todos los alimentos se preparan en la cocina, se ponen en fuentes o platones de plata; el mesero los lleva a la mesa junto con platos calientes o fríos, según corresponda, y allí sirve a los comensales con cuchara y tenedor por el lado izquierdo, a menos que la falta de espacio lo impida.

Existe cierta confusión sobre los nombres de este tipo de servicio. En Inglaterra, el servicio completo antes descrito se denomina frecuentemente servicio "francés", mientras que en el continente usualmente (y más apropiadamente) se denomina servicio "inglés", por las razones siguientes: históricamente, este tipo de servicio era el acostumbrado en las comidas domésticas de la clase alta en Francia, en donde el mesero se aproximaba al comensal por el lado izquierdo llevando una "fuente" en la cual se habían colocado una cuchara y un tenedor para que el comensal se sirviera por sí mismo en un plato previamente colocado frente a él. Entre las diversas desventajas de este servicio están la falta de velocidad, el desajuste del arreglo preparado en la cocina, la falta de control de las porciones y el que los comensales dejen las porciones menos deseables al último en ser servido.

El servicio completo en la mesa es llamado con más propiedad servicio inglés porque se desarrolló a partir del servicio del mayordomo, en el cual el jefe de familia trinchaba del conjunto para servir en platos que eran pasados a los comensales, a quienes el mayordomo servía luego verduras, etcétera.

Servicio familiar

Un tipo similar de servicio existe aún en las casas de huéspedes y albergues, y se conoce generalmente como servicio familiar. En este servicio, el platillo principal puede ser servido por el mesero o colocado sobre la mesa sobre un calentador de platos para que los huéspedes se sirvan solos. Las verduras se sirven de la misma manera. En Suiza, aun en los restaurantes de primera clase, se utilizan los calentadores de platos, con meseros que sirven solamente una pequeña porción de muestra del platillo principal, dejando que los huéspedes se sirvan por sí solos el resto.

Servicio ruso

En la versión actual del servicio ruso (servicio a la rusa), se utiliza una mesa lateral (velador); en ella, el mesero prepara el platillo para servicio de los comensales frente a ellos, en lugar de hacerlo en la estación de servicio o aparador. Esta preparación puede consistir en trinchar, filetear o flamear, e incluso en la preparación de salsas especiales.

El nombre de "ruso" se deriva del tipo de servicio que originalmente se inició a principios del siglo XIX en Rusia, en donde los terratenientes deseaban comidas calientes, con preferencia a lo que sucedía en el servicio "francés" del siglo XVIII, en el que todos los platillos se colocaban en la mesa, ricamente decorados, antes de que llegaran los comensales. El sistema ruso permitió el uso de asados y platillos de menor tamaño, que eran trinchados o preparados para el servicio por los meseros en cada mesa, generalmente para unas 10 personas.

El tipo de servicio más parecido al ruso original se observa cuando se emplea un velador (una pequeña mesita lateral con ruedas). El servicio empleado actualmente con más frecuencia es una mezcla del ruso y el inglés, en que el platillo es preparado y puesto en una fuente para servirlo a los comensales.

Servicio de banquete

El tipo de servicio utilizado depende de dos factores principales: el menú escogido y el precio pagado. Un banquete con servicio de mesa completo requerirá más personal para servir y por consiguiente mayor costo, mientras que un servicio en el plato será más económico. Sin embargo, se puede adoptar un tipo híbrido de servicio como vía intermedia, sirviendo carnes previamente puestas en platos y colocando verduras en las mesas para que los invitados se sirvan por sí solos, o bien, sirviendo carne o pescado en la mesa, de una fuente, colocando verduras al centro para que los invitados se sirvan.

Otros tipos de servicio de "bufet"

Existen otros tipos híbridos de servicio para desayunos, en los que las bebidas, el pan tostado, etc., se sirven a los invitados, quienes se dirigen luego a una mesa de "bufet" para escoger los cereales y los platillos calientes. Las mesas son recogidas en este caso por el personal de meseros.

Un servicio semejante se usa en algunos restaurantes, donde todos los alimentos, con excepción del platillo principal, se sirven en la mesa, sea que ellos mismos lo trinchen o que sean ayudados por trinchadores que sirven por detrás del mostrador.

En el servicio de banquete se utiliza con frecuencia un tipo de "bufet" con escaso personal, permitiendo que los huéspedes escojan solamente aquellos alimentos que deseen. Los platillos se disponen artísticamente en la cocina. Se debe tener cuidado de reemplazar los platos a medida que se agoten. La apariencia de un platón o una mesa de "bufet" medio llena no es muy apetecible.

En la Fig. 1.11 se presenta un pequeño salón de banquetes moderno.

Nota: En los restaurantes en donde se practica la nueva cocina (*nouvelle cuisine*), con frecuencia los platos ya están servidos debido a que la decoración forma parte esencial del platillo y sería destruida si el mesero lo transfiriera de una fuente al plato.

Servicio a la orden

Este tipo de servicio puede existir en varias clases de establecimientos de servicio de alimentos, tales como los industriales, las cafeterías de servicios de transportes y los restaurantes especializados en carnes (*steak-houses*). Consiste en un mostrador de servicio normal en donde se sirven diversos alimentos de un menú, previamente preparados, los cuales se conservan bien o son fríos, para aquellos alimentos que deben prepararse a la orden, como los asados a la parrilla, los huevos fritos y los alimentos horneados, existen meseros que los solicitan en la

Fig. 1.11 Moderno salón de banquetes - Plough & Harrow (Hotel Crest)

parte trasera de la zona de servicio, donde se preparan una vez recibida la orden.

Nota: Para una descripción más completa de todos los tipos de servicio *véase* J. Fuller: *Modern Restaurant Service* (Hutchinson), 1983.

1.6 EL PERSONAL DEL RESTAURANTE

Aunque los costos actuales hacen que el empleo de personal innecesario sea un lujo, la mayor parte de la contratación de personal en un restaurante se basa en la tradicional *brigade de restaurant* (equipo de restaurante) francesa; muy pocos establecimientos pueden contar con la dotación completa.

El sistema clásico fue organizado con vistas a crear una estricta jerarquía dominada por el gerente del restaurante (*gérant* o *directeur de restaurant*). Éste debe ser ayudado por un gerente asistente *sousgérant* (subgerente) o primer jefe de meseros (*premier maître d'hôtel*), quien lo sustituye en sus ausencias, en días de fiesta o en casos de enfermedad. En la Fig. 1.12 se presenta la relación entre los diversos miembros del personal.

El servicio en el restaurante clásico se lleva a cabo como sigue:

El jefe de meseros de sección (*maître d'hôtel de carré*) será responsable de la supervisión de una sección (*carré*) del restaurante, generalmente compuesta de tres estaciones (alrededor de 15 a 25 mesas). Cada jefe de meseros de sección suele tener también algún otro deber específico durante el periodo de prepara-

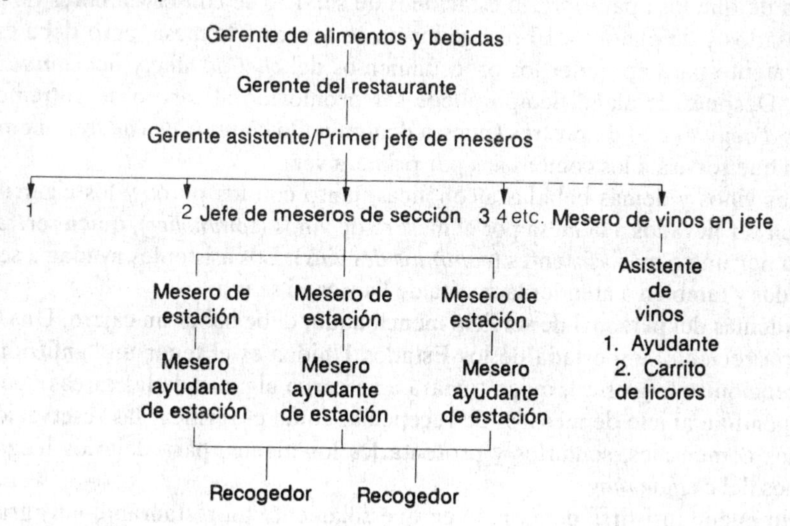

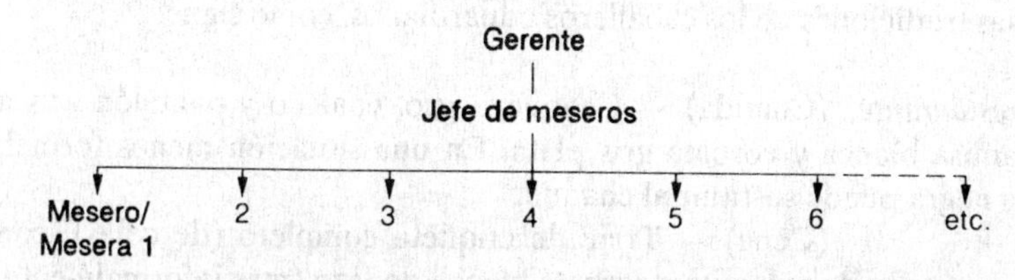

Fig. 1.12 Esquemas de la estructura del personal

ción (*mise en place*), como lo es responsabilizarse de la mantelería, la vajilla, la plata, los artículos de papelería y la fuente de propinas (*tronc*). Las reservaciones de mesas y la rotación del personal son, casi siempre, responsabilidad del primer jefe de meseros o del gerente asistente.

Cada grupo de 20 a 36 cubiertos se designará como una estación (*rang*) que es atendida por un mesero de estación (*chef de rang*); éste toma las órdenes de las comidas y las sirve, auxiliado por un mesero ayudante de estación (*commis de rang*) que normalmente no sirve a los comensales, sino que lleva las órdenes a la cocina y recoge de allá los platillos ordenados.

Por cada una o dos estaciones, dependiendo del establecimiento, hay un recogedor (*commis débarrasseur*) o *bus-boy* (en los Estados Unidos) que se encarga de que los aparadores o estaciones de servicio se conserven libres de platos usados y de platones. El recogedor no se acerca a la mesa, pero debe estar muy atento para aprender los procedimientos del *chef de rang* y del *commis de rang*. Después de algún tiempo puede ser promovido al carrito de entremeses (*hors d'oeuvre*) o al de postres (puesto denominado *commis de voiture*), momento en que servirá a los comensales por primera vez.

Los vinos y demás bebidas alcohólicas, junto con los puros y los cigarrillos, suelen ser llevados a la mesa por el mesero de vinos (*sommelier*), quien será ayudado por uno o más asistentes (*commins des vins*). Los asistentes ayudan a servir bebidas y también a atender la mesita de licores, si se usa.

Además del personal de servicio mencionado, debe haber un cajero. Una tendencia reciente, importada de los Estados Unidos es el tener un "anfitrión" o "recepcionista" (*greeter*), quien tomará a su cargo algunas de las tareas que correspondían al jefe de meseros de recepción, como el verificar las reservaciones de los comensales, sentarlos y presentarles los menús, para dejarlos luego en manos del *chef de rang*.

No puede insistirse demasiado en que solamente un restaurante muy grande de clase muy alta podría tener un personal tan numeroso como el señalado arriba; los establecimientos más pequeños tendrán una estructura mucho menos estratificada, como un jefe de meseros y un equipo de meseras cuyo número depende del tipo y la calidad del servicio que se ofrece.

UNIFORME

En el restaurante clásico los uniformes para el personal masculino de meseros han seguido las tradiciones de los caballeros eduardianos, como sigue:

Gerente del restaurante. (Comida) – Chaqué negro, chaleco y pantalón gris a rayas, con camisa blanca y corbata gris plata. En una situación menos formal, una chaqueta negra puede sustituir al chaqué.

(Cena) – Traje de etiqueta completo (de colas), con chaleco blanco, cuello de palomita y corbata blanca de lazo (más informalmente, un smoking con solapas de seda).

Jefe de meseros. (Comida) – Frac negro, pantalón, chaleco y corbata de lazo negros; el chaleco se cambia a blanco para la comida.

Meseros de estación. Frac, pantalón y chaleco negros; corbata de lazo blanca en todo momento.

Meseros ayudantes. Tradicionalmente, pantalón negro, corbata de lazo blanca, chaqueta corta blanca o negra y delantal blanco largo.

Meseros de vinos. Como los jefes de meseros, pero con una insignia en la solapa (racimo de uvas) o una llave de "*catador de vinos*" colgada de una cadena al cuello; en algunos establecimientos, chaqueta negra corta y un delantal de franela verde con insignias u otros objetos similares.

Nota: Como los uniformes tradicionales que se describen arriba son difíciles de mantener limpios y debido a la legislación actual referente a la higiene y al suministro de ropa protectora a los empleados, es más común que los establecimientos especifiquen y suministren un tipo de ropa más sencillo y lavable al personal de servicio, tanto del sexo masculino como del femenino. Ahora se emplean colores que armonizan con la decoración, en vez de atenerse al negro, como antes.

2
HABILIDADES NECESARIAS

2.1 HABILIDADES SOCIALES

La profesión del servicio de alimentos requiere un alto grado de adiestramiento. El personal de servicio de alimentos adiestrado siempre ha sentido orgullo por su profesión y es apreciado y respetado por los comensales que saben discernir.

Debido a que los meseros están siempre en contacto con los comensales mientras ejecutan sus obligaciones, las habilidades sociales desempeñan un papel importante en su trabajo.

Un mesero necesita desarrollar ciertas cualidades personales y cultivar costumbres higiénicas y socialmente aceptables, si quiere ganar el respeto, no solamente de los comensales, sino de sus colegas y superiores.

Los atributos personales de un mesero se pueden clasificar bajo tres encabezados, a saber, cualidades físicas, mentales y morales. Cada uno de estos atributos tienen un efecto sobre sus relaciones con uno o más de los grupos de personas mencionados anteriormente (comensales, colegas y administración).

2.1.1 CUALIDADES FÍSICAS

En vista de la necesidad de trabajar de pie durante muchas horas, generalmente sobre alfombras y en espacios cerrados que con frecuencia están calientes y mal ventilados, sobre todo durante los meses de verano, es de suma importancia que los meseros tengan resistencia y procuren conservarse tan sanos como les sea posible haciendo ejercicio y tomando aire fresco fuera de su trabajo.

2.1.1.1 Atributos personales

Higiene personal. La naturaleza misma del trabajo hace que el cuerpo del mesero se coloque en contacto muy cercano (a 30 cm o menos) con los comensales. Con toda seguridad, la falta de higiene personal ofenderá a un comensal que lo que desea es disfrutar de una comida. Incluso los colegas tratarán de evitar trabajar con alguien de higiene personal deficiente, dando como resultado una falta de armonía en el sitio de trabajo, lo cual puede volverse en motivo de preocupación para la administración.

Apariencia. La primera impresión que se tiene de un mesero la da su apariencia, y esta impresión se queda en la mente del comensal mientras permanece en el establecimiento. Los colegas que están orgullosos de su trabajo (y de su apariencia) se muestran poco dispuestos a trabajar con quienes no coinciden con su ejemplo, lo que afecta el espíritu de equipo.

Puntualidad. Los colegas son los más afectados por la falta de puntualidad de los demás porque resienten hacer tareas de *mise-en-place* que corresponden a otro.

Si esto ocurriera con frecuencia, la administración podría verlo seriamente y desear aplicar alguna acción disciplinaria; desde luego, los comensales notarían la ineficiencia del servicio y tendrían que sufrir retardos.

Habla. Los comensales esperan que los meseros sean atentos, corteses y agradables, y no se conforman con menos. Por consiguiente, el mesero debe hacer un esfuerzo consciente para desarrollar una forma clara de hablar, debido a que la comunicación en su trabajo es generalmente de naturaleza verbal.

Escritura. El mesero debe esforzarse también por desarrollar una escritura buena, legible, porque las órdenes que toma deben ser leídas por el personal de la cocina y por el cajero. La escritura ilegible puede ocasionar retardos en el servicio, preparación de órdenes equivocadas o errores en las cuentas de los comensales. Esto puede repercutir en trabajo adicional para sus colegas y provocar malestar a los comensales.

2.1.2 CUALIDADES MENTALES

Memoria. A las personas les complace ser reconocidas; las hace sentirse importantes. El mesero debe, por consiguiente, cultivar una buena memoria de las caras y hacer un esfuerzo por recordar los nombres de los comensales, al menos de aquellos que visitan frecuentemente el restaurante. El otro lado de vital importancia del uso de la memoria es recordar las órdenes de cada uno de los comensales; el repetirles la orden no sólo aclara y confirma, sino que ayuda al mesero a recordar las órdenes individuales.

Conocimiento de los alimentos y de las bebidas. El mesero debe tener un conocimiento adecuado de los alimentos y bebidas que se sirven en el establecimiento. Así, un mesero debe ser capaz de describir todos lo platillos y bebidas del menú a los comensales en términos sencillos.

2.1.3 CUALIDADES MORALES

Honestidad. La honestidad es la base de la confianza. La honestidad con los comensales, colegas y administración es indispensable para crear un ambiente de trabajo bueno, relajado y eficiente.

Confidencialidad. Muchos comensales hablan durante las comidas sobre asuntos de naturaleza personal y confidencial que el mesero puede alcanzar a oír en el transcurso de sus deberes; tal información debe guardarse siempre en secreto. Por otra parte, el mesero no debe hacer ningún esfuerzo por escuchar las conversaciones de los clientes ni hacer comentario alguno sobre lo que han dicho, a menos que alguno de ellos se lo solicite expresamente. Los comentarios que pueda hacer deben ser calculados para no cometer ninguna ofensa, pero siempre es buena política no comprometerse en esta clase de situaciones.

Discreción. Un buen mesero nunca presupone que la acompañante de un cliente es o no es su esposa. El mejor método siempre es dirigirse a la invitada como *Madame* preferiblemente a *Señora*. Esto evitará el ocasionar vergüenza a cualquiera de las partes interesadas.

2.1.4 LENGUAJE Y FORMA DE DIRIGIRSE A LAS PERSONAS

Un buen mesero, además de ser competente en el servicio de alimentos, debe tratar a los clientes en forma amistosa y diplomática, sin ser servil ni actuar con demasiada familiaridad, cumpliendo a la vez su función secundaria, pero no menos importante, como agente vendedor y representante del establecimiento.

Siempre es buena política el averiguar los nombres de los clientes asiduos y darles la bienvenida por sus nombres al llevarlos a sus asientos, pero a partir de entonces es aceptable el uso de *Señor* o *Madame*.

Un mesero siempre debe guardar discreción y nunca unirse a la conversación ni hacer comentarios sobre lo que se ha dicho en la mesa, a menos que se lo pida algún comensal, y aun en este caso debe tener cuidado de que su respuesta no haga parecer que "toma partido" en el asunto de que se trata, no importa qué tan trivial le pueda parecer.

Se debe hacer uso apropiado del título de cualquiera de los comensales, pero después de haberlos saludado en la forma apropiada el uso de *Señor* o de *Madame* es perfectamente normal; no obstante, esto depende mucho de cada cliente, y el mesero debe aprovechar su experiencia para determinar qué forma de tratamiento será más aceptable para un individuo en particular.

El conocimiento de un idioma extranjero, por lo menos, siempre es de utilidad en el personal de meseros, siendo el francés el más útil, dado que en la mayor parte de los restaurantes aún se usan muchos términos franceses en los menús, y en cierta forma este idioma es una "herramienta del oficio". Muchos de los clientes esperan que el mesero pueda explicarles el contenido de los platillos que en el menú tienen nombres franceses.

Para este fin, entre otros, el mesero debe cultivar un modo agradable de hablar y claridad de expresión. El conocimiento de los métodos de cocinar y los términos del menú es esencial; carece de significado el uso de frases tales como "usted sabe" cuando se da una explicación a los clientes porque si ellos supieran, no tendrían necesidad de preguntar. Es recomendable utilizar la forma: "¿Le gustaría a usted...?" con preferencia a: "¿Quiere usted...?"

2.1.5 RELACIONES CON LOS CLIENTES

El elemento más importante que contribuye a que se disfrute de una buena comida es el tratamiento que el comensal recibe del mesero.

Antes de considerar las relaciones con el cliente, es importante comprender un hecho básico: el mesero, sin consideración de su color o de su credo, está desempeñando un "papel" y, por consiguiente, su comportamiento se debe ajustar a la imagen sobreentendida de ese papel.

La relación de un mesero con un comensal se puede resumir en tres palabras: breve, formal, profesional.

Esta relación se debe cimentar sobre una base puramente formal, tan cordial como sea posible, sin resultar demasiado familiar, aun cuando el comensal se muestre desagradable o rudo; en este último caso, es mejor pasar por alto tal comportamiento y no hacerlo tema de discusión.

Las relaciones con los clientes deben mantenerse sobre una base de profesionalismo, y los meseros nunca deben inmiscuirse en los problemas personales de los comensales.

2.2 HABILIDADES DE SERVICIO - MENTALES

Además del elemento memoria, ya tratado en la sección de las habilidades sociales (por ejemplo, recordar los nombres de los clientes, etc.), existe una gran cantidad de habilidades mentales relacionadas con el reconocimiento e identificación de los diferentes artículos usados en el trabajo diario del mesero; además, tales habilidades comprenden los procesos mentales necesarios para el servicio y la distribución de porciones en los platos y para el cálculo de las cuentas.

2.2.1 MESAS, SILLAS Y MOBILIARIO DEL RESTAURANTE

Mesas

Las mesas de uso general en los restaurantes pueden ser de tres formas: cuadradas, rectangulares o redondas; según su tipo y tamaño, se debe dejar un mínimo de 75 cm por comensal.

En los restaurantes de alta categoría se prefieren las mesas redondas porque se pueden utilizar para 1, 2, 3 o 4 comensales, de acuerdo con su tamaño, y se pueden colocar simétricamente sin que el arreglo parezca demasiado estricto.

Se pueden utilizar diversos tamaños de mesas redondas, según el número de personas, como se indica a continuación:

Personas	Diámetro	Mínimo
1	2 pies 6 pulg	0.75 m
2 a 3	3 pies-3 pies 3 pulg	1 m
4	3 pies-3pies 3 pulg	1 m
5 a 6	4 pies	1.25 m
2 a 9	5 pies	1.50 m
10	5 pies 9 pulg	1.80 m
12	6 pies 7 pulg	2 m

Las mesas cuadradas suelen medir 3 × 3 pies (90 × 90 cm) o 2.5 × 2.5 pies (75 × 75 cm); el tamaño menor sólo es adecuado para 2 comensales a la carta o 4 para un servicio de mesa de hotel.

El tamaño de 2.5 pies (75 cm) es útil con varios tamaños de tableros redondos movibles o con piezas de extensión (*allonges*) para agrandar las mesas o crear diversas conformaciones para ceremonias o banquetes. Las partes de extensión suelen fabricarse en módulos de 2.25 o 2.5 pies (67.5 o 75 cm) de longitud para sentar a 1 o 2 comensales.

Se pueden emplear varios métodos para su fijación, que van de listones de madera a sistemas de enganche patentados.

También hay disponibles extensiones en forma de "D" para permitir que se sienten dos comensales en los extremos de esas mesas.

Las mesas rectangulares para 4 comensales se utilizan usualmente con asientos de bancas y normalmente son de un tamaño de 4 × 2.5 pies (1.25 × 0.75 m).

Todas las mesas para comer tienen una altura de 2.33 pies (72 cm) o de 2.5 pies (75 cm); las de menor altura se utilizan con sillas totalmente tapizadas, en vista de lo que ceden éstas al sentarse en ellas.

En la Fig. 2.1 se muestra una disposición moderna de mesas para banquetes.

2.2.1.2 Asientos

Los asientos para uso en los restaurantes son de muchos tipos, dependiendo de la decoración del salón en el que se vayan a usar y del tipo de servicio del que se trate.

Los asientos pueden consistir en sillas de varios tipos o bancas tapizadas; estas últimas se utilizan generalmente en los casos de servicio de alimentos de tipo popular, con pequeñas mesas rectangulares, para producir "compartimientos" como los que se encuentran en los carros Pullman.

Se deben considerar varios factores, como los siguientes:

Comodidad para los comensales. Esto dependerá del tipo de restaurante; en uno de lujo se colocan sillas de brazos, tapizadas; en un restaurante de tipo más popular, las sillas deben ser más duras y menos confortables con el fin de evitar que los clientes tarden demasiado en levantarse e impidan así la llegada de otros clientes. En un restaurante de comida rápida, las sillas deben ser sencillas, casi

Fig. 2.1 Mesas de restaurantes y para banquete (G.N. Burgess & Co Ltd)

llegando a lo incómodo, para evitar cualquier sensación de comodidad, por la misma razón expresada antes.

El material de revestimiento debe ser fácil de limpiar; el material tejido con malla abierta no es aconsejable para su uso en restaurantes. El terciopelo de fibras sintéticas, como de "dacrón", que se puede limpiar fácilmente con una esponja, es ideal si se desea un revestimiento tejido; otra posibilidad es el cuero o un material que imita el cuero.

El ángulo entre el respaldo y el asiento debe ser agudo con preferencia a obtuso para dar apoyo a la espalda.

La altura estándar del asiento en las sillas para comer es de 18 pulg (45 cm); si están tapizadas, la altura una vez que cede el tapiz no debe exceder de esa medida, la cual posibilita una posición cómoda al sentarse para comer y deja un espacio de 9 a 10 pulg (22 a 25 cm) entre la parte superior del asiento y la inferior del tablero.

Facilidad de servicio. Los respaldos de las sillas de restaurante deben ser preferiblemente más angostos en la parte superior que en la inferior para permitir un fácil acceso entre sillas con fines de servicio. El respaldo debe ser suficientemente alto: 2 pies 8 pulg (80 cm), para dar apoyo a la espalda sin estorbar el servicio.

Espacio ocupado. Las patas de las sillas deben ser verticales y no oblicuas, sobre todo en la parte trasera, para facilitar el servicio y ofrecer al menos un espacio de 2 pies (61 cm) de ancho para que se siente el comensal.

Las sillas con brazos deben estar construidas de tal manera que, cuando no se estén usando, no sobresalgan las 16 pulg (40 cm) que suelen tener de fondo.

En la Fig. 2.2 se presentan sillas con las características anteriores.

2.2.1.3 Aparadores o estaciones de servicio

También se conocen como *dollies* o como "montaplatos". Una estación de servicio es una de las piezas más importantes del mobiliario de un restaurante. Es la base desde la cual el personal de meseros trabaja en "el salón" y, por consiguiente, debe contener todo el equipo necesario para el servicio en el transcurso de una comida.

El tamaño y diseño pueden variar de un establecimiento a otro, pero sus características básicas deben ser las mismas, variando solamente según el tipo de menú o el número de cubiertos que han de servirse desde la estación.

El aparador debe tener una cubierta plana, libre de estorbos, para permitir la descarga de las charolas más grandes que se usen en el establecimiento.

Fig. 2.2 Sillas modernas "Vars" para restaurante, con estructura de metal (G.N. Burgess & Co Ltd)

Fig. 2.3 Aparadores típicos de restaurante (dos estilos) (Ward, Roper)

En la parte inferior debe tener cajones o compartimientos abiertos para facilitar la toma de cubiertos, servilletas y otros artículos, bajo los cuales, a su vez, habrá dos o tres estantes para colocar manteles y otro equipo necesario. Algunos aparadores pueden tener una alacena en uno de los lados, en la cual se puede colocar la mantelería sucia durante el servicio.

A fin de facilitar la limpieza del piso y aumentar la flexibilidad en el uso del restaurante, es conveniente que los aparadores tengan ruedecillas. En la Fig. 2.3 se muestran estaciones de servicio típicas.

2.2.2 *CUBIERTOS DE USO GENERAL*

Los cubiertos de uso general pueden estar hechos de un metal bajo con baño de plata, o bien, completamente de acero inoxidable, del cual están hechas todas la hojas de los cuchillos de uso general. Un patrón típico de cubiertos se muestra en la Fig. 2.4 [con una regla de 1 pie (30 cm) con fines de comparación]; figuran, de izquierda a derecha: cuchillo para postre, cuchillo para carne; cuchillo para pescado; tenedor para postre; tenedor para carne; tenedor para pescado; cuchara para postre; cuchara sopera; cuchara para café; cuchara para té.

2.2.2.1 *Cuchara y tenedor de servicio*

Éstos son los que generalmente se conocen como *cuchara de mesa* y *tenedor de mesa*, y se usan para servir diversos platillos. Es de suma importancia que los ex-

Fig. 2.4 Cubiertos de uso general, con tamaños relativos

tremos de los mangos coincidan uno con otro y sean preferiblemente planos para facilitar su manejo.

2.2.3 VAJILLA DE USO GENERAL

La vajilla que se usa en los restaurantes suele ser de loza, excepto en los establecimientos más lujosos, en donde se puede usar porcelana china.

La loza está hecha de arcilla de alfarero cocida al horno a temperaturas elevadas. Si se deja ese estado, resulta sumamente porosa; por consiguiente, se somete a vidriado, poniendo alguna decoración debajo de éste.

La porcelana china se hace a partir de caolín mezclado con hueso, y se hornea antes de ser vidriada; después de vidriada se hornea de nuevo, lo cual produce una porcelana blanca, con superficie transparente y cuerpo translúcido. La decoración se pone antes del segundo horneado.

Los alimentos se sirven en platos de diversos tamaños y tipos. Los platillos principales suelen servirse en un plato de aproximadamente 10 pulg (25 cm) de diámetro. Las entradas, los postres y el pescado (cuando constituyen un platillo separado), y algunas veces los entremeses (*hors-d'oeuvre*), se presentan en un plato de aproximadamente 8.5 pulg (22 cm) de diámetro.

La mayoría de las sopas, así como los mejillones, el estofado irlandés y el estofado Lancashire se sirven en un plato sopero de 9 pulg (23 cm) colocado sobre uno extendido de 10 pulg (25 cm) que sirve de base.

Para el servicio de quesos, rollos de pan, el té de la tarde y la fruta se usan platos de 6.5 a 7 pulg (18 cm).

Un plato en forma de media luna se utiliza para el servicio de las ensaladas y se coloca adyacente a la parte superior izquierda de un plato común de 10 pulg (25 cm).

Los tazones para cereal suelen medir de 7 a 7.5 pulg (19 cm) y se usan para los cereales fríos o calientes en el desayuno, o para pudines de leche, frutas cocidas, etc., en las demás comidas.

Los platones ovales miden aproximadamente 12 × 10 pulg (30 × 25 cm) y se usan principalmente para el servicio de asados a la parrilla, como filetes, chuletas, etc., y para el pescado entero, como lenguado o platija.

Las tazas de té contienen aproximadamente 7 onzas fluidas (180 ml) y se utilizan con un platillo con el que hacen juego para servir el té después de las comidas y para las bebidas calientes (té o café) en otros momentos, por ejemplo, a media mañana o en la tarde.

Las tacitas de café expreso contienen aproximadamente 4 onzas fluidas (100 ml) y se utilizan con un platito con el que hacen juego para servir el café después de las comidas.

Las tazas y tazones para sopa o consomé suelen tener dos asas y un plato con el que hacen juego. Su capacidad es de 10 onzas fluidas (300 ml), y se usan para servir sopas calientes o frías, o consomés.

Todos los artículos mencionados se ilustran en la Fig. 2.5 (*a*).

En la Fig. 2.5 (*b*) se ilustra un moderno juego de tazón y platos.

Fig. 2.5 (a) Estilos de vajilla de uso general (Steelite International plc)

2.2.4 CRISTALERÍA DE USO GENERAL

La cristalería usada en el restaurante se puede clasificar bajo las siguientes categorías:

1. Copas para cerveza, cerveza ligera o sidra
2. Tarros
3. Copas para vinos destilados
4. Copas para champaña y vinos espumosos
5. Copas para cocteles
6. Copas para vinos espirituosos y licores
7. Copas para bebidas alcohólicas mezcladas
8. Copas para brandy y coñac
9. Copas para aperitivos, jugos de frutas y refrescos*

Fig. 2.5 (b) Conjunto "Country Club" Steelite (Steelite International plc)

*Para estas bebidas se usa comúnmente una copa de uso general, como la copa de París.

Fig. 2.6 Cristalería de uso general

Se debe hacer notar que aunque los diseños de los diferentes fabricantes varían, las características básicas son iguales. En la Fig. 2.6 se muestran las formas típicas.

2.2.5 *CUBIERTOS DE USO ESPECIAL*

Bajo la denominación de cubiertos de uso especial se puede incluir lo siguiente:

1. Cuchillo y tenedor para fruta
2. Tenedor para ostiones
3. Palillo para langosta
4. Tenazas para espárragos
5. Tenedor para caracoles
6. Cuchara para toronja
7. Cuchara para helado
8. Cuchillo para queso
9. Tenedor para mariscos
10. Tenedor para pastel o pastas
11. Quebrador para langosta
12. Cuchillo para caviar
13. Tenazas para caracoles
14. Sostenedores para maíz en mazorca
15. Cuchillo para mantequilla
16. Cuchara para copa de helado
17. Brocheta para kebab

Estos utensilios se ilustran en la Fig. 2.7 (*a*), (*b*) y (*c*); en la Fig. 2.7 (d) se muestran sus tamaños relativos.

2.2.6 *VAJILLA DE USO ESPECIAL*

Bajo esta denominación figuran:

1. Platón para lenguado
2. Platón para gratinar
3. Marmita pequeña
4. Plato para escalopa
5. Cazo
6. Fuente o platón para entremeses (*hors d'oeuvre*)
7. Plato para huevos al plato
8. Tazón y plato base para consomé
9. Tazón
10. Hueveras, doble y sencilla

Con excepción de los utensilios señalados con los números 8 y 10, que pueden hacer juego con la vajilla de uso normal, todos deben ser de porcelana resistente al fuego, como se muestra en la Fig. 2.8.

2.2.7 *CRISTALERÍA DE USO ESPECIAL*

En esta categoría se incluyen los siguientes artículos, ilustrados en la Fig. 2.9:

1. Vaso para *knickerbocker glory*
2. Copas para helado
3. Platos para *banana split*
4. Ceniceros
5. Vinagreras y aceiteras
6. Cíos para enjuague

Se debe hacer notar que, con excepción de los utensilios señalados con los números 1, 3, y 5, estos artículos suelen ser de acero niquelado o acero inoxidable.

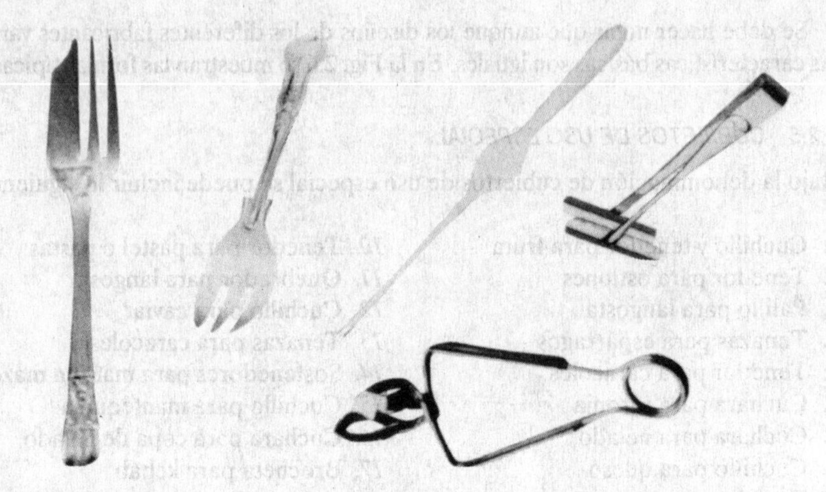

Fig. 2.7 (a) Cubiertos de uso especial: *arriba:* tenedor para pasteles, tenedor para ostras, palillo para langosta, tenazas para espárragos; *abajo:* tenazas para caracoles

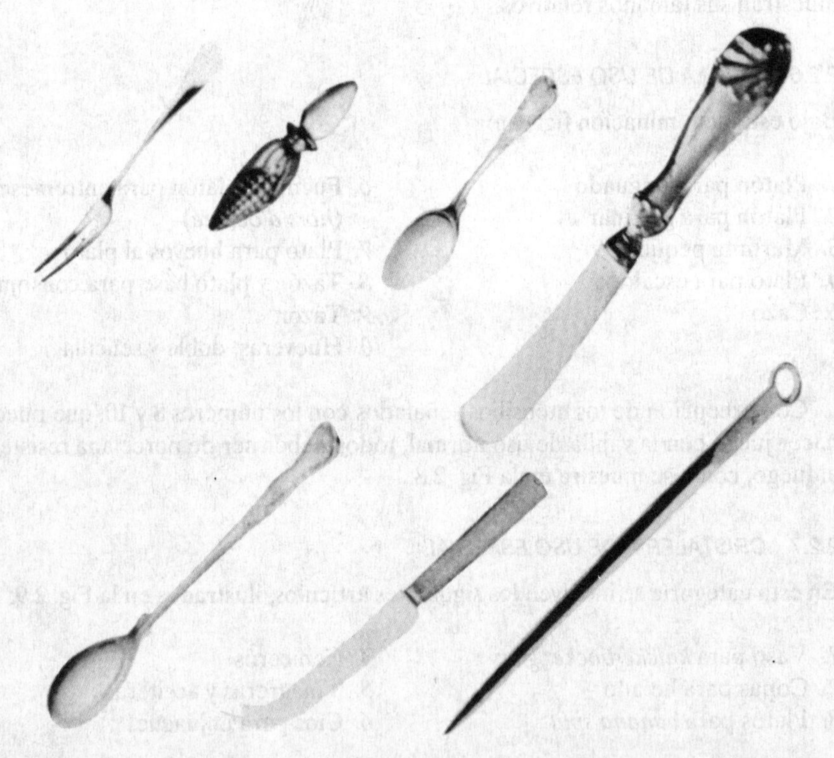

Fig. 2.7 (b) Cubiertos de uso especial: *arriba:* tenedor para caracoles, soporte para elotes, cuchara para toronja; cuchillo para mantequilla; *abajo:* cuchara para helado; cuchillo para queso; brocheta

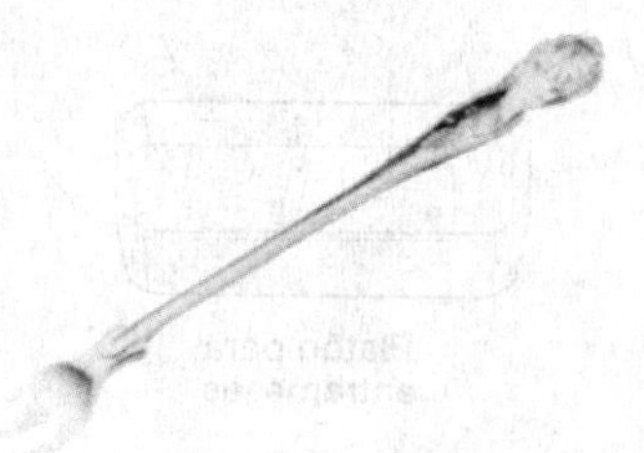

Fig. 2.7 (c) Cubiertas de uso especial: tenedor para coctel de mariscos

Guía de cubiertos

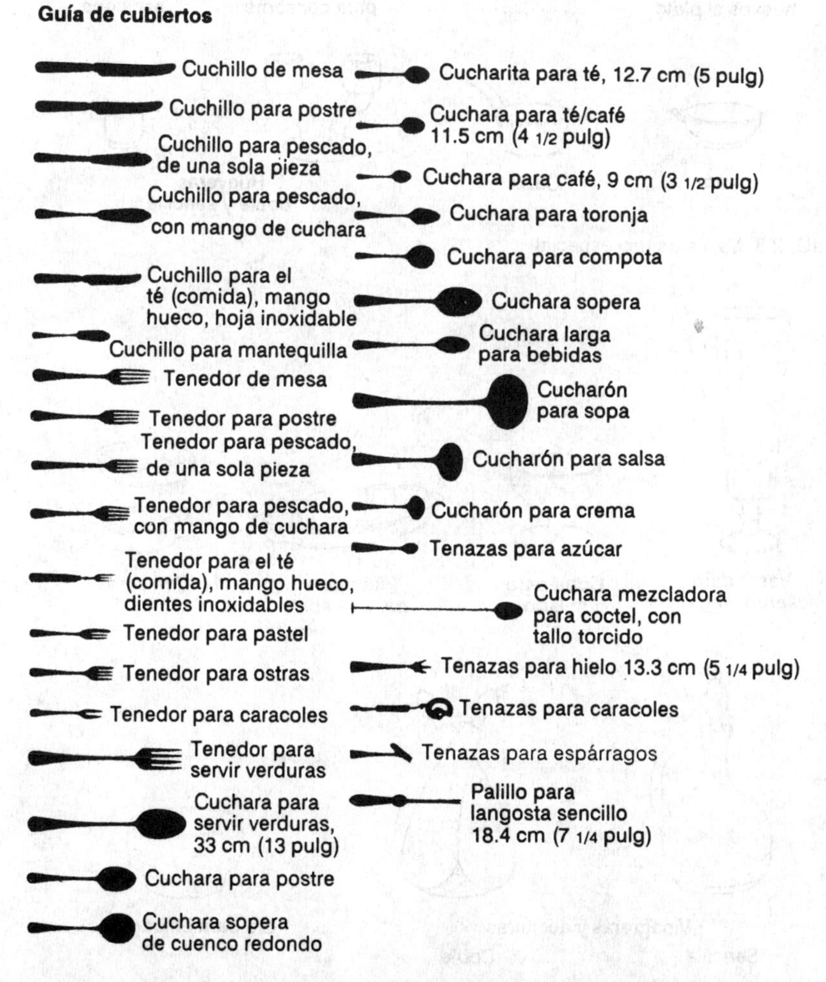

Fig. 2.7 (d) Cubierta de uso especial: siluetas (Arthur Price de Inglaterra)

FIG. 2.8 Vajilla de uso especial

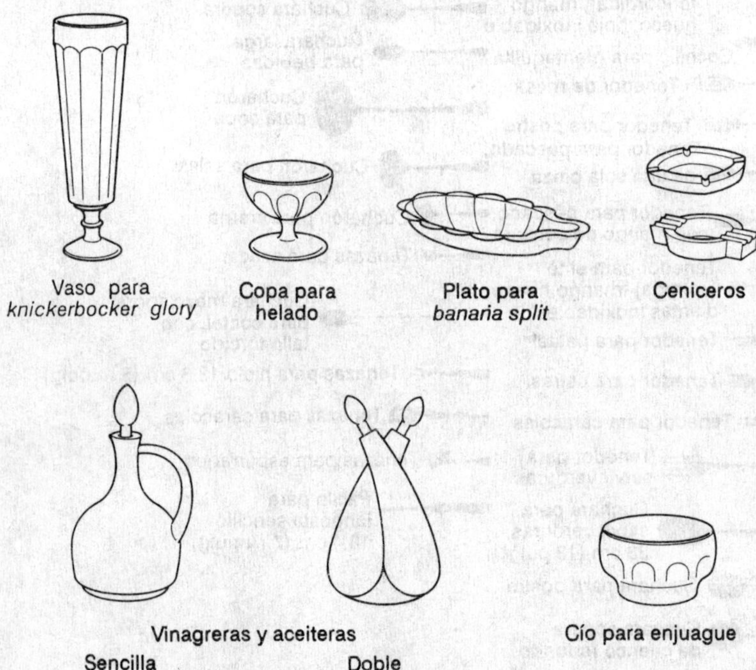

Fig. 2.9 Cristalería de uso especial

2.2.8 EQUIPO DE SERVICIO DE USO ESPECIAL

Bajo este encabezado están incluidos los siguientes utensilios, que se muestran en la Fig. 2.10:

1. Tijeras para uvas
2. Pala para servir rebanada de pastel o pastas
3. Tenazas para hielo
4. Tenacillas para azúcar
5. Tijeras para aves
6. Cascanueces
7. Exprimidor de limones
8. Lámpara para flamear o escalfar
9. Sartén para flamear o escalfar
10. Jarra para té
11. Jarra para agua caliente
12. Jarra para leche
13. Azucarera
14. Jarra para café
15. Juego para sal y pimienta
16. Azucarera para espolvorear
17. Molino de pimienta
18. Mantequillera
19. Colador de té
20. Prensador

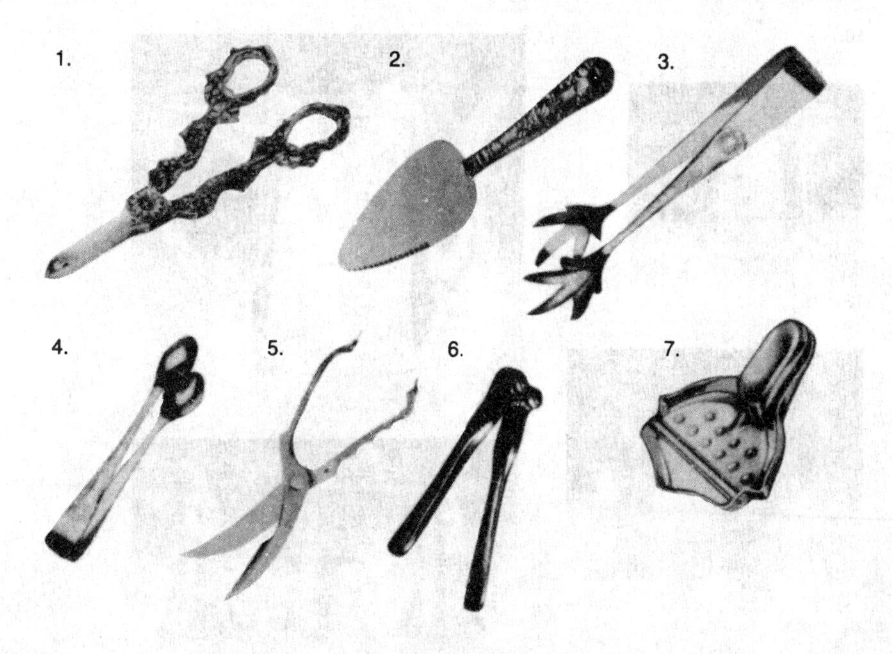

Fig. 2.10

8. 9. 10. 11. 12. 13. 14. 15.

Fig. 2.10 (cont.)

16.

17.

18. 19.

20.

Fig. 2.10 (cont.)

2.2.9 PLATONES PARA SERVIR (COCINA)

La forma y el tamaño de los platones para servir dependerá del platillo y del número de porciones que se sirvan.

Platones redondos extendidos. Se usan para carnes en rebanadas con aderezo, algunas verduras y postes.

Platones ovales extendidos. Se usan para tortillas de huevo, chuletas, filetes de pescado y carnes rebanadas aderezadas.

Platones ovales extendidos para pescado. Para pescados redondos (trucha, arenque) enteros, asados a la parrilla o escalfados.

Platones para entradas. Se utilizan para guisados, carne en salsa blanca, etc., que contienen abundante salsa.

Soperas y platos soperos individuales. Para servir sopas. Las sopas frías (por ejemplo, la vichyssoise) se pueden servir en un timbal doble con un reborde, colocando hielo triturado entre las dos secciones.

Platones para verduras. Pueden ser redondos u ovales, sencillos o divididos en dos o más secciones, dependiendo de la cantidad de verduras ordenadas.

Nota: Todos los platones mencionados arriba son suministrados con cubierta por la cocina, excepto cuando en ellos se sirven alimentos que han sido fritos en mucha grasa.

Salseras. Éstas vienen en varios tamaños y siempre se presentan sobre una base, aunque algunas la tienen ya integrada. La mayor parte de las salsas se sirven con un cucharón o una cuchara para salsa.

En la Fig. 2.11 se muestra una variedad de utensilios especiales.

2.2.10 PLATONES PARA SERVIR (ESPECIALES)

Plato para caracoles. Éstos pueden tener 6 o 12 muescas, según sea la parción que se ofrece en el menú.

Plato para ostiones. Los hay de dos tipos: uno en el cual los ostiones se colocan sobre una cama de hielo machacado con medio limón en el centro, y el otro, que es semejante, pero tiene una cubierta con seis o nueve oquedades en las que se acomodan los ostiones; el hielo machacado se pone debajo de la cubierta.

Copa doble para coctel de mariscos. Ésta se utiliza para servir cocteles de mariscos; se pone hielo machacado entre la copa exterior y la interior.

Copas. Éstas se usan para servir helados, toronjas, etcétera.

Plato para aguacate. Se usa para servir mitades de aguacate.

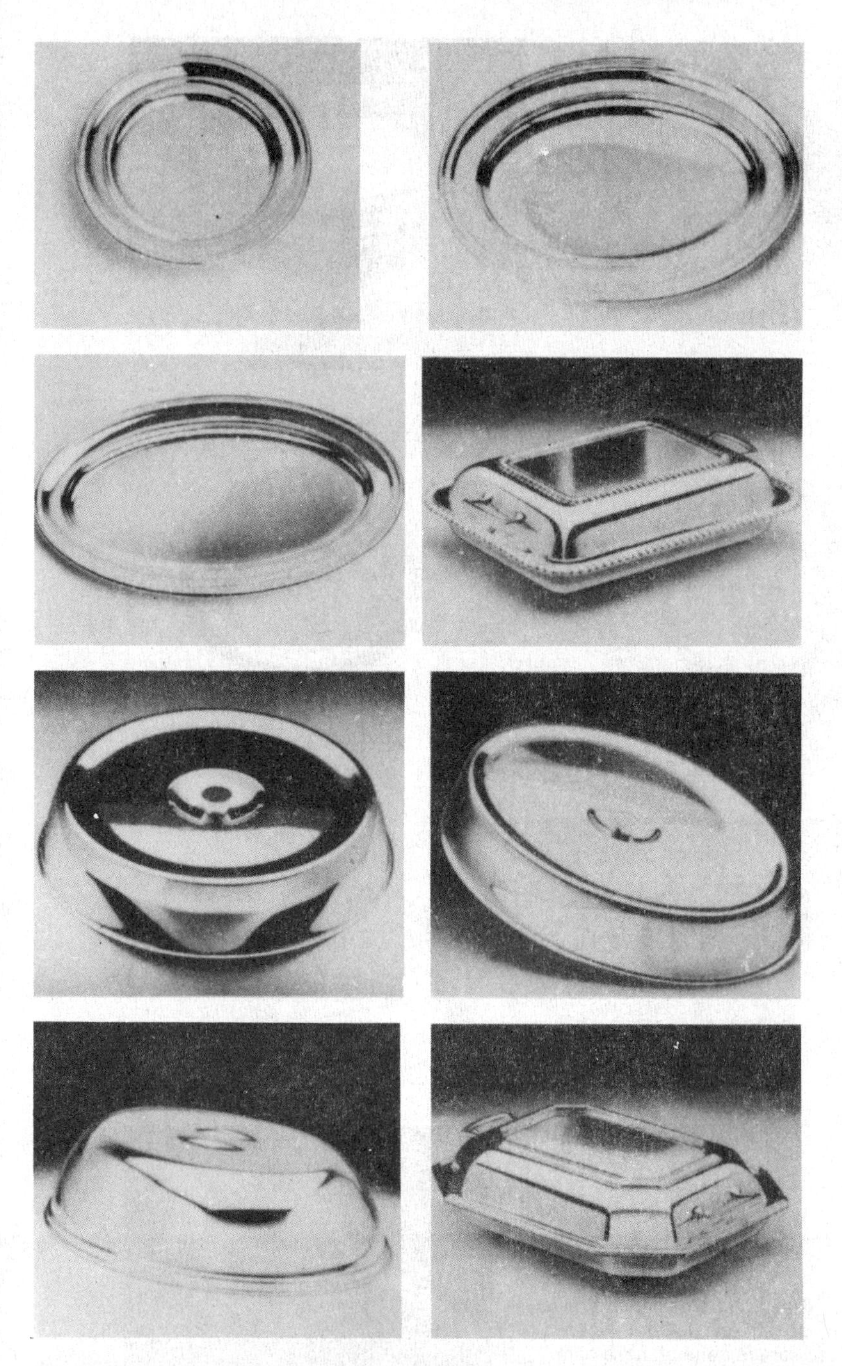

Fig. 2.11 (a) Equipo de servicio de uso general (cocina): (izq. a der.): fuente redonda; fuente oval para carne; fuente oval para pescado, fuente para entradas; fuente redonda, con tapa, apilable; fuente oval, con tapa, apilable; fuente oval con tapa; fuente para entradas, con tapa

Fig. 2.11 (b) Equipo de servicio de uso general (cocina): (izq. a der.): sopera individual; sopera general; base para sopera; plato de doble fondo para sopas frías; salsera; base para salsera; cucharón para salsa

Fig. 2.11 (c) Equipo de servicio de uso general (cocina): (izq. a der.): Platón oval sencillo para verduras; tapa; platón redondo sencillo para verduras; tapa; platón oval doble para verduras; platón redondo doble para verduras; platón triple para verduras; platón cuádruple para verduras

Fig. 2.12 Utensilios de servicio de uso especial: (izq. a der.): plato para caracoles (12 oquedades); plato para ostras; plato para ostras con separadores; copa para coctel de mariscos; copa ancha; plato para aguacate; rejillas para pan tostado

Rejillas para pan tostado. Se usan para colocar el pan tostado para el desayuno con el propósito de evitar la condensación que podría hacerle perder lo crujiente.

En la Fig. 2.12 se presenta una gama de utensilios típicos.

2.2.11 *MANTELERÍA*

Actualmente, la tradicional mantelería de lino va cayendo en desuso; la mayor parte de los manteles de restaurante están hechos de algodón o de una mezcla de algodón y poliéster, debido, principalmente, al elevado costo inicial, al costo de reposición y a la dificultad de lavado que implicaban los anteriores. Como muchos establecimientos operan ahora con su propia lavandería, la facilidad de limpieza es muy importante.

Los tamaños básicos de los manteles requeridos dependerán de los tamaños de las mesas usadas, teniendo en mente la necesidad de que haya una caída de no menos de 1 pie (30 cm) de cada lado. Así, una mesa de 3 × 3 pies (90 × 90 cm) requerirá un mantel de 5 × 5 pies (1.50 × 1.50 cm), y para una mesa redonda de 3 pies (90 cm) de diámetro se necesita un mantel cuadrado de 5 pies 6 pulg (1.70 cm) por lado.

Para las mesas rectangulares o en los banquetes, donde las mesas suelen medir 2 pies 6 pulg (76 cm) de ancho, se emplean manteles de 4 pies 6 pulg (1.32 cm) de ancho y de longitud variable.

Las servilletas para cenar generalmente miden unas 20 pulg (50 cm) por lado; existen otras más pequeñas para usarlas en el desayuno.

Los cubremanteles (para manchas ligeras, etc., durante el servicio) son, normalmente, de 3 pies (90 cm) por lado.

Los manteles han sido tradicionalmente blancos, pero en algunos establecimientos se usan de algún color para hacer juego con la decoración o en ocasiones especiales (por ejemplo, dorados para las bodas de oro).

Los lienzos de mesero suelen medir 30 × 18 pulgadas (76 × 46 cm) y están hechos de algodón o de retazos de manteles gastados. Los lienzos para el cristal se deben hacer siempre de lino puro, para no dejar pelusa en los vasos limpios.

Los manteles para otros propósitos, como cubrir las estaciones de servicio, etc., se hacen frecuentemente de manteles de mesa viejos en el cuarto de mantelería.

2.2.12 *NOTAS DE LOS MESEROS, CUENTAS Y NOTAS DEL BAR*

Los tipos de notas y cuentas usadas en el establecimiento dependerán del sistema de cobro que se haya adoptado, y se basan en el menú ofrecido. Algunos de los tipos más comunes se ilustran en la Fig. 2.13, y su forma de uso se encuentra en la Sec. 4.4

2.2.13 *EQUIPO PESADO DEL RESTAURANTE*

En esta categoría, los nombres de la mayoría de los utensilios se explican por sí solos y no requieren mayores precisiones, pero cuando es necesario se describen.

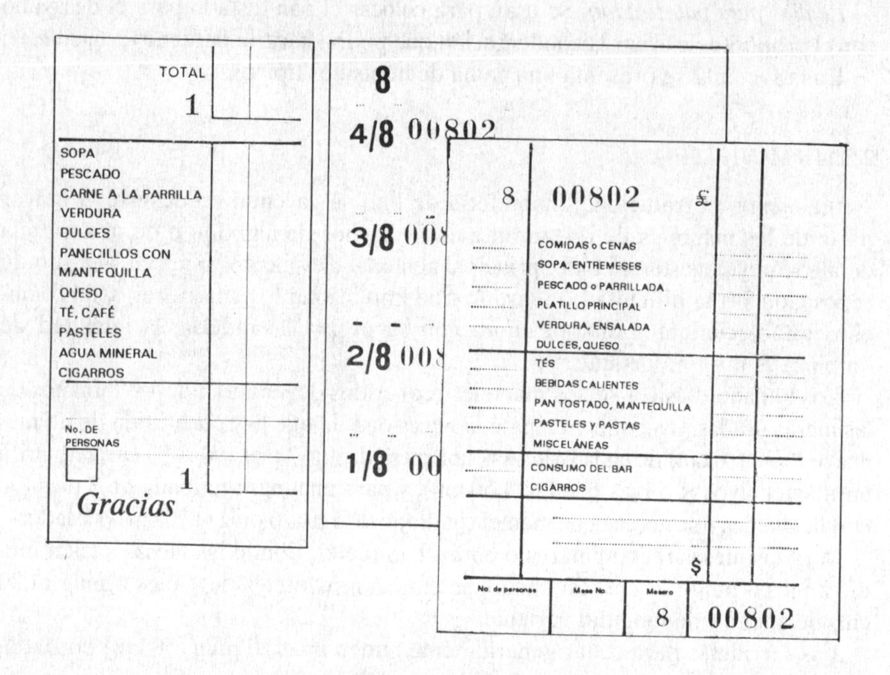

TOTAL
1
SOPA
PESCADO
CARNE A LA PARRILLA
VERDURA
DULCES
PANECILLOS CON MANTEQUILLA
QUESO
TÉ, CAFÉ
PASTELES
AGUA MINERAL
CIGARROS
No. DE PERSONAS
1
Gracias

8
4/8 00802
3/8 008
2/8 008
1/8 00

8 00802 £
COMIDAS o CENAS
SOPA, ENTREMESES
PESCADO o PARRILLADA
PLATILLO PRINCIPAL
VERDURA, ENSALADA
DULCES, QUESO
TÉS
BEBIDAS CALIENTES
PAN TOSTADO, MANTEQUILLA
PASTELES y PASTAS
MISCELÁNEAS
CONSUMO DEL BAR
CIGARROS
$
No. de personas | Mesa No. | Mesero
8 00802

RELACIÓN DE NOTAS

MESERO ______ FECHA ______

No. DE NOTA

1	1	1	1	1
2	2	2	2	2
3	3	3	3	3
4	4	4	4	4
5	5	5	5	5
6	6	6	6	6
7	7	7	7	7
8	8	8	8	8
9	9	9	9	9
0	0	0	0	0
1	1	1	1	1
2	2	2	2	2
3	3	3	3	3
4	4	4	4	4
5	5	5	5	5
6	6	6	6	6
7	7	7	7	7
8	8	8	8	8
9	9	9	9	9
0	0	0	0	0

Fig. 2.13 (a) Notas del mesero, cuentas y notas del bar: *arriba* (izq. a der.): nota de salón de té o cafetería; nota de restaurante con notas separadas para la cocina (perforadas y numeradas); *abajo:* hoja de resumen del mesero (para registrar la venta diaria)

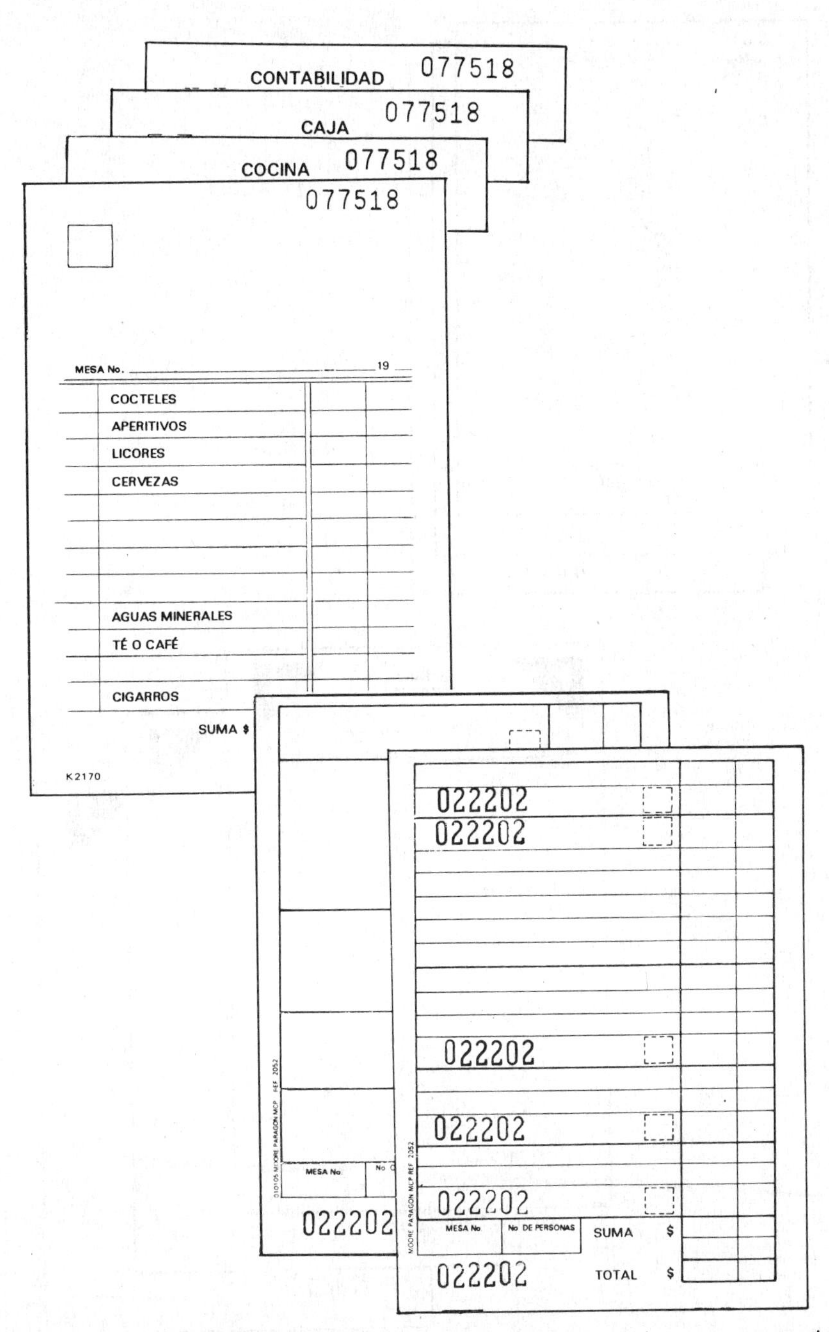

Fig. 2.13 (b) Notas del mesero, cuentas y notas del bar: (izq. a der.): cuenta por cuadruplicado para uso con las máquinas Paragon de partes múltiples; cuenta con órdenes de cocina perforadas (autocopiadas al carbón)

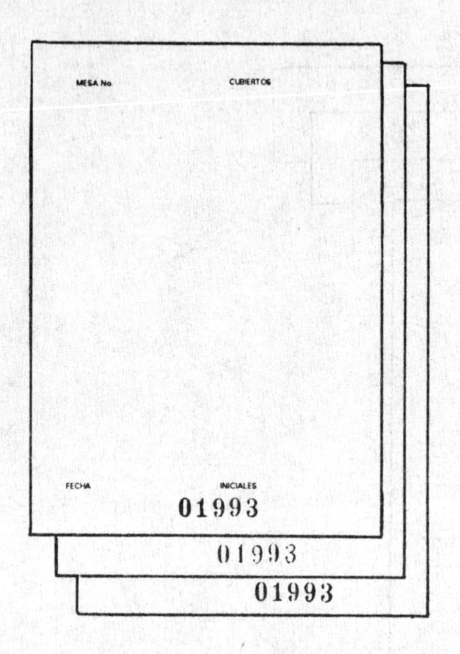

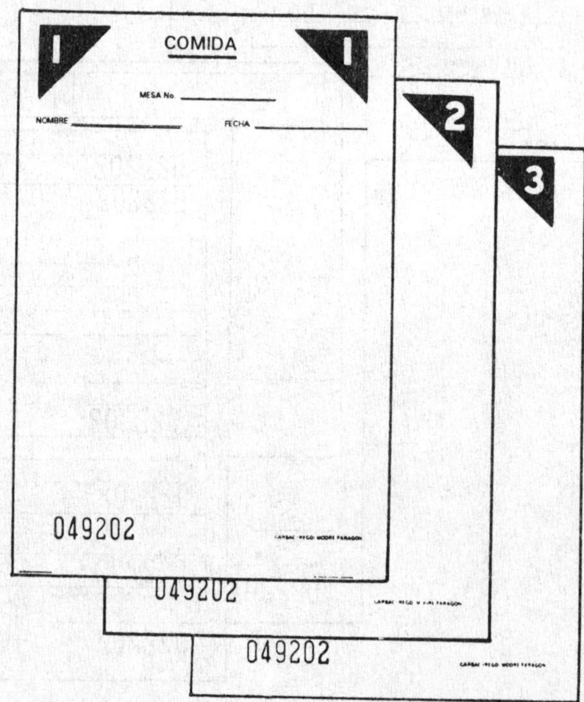

Fig. 2.13 (c) Notas del mesero, cuentas y notas del bar: sistema de notas por triplicado (22 tipos)

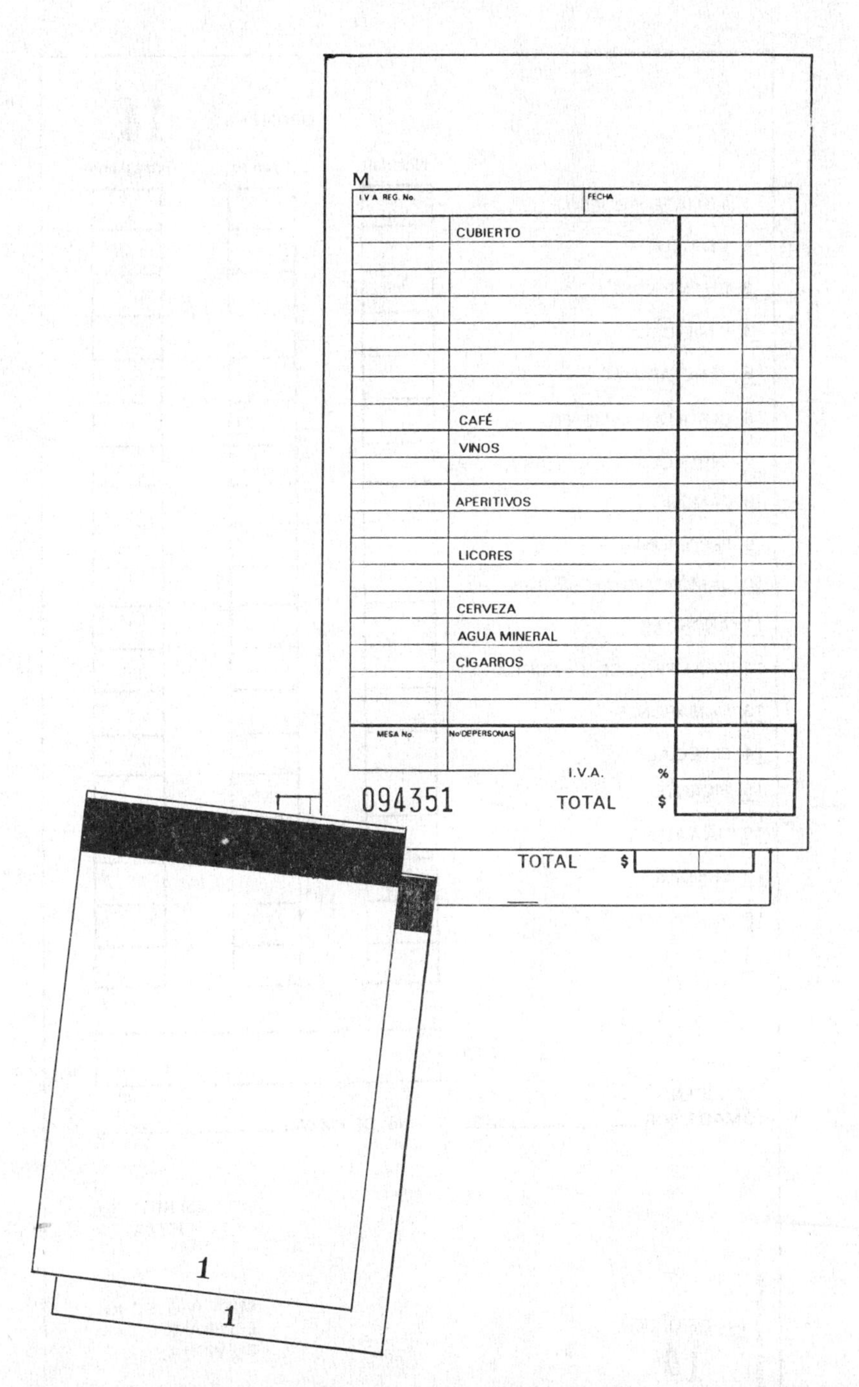
M
I.V.A. REG. No. | FECHA
CUBIERTO
CAFÉ
VINOS
APERITIVOS
LICORES
CERVEZA
AGUA MINERAL
CIGARROS
MESA No. | No DE PERSONAS
I.V.A. %
094351 TOTAL $
TOTAL $

Fig. 2.13 (d) Notas del mesero, cuentas y notas del bar (izq. a der.): nota por duplicado para uso del bar; cuenta por duplicado para uso con el sistema de cuentas por triplicado

ORDEN No. 14

	Normal	Grande	Extragrande
1 TOMATE Y QUESO			
2 CEBOLLA			
3 CHAMPIÑONES			
4 PIMIENTO			
5 VEGETARIANA			
6 CEBOLLA Y PIMIENTO			
7 CEBOLLA Y ACEITUNAS NEGRAS			
8 JAMÓN			
9 PEPPERONI			
10 JAMÓN Y CHAMPIÑONES			
11 ANCHOAS			
12 CHAMPIÑONES Y ANCHOAS			
13 CAMARONES			
14 ESPECIAL			
15 PICANTE			
16 HAWAIANA			
17 BEBIDAS			
18			
19			

TOTAL

ORDEN TOMADA POR ______________ No. DE PIZZAS ______________

DISFRUTE SU PIZZA

MOORE PARAGON UK LTD

No. DE ORDEN 14

BUEN PROVECHO.
ESPERAMOS
SU VISITA

No.:

RESTAURANTE – Hoja de análisis

Día: Comida/Cena No. de la primera cuenta:

Suelto en caja: $

Fecha: / /9 . Cajero:

CUENTA No.	MESA No.	CUBIERTOS	ALIMENTOS		BEBIDAS	CAFÉ	TOTAL
			COMIDAS	EXTRAS			
			$	$	$	$	$
TOTALES							

TODAS LAS CUENTAS DEBEN INCLUIRSE, AUN LAS CANCELADAS

ARTÍCULO	EFECTIVO	CHEQUES
ALIMENTOS $		
EXTRAS $		
BEBIDAS $		
CAFÉ $		
SUBTOTAL $	A	B
GRAN TOTAL $ A-B		

SUMARIO DE EFECTIVO

TOTAL DE CHEQUES $

BILLETES

MONEDAS

SUBTOTAL $

Menos SUELTO EN CAJA $

SUBTOTAL

Menos DISPOSICIONES DE EFECTIVO

DIFERENCIA +/–

CUENTAS NO PAGADAS

Fig. 2.13 (e) Notas del mesero, cuentas y notas del bar: hoja típica de análisis/resumen para el cajero, para uso con sistemas por triplicado u otros sistemas de cuentas por escrito.

Fig. 2.13 (f) Notas del mesero, cuentas y notas del bar: cuenta/orden para uso en una pizzería u otro restaurante con menú restringido (página opuesta)

1. Carrito para entremeses (*hors d'oeuvre*)
2. Carrito para pasteles y postres
3. Carrito para trinchar
4. Carrito para licores
5. Calentador de platos, en batería (sustituye el de tipo antiguo, de funcionamiento eléctrico o con lámpara de alcohol).
6. Velador (una pequeña mesa provista de ruedas). Actualmente se ha transformado en un carrito con lámpara integrada para preparar platillos flameados.
7. Enfriador de vinos con pie.
8. Fuente de pasteles con pie
9. Carrito de servicio
10. Carrito de quesos

Todos los utensilios se ilustran en la Fig. 2.14.

2.2.14 *CÁLCULO MENTAL BÁSICO*

El mesero debe tratar de desarrollar habilidades mentales con dos propósitos principales para su trabajo:

Memoria. (Véase la Sec. 2.1.2)
Aritmética. A fin de ser capaz de calcular correctamente las cuentas de los comensales, y también para distribuir los platillos en porciones. Por ejemplo, debe conocer los métodos para dividir un pastel entre un número dado de porciones iguales (si esto no lo ha hecho previamente la cocina); para ello es necesario tener conocimiento de ángulos o ser capaz de dividir entre dos, en el caso de un número par de porciones.

Un libro recomendable para el mejoramiento de las habilidades mentales en aritmética es *Calculations for the Hotel and Catering Industry*, G.E. Gee (Arnold), 1980.

2.3 HABILIDADES DE SERVICIO - FÍSICAS

2.3.1 *POSICIÓN AL LADO DEL APARADOR*

La parte fundamental del trabajo de un mesero es "esperar", es decir, estar listo para anticiparse y satisfacer las necesidades del cliente. Si en un momento dado el mesero no está ocupado en las tareas de servicio, debe pararse cerca de su estación o aparador; éste será el primer lugar en que el cliente lo ha de buscar cuando necesite un servicio.

Durante el servicio de una comida puede haber grandes periodos en los que el mesero deba estar de pie junto a su aparador. Una postura incorrecta no sólo resulta desagradable, sino que, aún peor, puede tener como consecuencia una

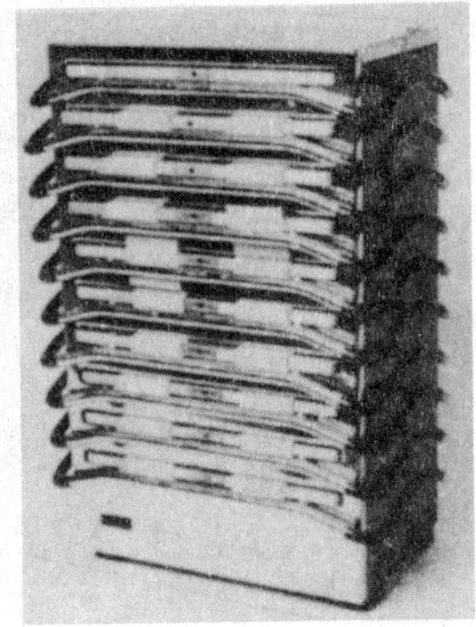

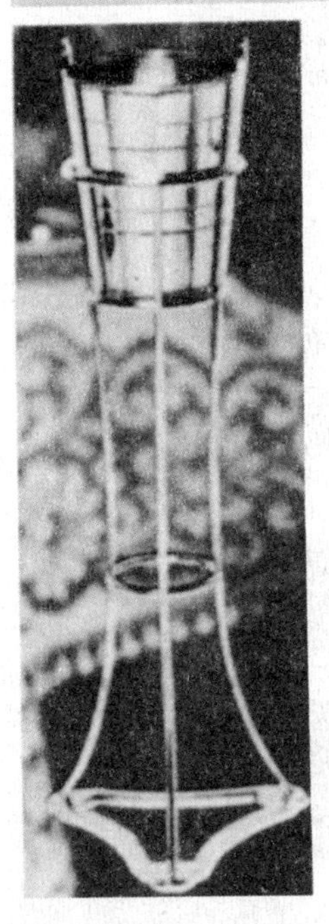

Fig. 2.14 (a) Equipo pesado del restaurante: arriba (3) carrito para trinchar; (5) calentador de platos, en batería; abajo (izq. a der.): (7) enfriador de vinos con pie; (8) fuente de pasteles con pie

Fig. 2.14 (b) Carrito para entremeses (izquierda) (Ward, Roper)

Fig. 2.14 (c) Carrito para dulces (derecha) (Ward, Roper)

Fig. 2.14 (d) Carrito para licores (izquierda) (Ward, Roper)

Fig. 2.14 (e) Velador para platillos flameados (derecha) (Ward, Roper)

Fig. 2.14 (f) Aparador o montaplatos móvil (izquierda) (Ward, Roper)

Fig. 2.14 (g) Carrito de quesos (derecha) (Ward, Roper)

fatiga innecesaria. El procedimiento correcto se enlista abajo, y en la Fig. 2.15 se ilustra la postura.

1. Seleccione un punto adecuado junto al aparador, de modo que no obstruya al personal de servicio y, aun así resulte visible para la mayor parte de los comensales.
2. *Párese derecho y "alto", con los pies separados (a unos 15 cm uno del otro), distribuyendo el peso del cuerpo por igual en ambas piernas.**
3. *Doble esmeradamente el lienzo de mesero y cuélgueselo cerca de la muñeca del brazo izquierdo, doblando el codo al nivel de la cintura.***
4. El brazo derecho se deja colgar derecho.
5. Esté alerta. Esto se logra fácilmente observando el desarrollo de la comida de los clientes sentados a la(s) mesa(s) y anticipándose a sus necesidades.

2.3.2 TRASLADO DE PLATOS

Pilas de platos

Antes de empezar el servicio puede ser necesario acarrear pilas de platos para preparar las estaciones de servicio. El mesero debe ser capaz de acarrear de 10 a 12 platos con facilidad.

*El pararse con el peso del cuerpo sobre una sola pierna puede parecer más cómodo, pero en realidad ocasiona más fatiga, especialmente en la espalda.

**Véase "Uso eficaz del lienzo de mesero" (págs. 111-117).

Fig. 2.15 Posición al lado del aparador

Método

1. Compruebe que los platos sean del mismo tamaño y forma, y que la pila sea estable.
2. Prepare la pila sobre una superficie sólida y plana, alrededor de la altura de la cintura.
3. Ponga los dedos, ligeramente separados, bajo cada lado de la pila y apoye los costados de ésta con las palmas de las manos, como se muestra en la Fig. 2.16.
4. Suave, pero firmemente, alce la pila y apóyela contra el cuerpo a la altura de la cintura, o ligeramente más abajo si le es más cómodo.
5. Lleve la pila al lugar requerido, abriendo las puertas con la espalda o, si éstas cuentan con una placa protectora, con el pie.
6. Coloque la pila en el anaquel requerido doblando las rodillas (no la cintura) o alzando la pila con una flexión de los codos.

Nota: No es práctica recomendable colocar las pilas de platos sobre una superficie más alta que el nivel del pecho.

Mientras se sirve la comida, puede ser necesario acarrear los platos del aparador a la mesa; para ello, siga el procedimiento que se menciona abajo y observe la Fig. 2.17.

1. Ponga el lienzo de mesero, doblado, sobre los platos.
2. Con la mano izquierda, deslice un extremo del lienzo bajo la pila y mantenga la mano debajo de ella.

Fig. 2.16 Traslado de una pila de platos

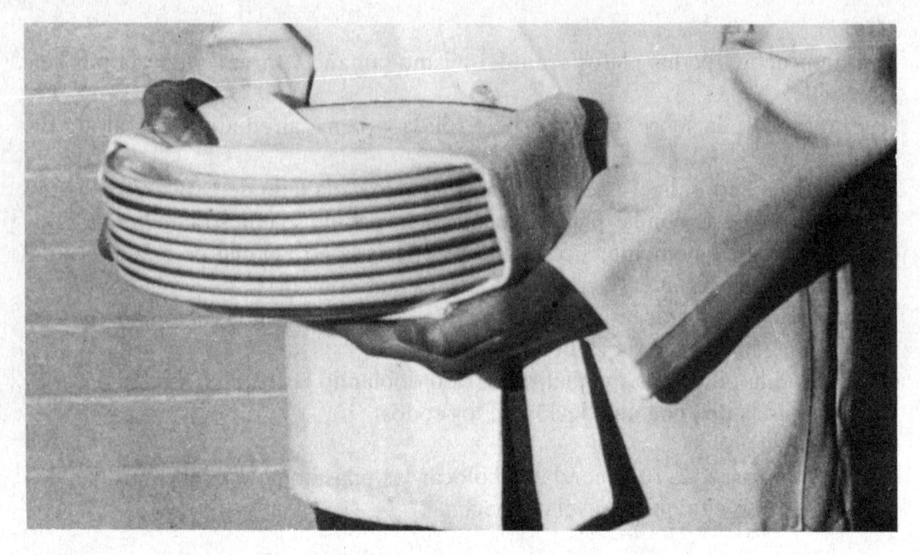

Fig. 2.17 Traslado de platos durante el servicio

3. Con la mano derecha y el otro extremo del lienzo, deslice la pila hacia el antebrazo y la mano izquierdos, conservando el lienzo entre la pila y el antebrazo.

Acarreo de tres platos con alimentos

En los restaurantes de tipo "popular", los alimentos pueden servirse previamente puestos en los platos. En estos casos, el mesero debe desarrollar la habilidad de acarrear el número máximo de platos para disminuir el número de "viajes" entre el punto de servicio y las mesas.

Método

1. Tome el primer plato con la mano derecha, el pulgar en el borde y los demás dedos debajo. Mantenga horizontal el plato.
2. Transfiera el plato a la mano izquierda sobre los dedos índice y medio; deje el pulgar en el borde y los dedos anular y meñique doblados hacia arriba (al igual que al retirar los platos), como en la Fig. 2.18.
3. Tome el segundo plato y póngalo sobre el pulpejo de la mano izquierda y las puntas de los dedos anular y meñique. Cerciórese de que ambos platos queden seguros y horizontales, como se ve en la Fig. 2.19.
4. Tome el tercer plato con la mano derecha (al igual que en el paso 1), como se muestra en la Fig. 2.20.
5. Acérquese a la mesa por la derecha del cliente por ser servido, con el pie derecho hacia adelante.*

*Cuando se camina con tres platos puede ser necesario dar un ligero balanceo lateral a los platos de la mano izquierda para compensar el movimiento al caminar.

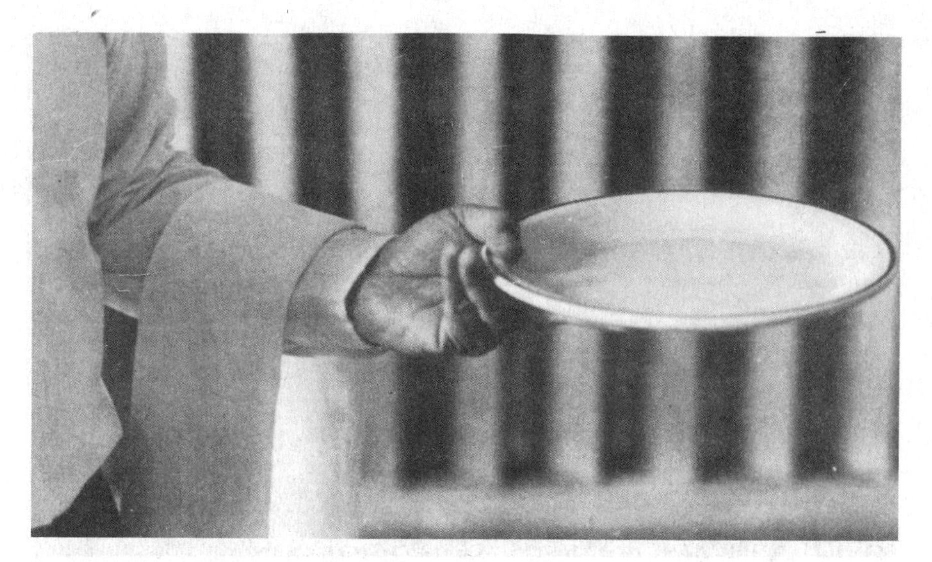

Fig. 2.18 Traslado de un plato con alimento

6. Mantenga los platos de la mano izquierda alejados del cuerpo, por detrás de la espalda del cliente.
7. Haga que el cliente se dé cuenta de que usted le va a colocar el plato enfrente (la mayor parte de los clientes se inclinan hacia la izquierda para permitir un acceso fácil).

Fig. 2.19 Traslado de dos platos con alimento

Fig. 2.20 Traslado de tres platos con alimento

8. Coloque el plato suavemente sobre la mesa.*
9. Dé un paso hacia atrás y muévase a la derecha del siguiente comensal.
10. Tome el segundo plato de la mano izquierda con la derecha y repita los pasos 7 y 8.
11. Repita los pasos 9 y 10 para el tercer comensal.

2.3.3 USO DE UNA CHAROLA

Las charolas son herramientas básicas para el personal de servicio de comidas, para transportar los artículos de vajilla, plata, alimentos, etc. El uso correcto y eficiente de las charolas reduce la "fatiga" disminuyendo el número de "viajes" entre el lugar en que se recogen y su destino.

Las charolas son de diferentes tamaños, según la carga que han de soportar. Suelen tener forma rectangular o redonda, y pueden hacerse de metal o de madera recubierta con resinas. Las charolas redondas pequeñas normalmente se utilizan para el servicio de bebidas o de artículos pequeños que se llevan a la mesa. Las charolas pequeñas y medianas pueden llevarse sobre el antebrazo y la mano, pero las grandes deben sostenerse con ambas manos.

Seleccione siempre una charola del tamaño adecuado para el peso que vaya a acarrear. Una charola demasiado grande provoca movimientos innecesarios de los artículos, en tanto que una demasiado pequeña puede ocasionar un apilamiento inseguro de los objetos, lo que supone el riesgo de algún accidente.

*En caso de que el platillo principal esté previamente servido en el plato, coloque éste de tal manera que la carne quede más cerca del cliente que el acompañamiento.

La habilidad en el empleo de una charola es principalmente el saber equilibrarla y mantenerla así mientras se traslada. Así, conviene cargarla sensata y equilibradamente.

A menos que la charola tenga una superficie antideslizante para evitar que los objetos resbalen en ella, puede ser necesario cubrirla con una carpeta o con una servilleta de papel.

Charolas pequeñas y medianas

Es más fácil y seguro el equilibrar estas charolas sobre el antebrazo y la mano, en el sentido de su longitud.

Método

1. Coloque la charola sobre una superficie sólida y plana, no más alta que el nivel de la cintura.
2. Ponga la carga en la charola, colocando los objetos más pesados más cerca de usted (como se muestra en la Fig. 2.21).
3. Ponga el pie izquierdo adelante y el antebrazo y la mano izquierdos a la altura de la charola. Flexione la cintura y la rodilla, si es necesario.
4. Firme, pero suavemente, tire de la charola con la mano derecha hacia la mano y el antebrazo izquierdos, de modo que el borde más cercano de la charola quede al principio del antebrazo, y el más lejano descanse sobre la superficie.
5. Tome la carga sobre el antebrazo, equilíbrela sobre los dedos extendidos y la palma, y ajuste su posición con la mano derecha, como se muestra en la Fig. 2.22.
6. Enderécese y acarree la charola al nivel del talle (no descanse el codo sobre la cintura ni el estómago).

Fig. 2.21 Carga de una charola

Fig. 2.22 Traslado de la charola

7. Al llegar al lugar de destino, coloque la charola sobre una superficie adecuada; para ello, primero póngala a la altura de la superficie, descansando en ésta el borde más distante, y luego empújela para que se deslice a una posición segura (no intente descargar la charola sin haberla colocado primero sobre una superficie sólida y comprobando que no se desequilibre).

Charolas grandes
El procedimiento para transportar charolas grandes es el siguiente:

1. Ponga la carga en la charola, extendiéndola uniformemente sobre ella.
2. Ponga un pie adelante y flexione la cintura y la rodilla en caso necesario.
3. Sostenga firmemente los bordes de la charola, por el centro, como se muestra en la Fig. 2.23.
4. Levante la charola. Asegúrese que la carga no sea excesiva para la longitud del viaje.
5. Enderécese, sosteniendo la charola al nivel de la cintura y bien apartada del cuerpo. No descanse los codos sobre el talle ni el estómago.

2.3.4 *TRASLADO DE CRISTALERÍA*

Es más rápido y fácil acarrear las copas con pie si se dejan colgar entre los dedos, como se describe abajo, pero esta tarea se debe llevar a cabo con el mayor esmero, ya que cualquier descuido puede ocasionar la ruptura de las copas y el consiguiente trabajo innecesario. Sin embargo, en presencia de los comensales, *todos* los vasos y copas *deben* ser acarreados sobre una charola de servicio.

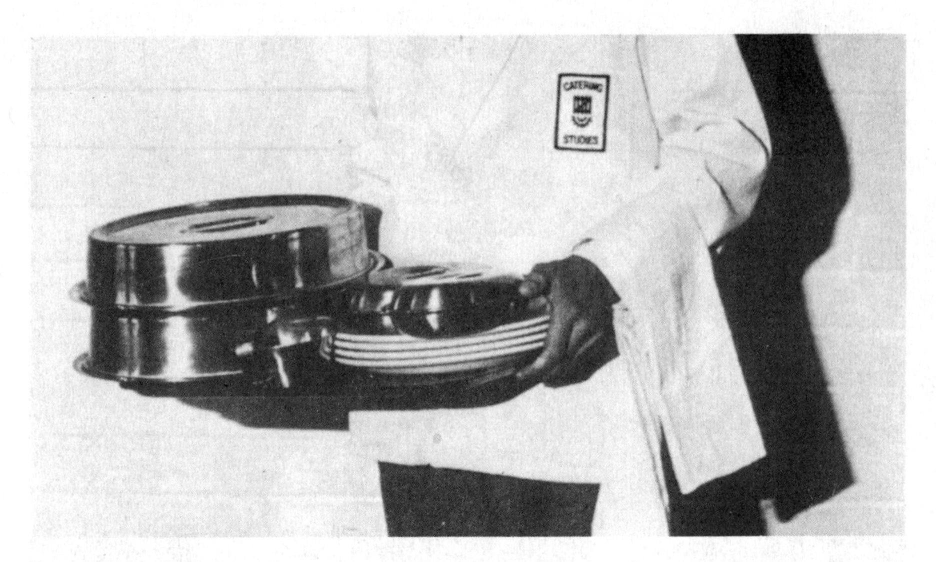

Fig. 2.23 Traslado de una charola grande

Método

1. Se principia con las copas boca abajo; tome la primera copa sosteniendo la base entre los dedos índice y medio, por abajo, y el pulgar arriba.
2. Transfiérala a la mano izquierda (que tendrá la palma hacia arriba), poniendo el pie entre los dedos índice y medio; deje que la copa cuelgue, como se ilustra en la Fig. 2.25.
3. Tome la segunda copa como antes, transfiriéndola a la mano izquierda entre los dedos medio y anular; haga deslizar la base de la segunda copa bajo la de la primera.
4. De la misma manera coloque la tercera copa entre los dedos anular y meñique, como muestra la Fig. 2.24.
5. Repita la operación, colocando cada nueva copa bajo la base de la copa precedente; utilice todos los dedos en su longitud total, hasta un máximo de 8 copas.
6. Doble un poco los dedos, tan sólo para evitar que las copas se golpeen unas contra otras durante el traslado, como se observa en la Fig. 2.26.
7. Retire las copas en el orden inverso.

2.3.5 *SERVICIO CON UNA CUCHARA*

Algunos alimentos, como los acompañamientos, se sirven con ayuda de una sola cuchara. Aunque la habilidad fundamental para el empleo de cucharas es la misma, el servicio de estos alimentos se puede clasificar en tres tipos, cada uno de los cuales puede necesitar un tratamiento ligeramente diferente, como sigue:

Fig. 2.24 Traslado de copas

Fig. 2.25 Traslado de copas

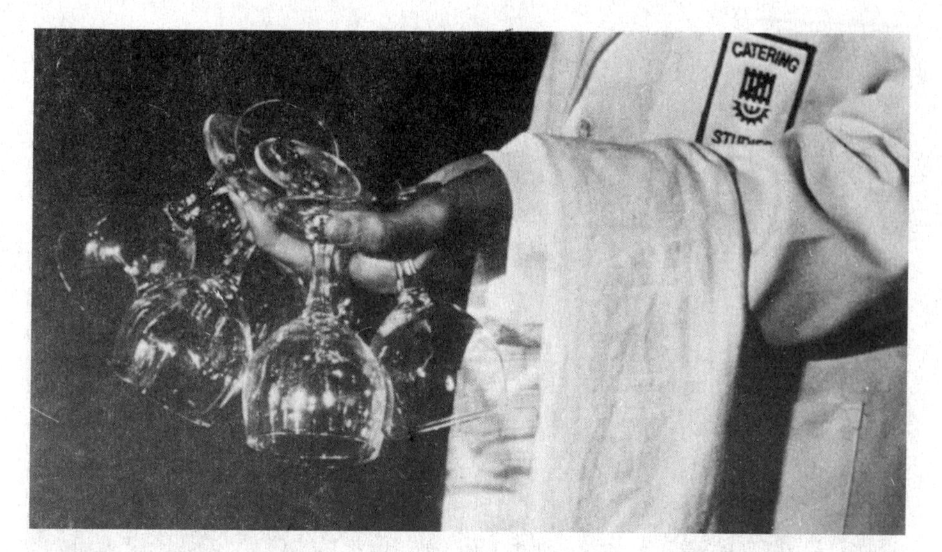

Fig. 2.26 Traslado de copas

(*a*) Alimentos en polvo o granulados, por ejemplo, queso parmesano, azúcar, pedacitos de pan frito (*croûtons*), etcétera.
(*b*) Líquidos, como salsas ligeras.
(*c*) Salsas emulsionadas, como mayonesas, salsa tártara, holandesa, etcétera.

El método de servir con una sola cuchara se describe abajo y se ilustra en la Fig. 2.27.

1. Sostenga la cuchara con el extremo del mango contra la palma de la mano y el centro entre los dedos índice y pulgar.
2. Introduzca la cuchara en el plato o la salsera; la punta debe sumergirse primero.
3. Saque la cuchara recogiendo cierta cantidad de alimento con ella; déjela arriba del plato o de la salsera para que allí caiga cualquier sobrante.
4. (*a*) Suave y discretamente sacuda la cuchara para eliminar cualquier sobrante dentro del plato (no golpee el plato con la cuchara).
(*b*) En el caso de los alimentos líquidos, si la cuchara está llena hasta el borde, devuelva un poco de líquido ladeando la cuchara.
(*c*) Por lo que toca a salsas emulsionadas, limpie suavemente la cara inferior de la cuchara contra el borde de la salsera.
5. Sirva el alimento en el plato del comensal conservando la cuchara a 1 cm de distancia de la comida previamente servida. Ladee ligeramente la cuchara haciendo girar la muñeca en sentido contrario al de las manecillas del reloj.

Los productos en polvo y granulados pueden rociarse mediante una agitación suave; las salsas ligeras, ladeando la cuchara, y las salsas emulsionadas pueden requerir que la cuchara se ladee más y reciba una ligera sacudida vertical.

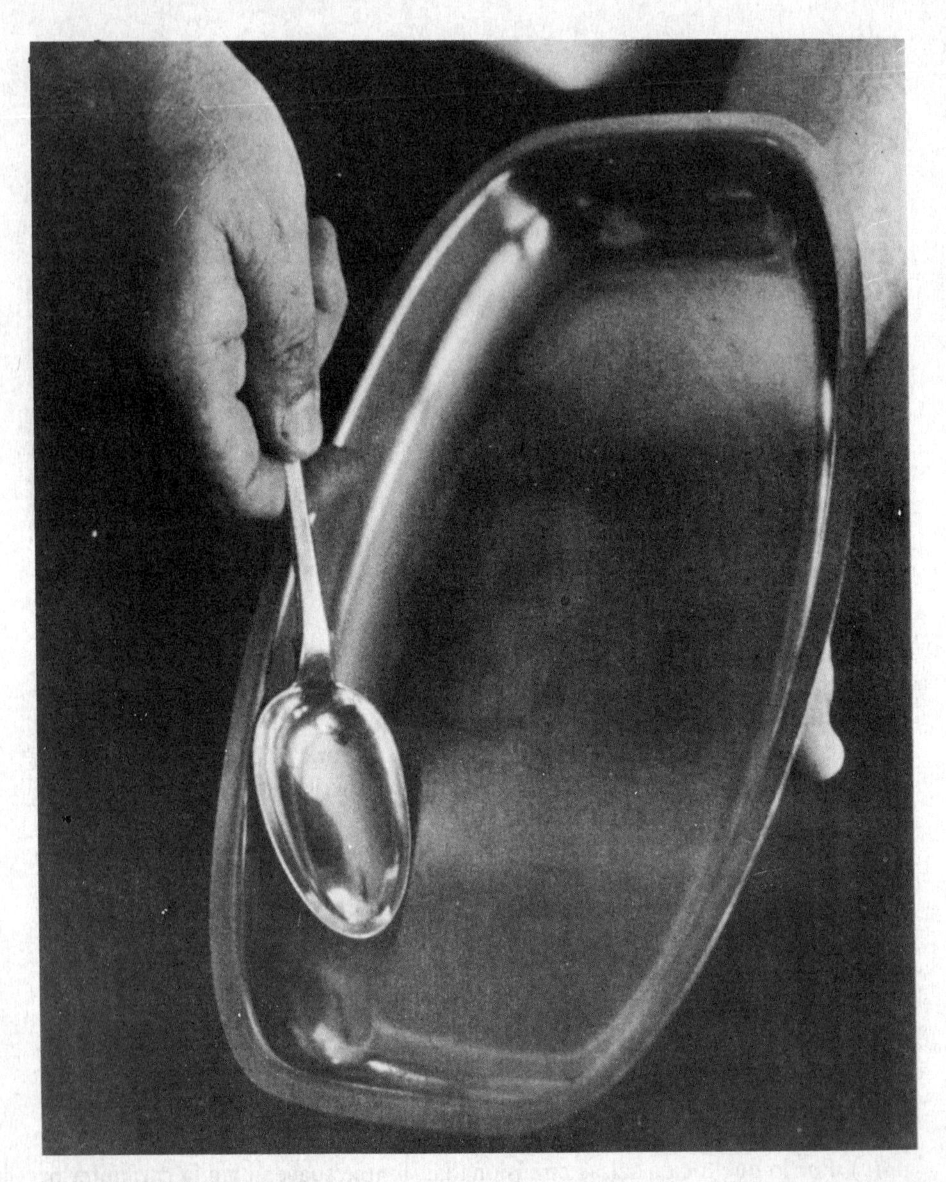

Fig. 2.27 Traslado de la charola

2.3.6 *SERVICIO CON CUCHARA Y TENEDOR*

La combinación de cuchara y tenedor constituye la herramienta de más aplicaciones en el servicio de alimentos. La mayoría de los platillo se pueden servir con cuchara y tenedor, y los meseros se enorgullecen de su habilidad para hacerlo.

Las cucharas y tenedores para servir deben guardarse en la estación de servicio, por pares, manteniendo la parte curva de los dientes del tenedor en el hueco de la cuchara.

Método

1. Tome la cuchara y el tenedor juntos, aproximadamente por la mitad del mango, utilizando las puntas de los dedos índice y pulgar como en la Fig. 2.28. Rodee la base de la cuchara y del tenedor con los dedos anular y meñique, al tiempo que mantiene el equilibrio sosteniendo la cuchara con el dedo medio.

2. Inserte la punta del dedo índice entre los mangos de la cuchara y el tenedor, y sostenga el mango del tenedor entre las puntas del índice y el pulgar.

3. (*a*) Manteniendo el agarre en la base de los mangos y conservando el equilibrio de la cuchara, mueva los dientes del tenedor hacia arriba y vuelva a bajarlos dentro del hueco de la cuchara.*

(*b*) Afloje el agarre en la base y, utilizando el índice y el pulgar, vuelva hacia arriba el tenedor, como en la Fig. 2.29.**

(*c*) Sostenga la cuchara y el tenedor como en el paso 2. Con la punta del índice y el pulgar, mueva el tenedor a la derecha de la cuchara como en la Fig. 2.30.***

2.3.7 SERVICIO CON DOS CUCHILLOS PARA PESCADO

Algunos alimentos, en particular los pescados escalfados y ligeramente fritos, se sirven mejor utilizando dos cuchillos para pescado. Más que sostener correcta-

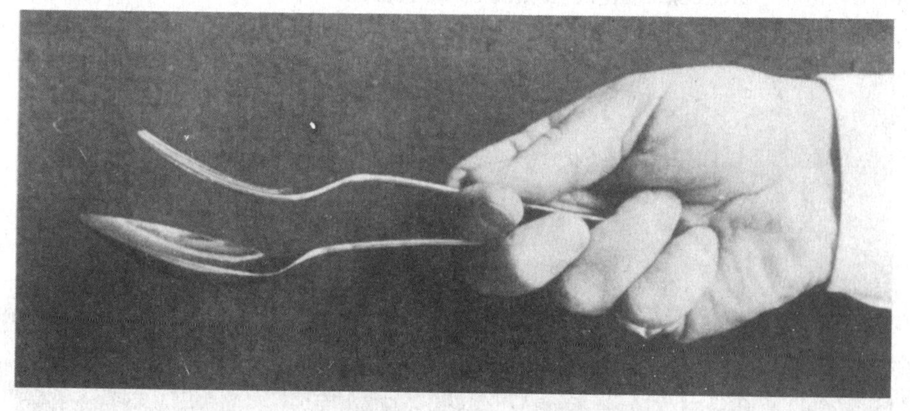

Fig. 2.28 Servicio con cuchara y tenedor (empuñadura normal)

* La acción es similar a la de usar unas pinzas. Los pedazos planos de alimento, como las rebanadas de carne, etc., se pueden servir con cuchara y tenedor en esta posición.

** Esta posición es más adecuada para alimentos redondos, como bollos, papas, etcétera.

*** Esta posición es más adecuada para alimentos planos y grandes, como filetes de pescado, tortillas a la española, etcétera.

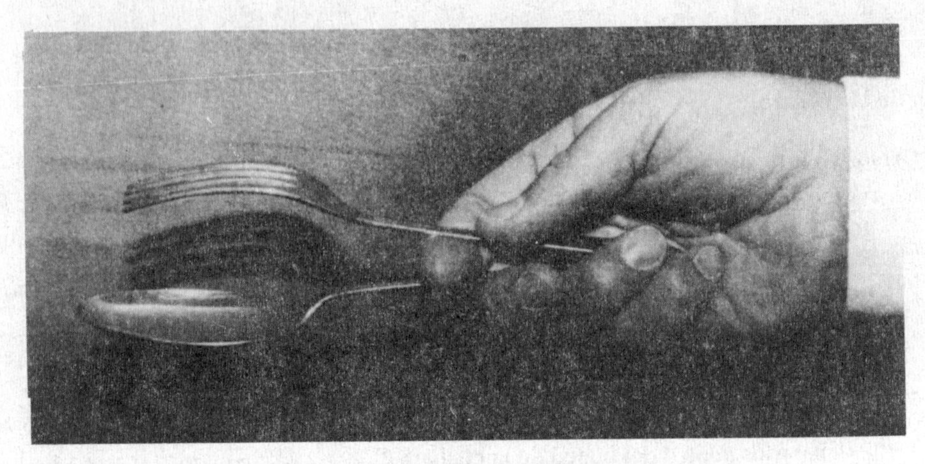

Fig. 2.29 Servicio con cuchara y tenedor (empuñadura para alimentos redondos)

mente los dos cuchillos, la habilidad principal consiste en calcular el espacio que debe dejarse entre los dos cuchillos, en relación con el tamaño del alimento que se va a servir.

Método

1. Sostenga los dos cuchillos ligeramente separados, como se muestra en la Fig. 2.31.
2. Ajuste el espacio entre los cuchillos de modo que sea aproximadamente un tercio del tamaño del alimento que se va a servir.

Fig. 2.30 Servicio con cuchara y tenedor (empuñadura para alimentos grandes y planos)

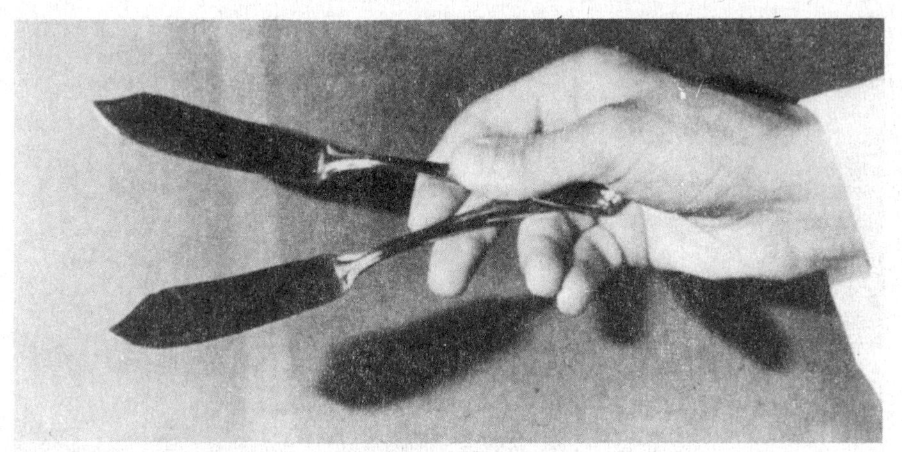

Fig. 2.31 Servicio con con dos cuchillos para pescado

3. Coloque las puntas de los cuchillos con una ligera inclinación hacia abajo, cerca de la mitad del borde del alimento que se va a servir.
4. Suave, pero firmemente, inserte los cuchillos por debajo del producto y al mismo tiempo mueva los mangos para ponerlos en posición horizontal.
5. Levante el producto ligeramente y, al mismo tiempo, compruebe que no presente signos de "romperse" y que esté en equilibrio; si es necesario, ajuste la posición de los cuchillos.
6. Transfiera el producto al plato del comensal, manteniendo horizontales los cuchillos; baje suavemente el producto y levante al mismo tiempo los mangos para formar una pendiente; retire los cuchillos (algunas veces puede ser necesario dar una ligera sacudida a los cuchillos para liberarlos del alimento y retirarlos).

2.3.8 *SERVICIO CON UN TENEDOR*

Este procedimiento se usa para rebanadas delgadas y grandes de algunos alimentos, especialmente las carnes frías en rebanadas muy delgadas o el salmón ahumado.

La ventaja principal de este método es que se obtiene una mejor presentación de las rebanadas sobre el plato. En la Fig. 2.32 se presenta la posición del tenedor.

Método

1. Sostenga el centro del mango con el pulgar y el índice, dejando que el extremo del mango descanse libremente sobre la palma.
2. Coloque el tenedor de modo que los dientes queden en posición vertical.
3. Inserte el diente inferior del tenedor debajo de la rebanada del alimento que va a servir, en el extremo más cercano a usted.

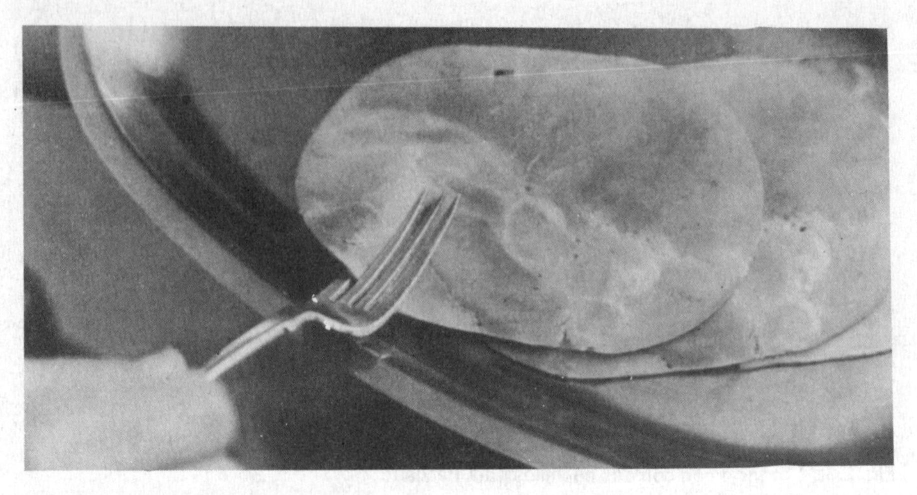

Fig. 2.32 Servicio con un tenedor (paso 3)

4. Haga girar el tenedor entre el pulgar y el índice, manteniendo el equilibrio y enrollando la rebanada entre los dientes del tenedor.
5. Levante el tenedor y páselo al plato del comensal; desenrolle la rebanada comenzando por el extremo más distante, como se muestra en la Fig. 2.33.

2.3.9 SERVICIO CON DOS TENEDORES

La habilidad para usar dos tenedores al servir es exactamente la misma que cuando se utilizan dos cuchillos para pescado (véase la Sec. 2.3.7). Como al utilizar dos tenedores se abarca mucho más espacio, los productos más grandes, co-

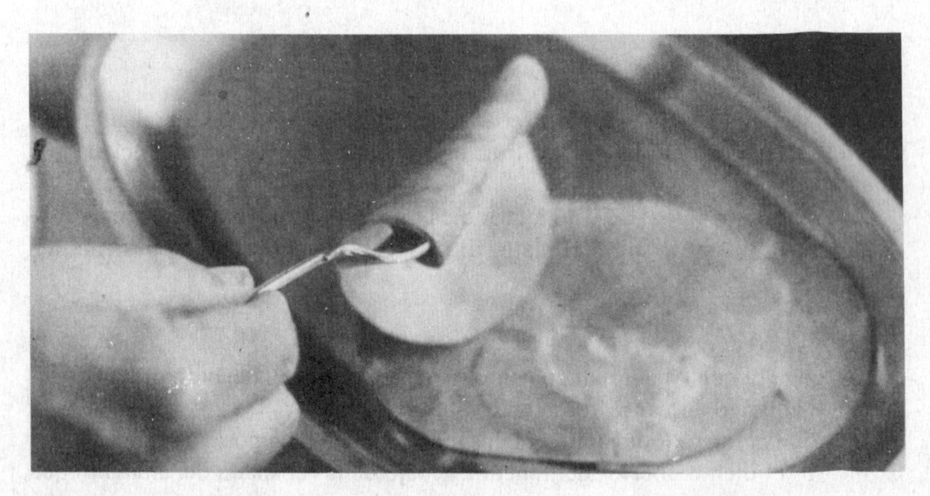

Fig. 2.33 Servicio con un tenedor (paso 4)

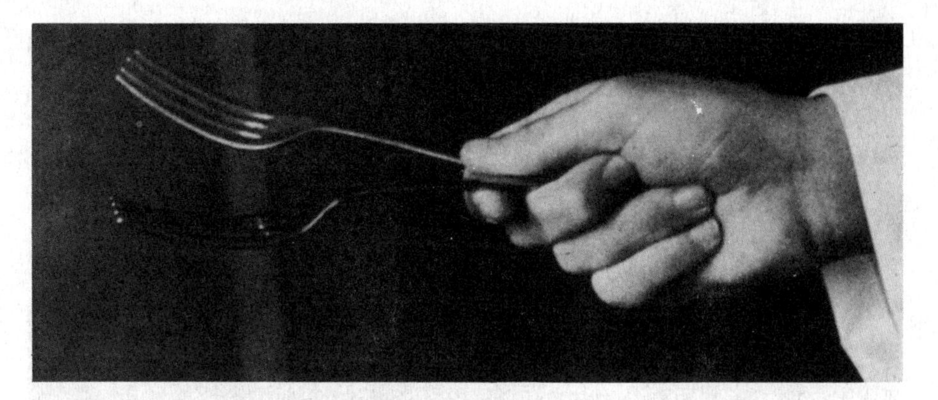

Fig. 2.34 Servicio con dos tenedores

mo una tortilla de huevo enrollada, o las rebanadas muy grandes de carne, se deben servir según esta técnica, que se muestra en la Fig. 2.34.

2.3.10 *SERVICIO CON EL CUCHARÓN DE UNA SOPERA*

Cuando en una mesa se va a servir más de una porción de sopa, ésta es suministrada en la cocina en una sopera de tamaño adecuado. El mesero debe recoger la sopera en la cocina, junto con un cucharón y platos soperos, y trasladar todo en una charola adecuada.

Método

1. Ponga la sopera y los platos sobre el aparador, dejando éstos al lado izquierdo de la sopera, cerca de la base. Retire la tapa y colóquela boca arriba a la derecha de la sopera.
2. Tome el cucharón, sosteniéndolo entre los dedos índice y medio y el pulgar de la mano derecha.
3. Sumerja el cucharón en la sopa y agite suavemente para distribuir el aderezo (si lo hay).
4. Saque el cucharón lleno de sopa, manteniendo horizontal la superficie del líquido, como se muestra en la Fig. 2.35.
5. Toque la superficie del líquido de la sopera con la base del cucharón para eliminar cualquier escurrimiento (alternativamente, pase la base del cucharón contra el borde de la sopera).
6. Alce el cucharón justamente por arriba del borde de la sopera y muévala hacia la izquierda, manteniendo horizontal la superficie del líquido; póngalo en el centro del plato sopero, a una altura de unos 5 cm.
7. Incline el cucharón para verter la sopa en el plato sopero, como en la Fig. 2.36.
8. Devuelva el cucharón a la sopera y repita los pasos 3 a 7 hasta haber servido todas las porciones en los platos.

Fig. 2.35 Servicio con un cucharón de sopera

Nota: Véase también "Servicio de sopa" bajo "Tareas durante el servicio", Sec. 3.2.2.5.

2.3.11 SERVICIO CON EL CUCHARÓN DE UNA SALSERA

Las salsas y los aderezos puestos en una salsera se sirven utilizando un cucharón. No deben verterse directamente de la salsera.

Fig. 2.36 Servicio con un cucharón de sopera

Fig. 2.37 Servicio con un cucharón de salsera (paso 3)

Fig. 2.38 Servicio con un cucharón de salsera (paso 4)

Método

1. Tome la salsera por el asa y colóquela sobre un platito.
2. Ponga un cucharón de tamaño adecuado sobre el platito, al lado derecho del pico de la salsera, de modo que el mango del cucharón quede del lado opuesto al asa de la salsera.
3. Ponga el platito, la salsera y el cucharón sobre un lienzo de mesero doblado sobre la palma de la mano izquierda de modo que el mango del cucharón apunte hacia adelante.
4. Aproxímese al cliente por el lado izquierdo, con el pie izquierdo adelante.
5. Tome el cucharón entre los dedos índice y medio y el pulgar, con este último arriba del mango, como se muestra en la Fig. 2.37.
6. Doble la cintura y mueva la mano izquierda hacia el plato del comensal, de modo que el platito y la salsera queden arriba del plato del comensal, pero sin estorbarle a usted la vista.
7. Sumerja el cucharón en la salsa, levántelo y limpie su base en el borde de la salsera para evitar escurrimientos, como se ilustra en la Fig. 2.38.
8. Mueva el cucharón hacia el plato, sobre el pico de la salsera, ladeándolo para verter la salsa en el plato.
9. Repita los pasos 7 y 8 si se requiere más salsa.
10. Devuelva el cucharón a la salsera y no al platito.
11. Sirva a todos los comensales, devolviendo cada vez el cucharón a la salsera.

2.3.12 *SERVICIO DE UNA FUENTE O PLATÓN PLANOS*

Algunos alimentos, como las rebanadas de carne, los cortes pequeños de carnes preparadas y el pescado se arreglan y decoran de forma que despierten el apetito y con los aderezos apropiados sobre una fuente plana de tamaño adecuado. El mesero debe demostrar su habilidad para presentar los alimentos a los comensales y servirlos en los platos alterando mínimamente la atractiva presentación que tienen y, al mismo tiempo, asegurándose de que a todos los comensales se les sirva la porción correcta. (El alimento suele acomodarse en la fuente de modo que el tamaño de cada porción y del acompañamiento resulten obvios. Si éste no es el caso, el mesero debe consultar con el *chef* antes de llevar el platillo a la mesa.)

Método

1. Con la mano izquierda y el antebrazo cubiertos por el lienzo de mesero, doblado en forma de "cojín", lleve la fuente a la mesa. Si las porciones están sobrepuestas, la porción superior debe quedar del lado más distante a usted.
2. Tome una cuchara y un tenedor para servir con la mano derecha.*
3. Aproxímese a la mesa por la izquierda del cliente, con el pie izquierdo adelante.

*Véase "Servicio con cuchara y tenedor", Sec. 2.3.6.

Fig. 2.39 Servicio de una fuente o platón planos

4. Manteniendo horizontal la fuente, doble la cintura y presente el platillo. Haga una pausa para permitir que los comensales observen la presentación (la duración de la pausa dependerá del interés creado por el platillo; el mesero debe aplicar su criterio).
5. Sostenga la fuente cerca del plato del comensal, entre 10 y 15 cm por arriba de la mesa. Deje que el borde de la fuente se sobreponga ligeramente al borde del plato, como se ilustra en la Fig. 2.39.
6. Deslice la cuchara de servicio bajo la porción superior (la más lejana a usted) y, con ayuda de la cuchara y el tenedor, tome la porción y manténgala brevemente sobre la fuente para recoger cualquier escurrimiento.
7. Utilizando la cuchara y el tenedor, sirva la porción del acompañamiento.
8. Incline ligeramente la fuente hacia adelante para que se reúna algo de salsa o de aderezo. Abra la cuchara y el tenedor, moviendo el tenedor hacia la derecha, y sirva la salsa o el aderezo con la cuchara sobre la porción.
9. Enderécese, dé un paso hacia atrás y muévase a la izquierda hacia el siguiente comensal. Repita la operación a partir del paso 4, sirviendo en cada ocasión la porción superior, es decir, desde el frente de la fuente hacia atrás.

2.3.13 SERVICIO DE UNA FUENTE HONDA

Los platillos tales como los guisados, estofados y carnes en salsa blanca se suministran de la cocina en fuentes hondas. Suelen estar cubiertos de aderezo o de salsa y, por consiguiente, no es evidente el tamaño de cada porción. En algunos casos, el *chef* podrá instruir al mesero; en otras, este último debe aplicar su criterio y su experiencia para servir las porciones.

Generalmente, la fuente para servir se presenta sobre una base. En los casos en que la cocina no proporciona la base, el mesero deberá usar una charola de servicio.

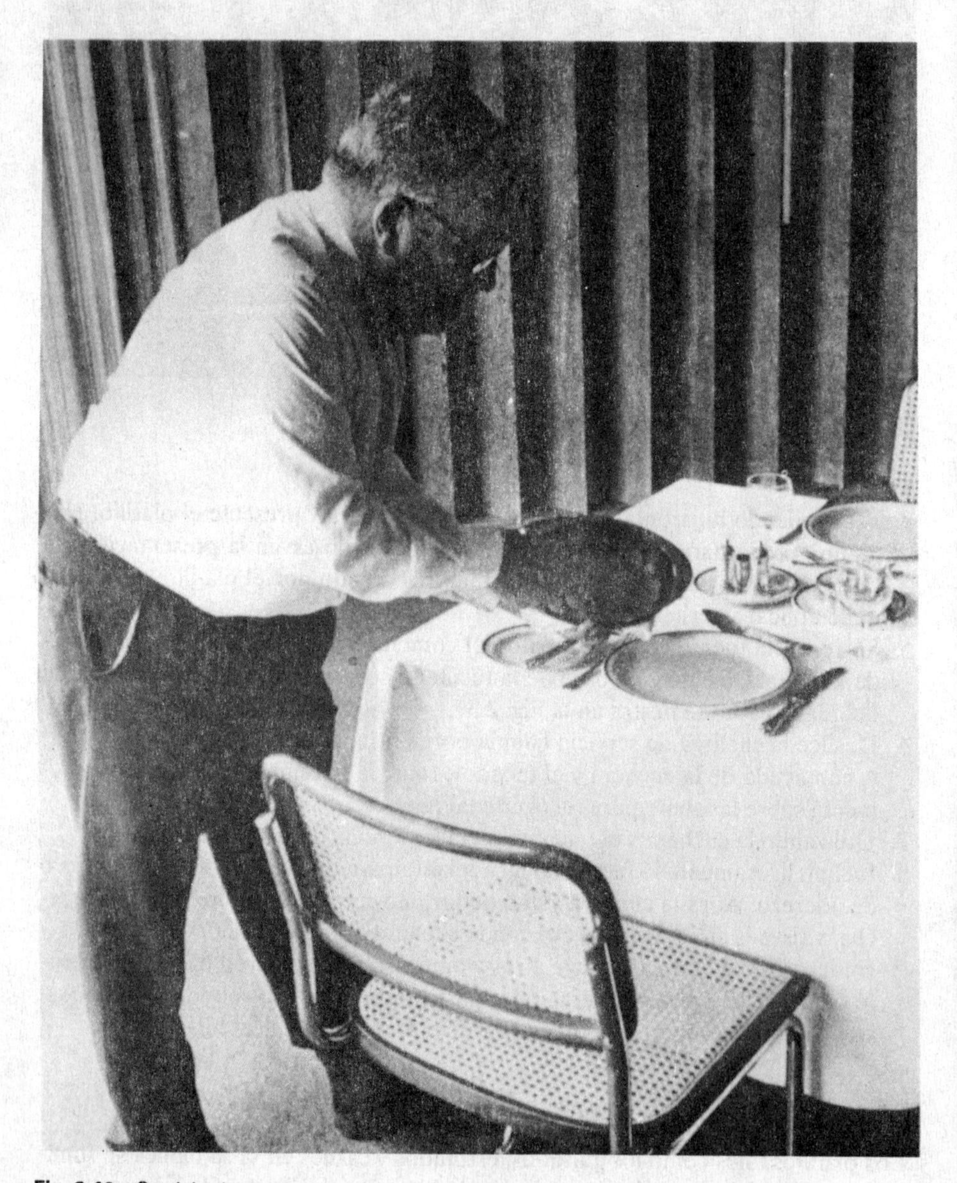

Fig. 2.40 Servicio de una fuente honda

Método

1. Lleve la fuente con la mano izquierda, sobre el lienzo de mesero doblado en forma de "cojín".
2. Tome la cuchara y el tenedor para servir con la mano derecha, lista para servir.
3. Aproxímese a la mesa por la izquierda del comensal, con el pie izquierdo adelante.
4. Doble la cintura y sostenga la fuente cerca del plato del comensal, entre 10 y 15 cm por arriba de la mesa.
5. Abra la cuchara y el tenedor, deslice la cuchara (usando la punta) por debajo de la porción y tome ésta, asegurándola entre la cuchara y el tenedor, como se muestra en la Fig. 2.40.
6. Mantenga brevemente la porción sobre la fuente para que escurra, y sírvala en el plato.
7. Repita los pasos 5 y 6 hasta haber servido la porción correcta.
8. Con el tenedor abierto, ponga salsa o aderezo con la cuchara sobre la porción del plato.
9. Enderécese y dé un paso hacia atrás. Muévase hacia la izquierda, al comensal siguiente, y repita la operación desde el paso 4 hasta haber servido a todos los comensales.

Nota: Lo importante que se debe aprender es distribuir equitativamente el platillo, de modo que el último comensal reciba la porción correcta y que sólo quede una cantidad mínima en la fuente.

2.3.14 *SERVICIO DE UNA CHAROLA*

Aunque por lo general las charolas se utilizan para transportar cubiertos y objetos semejantes en presencia de los comensales, también se emplean para servir y recoger alimentos previamente puestos en copas, café, etcétera.

Servicio

1. Cargue la charola con una pila de platos, servilletas, copas y cucharitas de té.
2. Aproxímese a la mesa por la izquierda del comensal que va a servir, llevando la charola cargada sobre un lienzo de mesero, doblado, sobre la mano y el antebrazo izquierdos.
3. Con los dedos índice y medio de la mano derecha, levante una copa y colóquela sobre el platito superior de la pila.
4. Coloque una cucharita sobre el plato, a la derecha de la copa, como se muestra en la Fig. 2.41.
5. Coloque el plato preparado enfrente del comensal, de modo que la cucharita le quede del lado derecho.
6. Repita los pasos 2 a 5 para cada comensal.

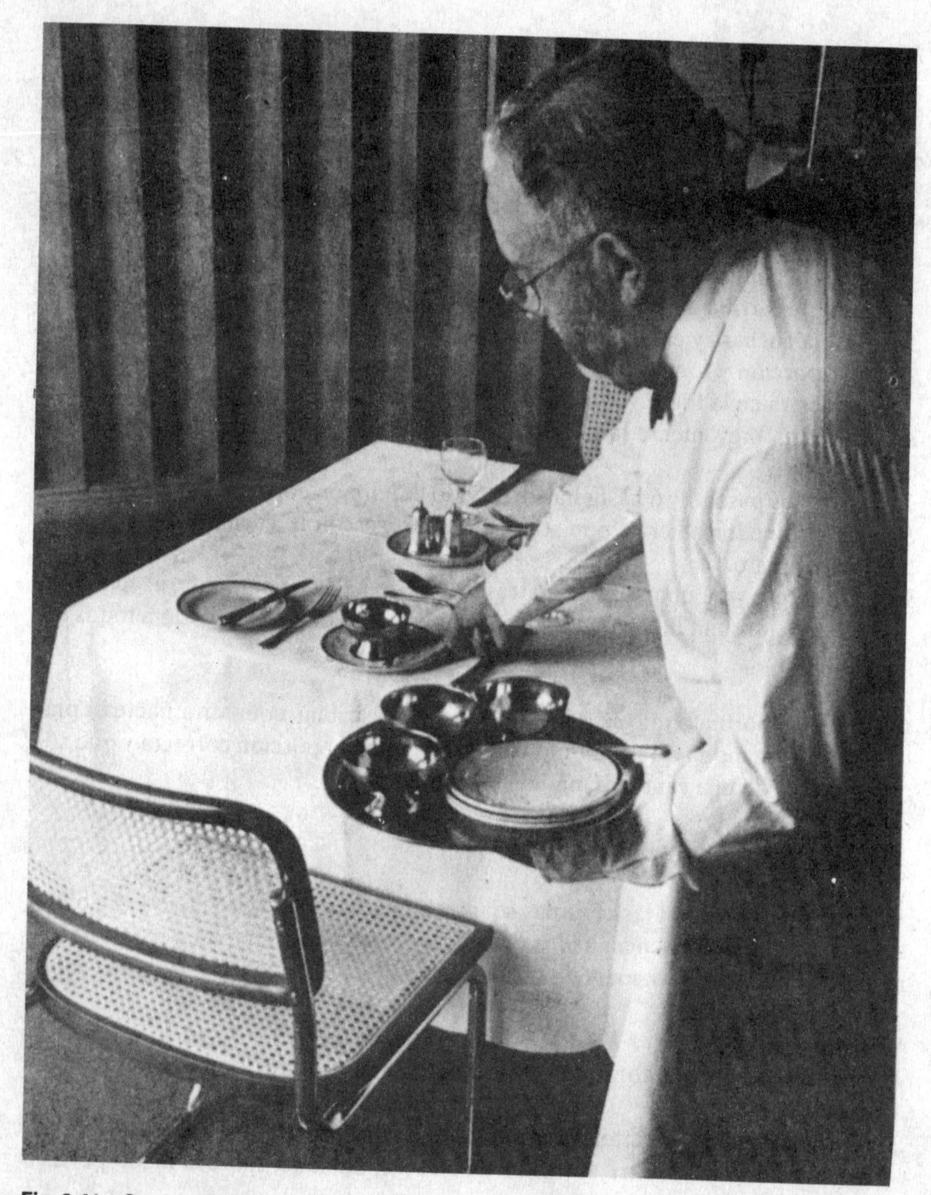

Fig. 2.41 Servicio de una charola

Recoger

1. Tome la charola sobre la mano y el antebrazo izquierdos, cubiertos por un lienzo de mesero doblado.
2. Aproxímese a la mesa por el lado derecho del comensal, con el pie derecho adelante y la charola separada del cuerpo, por detrás de la espalda del comensal.

3. Tome el platito con la copa y la cuchara aún sobre él.
4. Dé un paso hacia atrás y coloque el plato en la charola, en la parte más cercana a usted.
5. Quite la cuchara y póngala al lado derecho del plato, y la copa del otro lado, como se ve en la Fig. 2.42.

Fig. 2.42 Recoger con una charola

6. Muévase hacia la derecha hasta el siguiente comensal y tome el plato con la copa, colocándolo sobre el plato que ya está en la charola.
7. Repita el paso 5.
8. Continúe repitiendo los pasos 2 a 5 con cada comensal hasta haber recogido todo; apilando los platos y la cucharas con orden. Si es necesario, apile las copas por pares.

Nota:
1. Es importante mantener el equilibrio de la charola en todo momento, si es necesario ajustando su posición cada vez, antes de moverse hacia el comensal siguiente.
2. El mismo procedimiento puede seguirse para servir el café, sustituyendo las copas por tazas para café.

2.3.15 *SERVICIO DE UN CARRITO, APARADOR O VELADOR*

Ciertos platillos, como los entremeses, postres o especialidades de aparador se sirven mejor del carrito o del aparador, que generalmente cuentan con un espacio para depositar y llevar una pila de platos para servir los alimentos. Esto permite al mesero el uso de ambas manos al momento de servir.

El mismo principio se aplica a aquellos restaurantes que tienen en exhibición platillos fríos de los cuales los meseros pueden servir a los clientes.

Método
1. Mueva el carrito hacia la mesa y póngalo en posición cercana a ésta, de modo que los comensales puedan ver completa y claramente los alimentos exhibidos en él.
2. Permita a los comensales hacer su elección.
3. Coloque un plato limpio en el carrito o aparador y sirva el alimento alegido por el comensal en el plato, con ayuda de una cuchara y un tenedor o de algún equipo especial para servir; acomode el alimento en forma agradable.
4. Tome el plato con la mano derecha (los dedos abajo, el pulgar en el borde).
5. Aproxímese al comensal por la derecha, con el pie derecho adelante, y coloque suavemente el plato frente a él.*
6. Repita los pasos 3 a 5 con cada comensal (a veces es necesario mover el carrito al otro lado de la mesa para ofrecer una vista mejor de los alimentos y permitir a los comensales elegir).

2.3.16 *PULIDO DE LOS CUBIERTOS*

Los cubiertos lavados y escurridos en la zona de lavado necesitan un frotamiento final con un trapo para restituirles su brillo y eliminar las manchas de agua. Los

*Algunos establecimientos prefieren servir los alimentos por la izquierda; en tal caso, aproxímese al comensal por la izquierda, con el pie izquierdo adelante.

cubiertos manchados o con marcas difíciles de quitar tal vez necesiten una limpieza especial (véase la Sec. 1.4.2)

Método

1. Recoja los cubiertos lavados y escurridos en una charola de servicio limpia, y tenga a la mano suficientes trapos para hacer el trabajo. Clasifique los cubiertos.
2. Desdoble uno de los trapos y tome una de sus esquinas con la mano izquierda; entrecierre la mano para asegurar el trapo.
3. Tome de ocho a diez cubiertos con la mano derecha y ponga sus mangos sobre el trapo que sostiene con la izquierda, como se ilustra en las Figs. 2.43 y 2.44.*
4. Tome la esquina opuesta del trapo con la mano derecha; sostenga el hueco de la cuchara en el trapo, entre el pulgar y los dedos índice y medio.
5. Sostenga el mango de la cuchara con el pulgar y el índice de la mano izquierda.
6. Pula el hueco y el mango frotando con el trapo, con la mano derecha, como se ve en la Fig. 2.45.
7. Compruebe que se hayan pulido ambos lados.
8. Con el pulgar de la mano derecha cubierto por el trapo, empuje la cuchara hacia una charola limpia, ejerciendo una presión firme sobre el mango con el

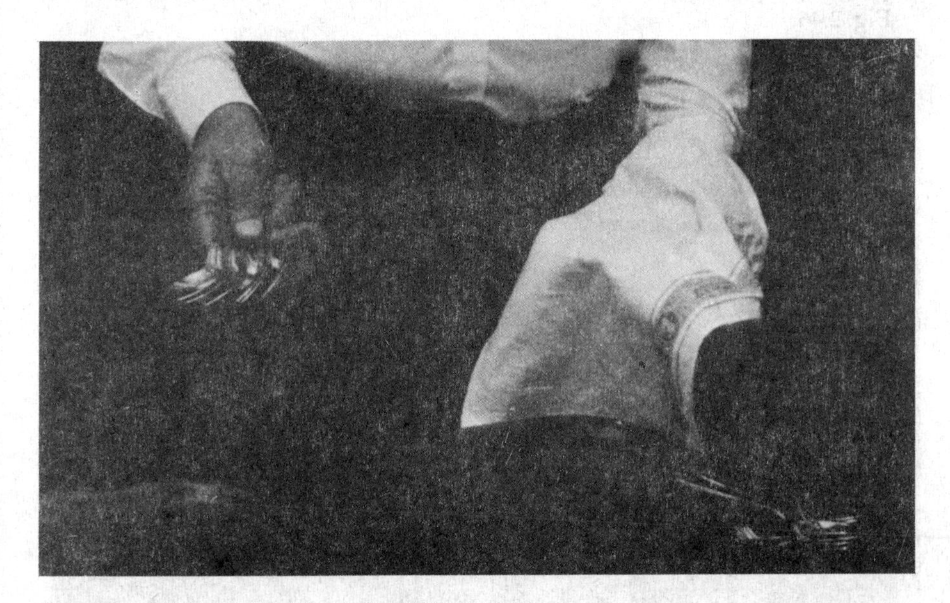

Fig. 2.43 Pulido de los cubiertos (paso 1)

*Los dientes de los tenedores y las hojas de los cuchillos deben tener la parte afilada hacia adelante.

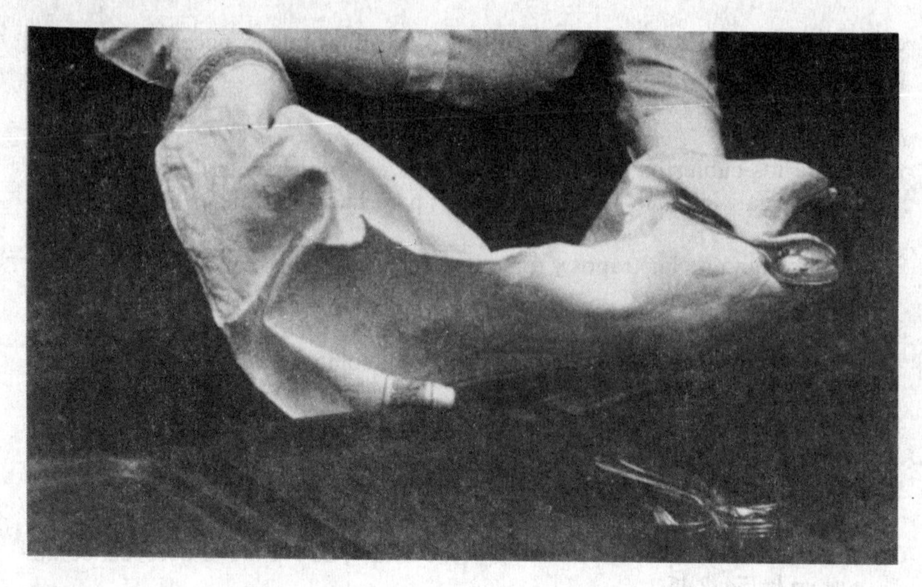

Fig. 2.44 Pulido de los cubiertos (paso 2)

pulgar y el índice a medida que sale la cuchara, como se muestra en la Fig. 2.46.

9. Repita la operación con los demás cubiertos.

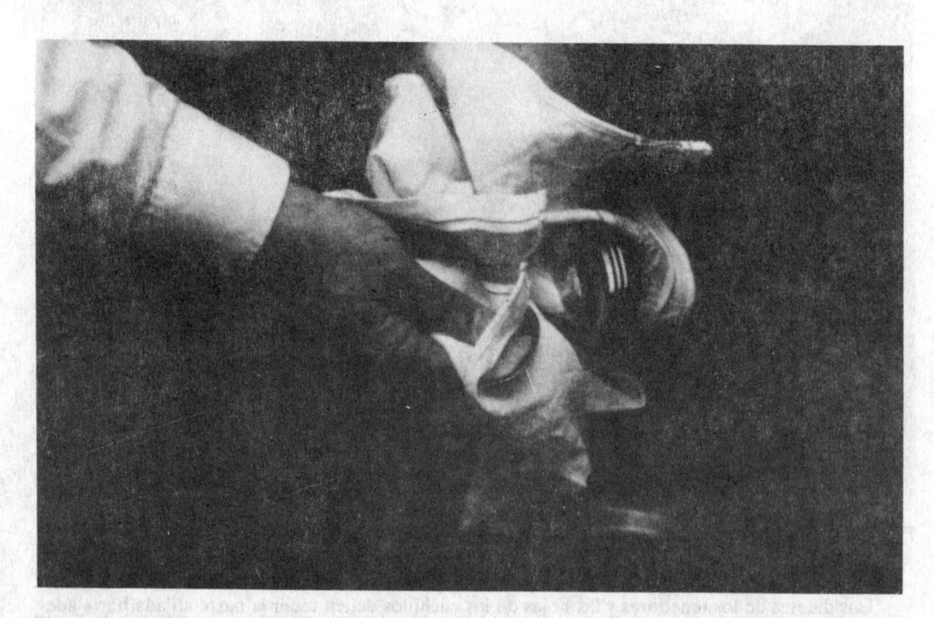

Fig. 2.45 Pulido de los cubiertos (paso 3)

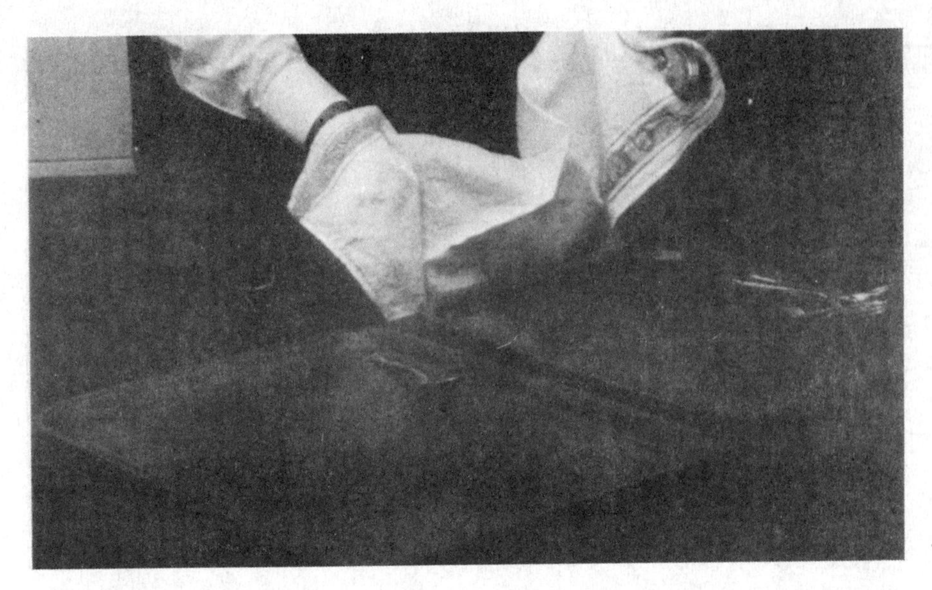

Fig. 2.46 Pulido de los cubiertos (paso 4)

2.3.17 PULIDO DE LA CRISTALERÍA

En los recipientes de vidrio, cualquier material extraño se ve a contraluz; cualquier mancha o marca por dentro o por fuera, se hace notoria en el momento de verter líquido en ellos. La forma más fácil de comprobarlo es verter una bebida gaseosa de color, como el refresco de naranja o de cola, en un vaso sin pulir. Por esta razón toda la cristalería debe lavarse y pulirse con sumo esmero.

Antes de empezar a pulir la copas, hay que preparar los artículos básicos para la tarea como sigue:

1. Retirar cualquier objeto de la superficie o mesa de trabajo.
2. Reunir y clasificar copas lavadas en una charola.
3. Tener a la mano suficientes trapos para cristal, que no suelten pelusa, para hacer el trabajo.
4. Colocar un tazón con agua caliente a la izquierda de las copas que se van a pulir.
5. Colocar una charola limpia a la izquierda del tazón, para acomodar las copas una vez pulidas. El acomodo de los objetos se muestra en la Fig. 2.47.

La habilidad para pulimentar copas consiste simplemente en frotar todas las superficies (por dentro y por fuera) con un trapo que no suelte pelusa, limpio y seco, a fin de desprender cualquier materia extraña. Una ligera humedad ayuda a aflojar las manchas, pero si es demasiada, aumentará la fricción entre la copa y el trapo, dificultando el frotamiento e incrementando el riesgo de ruptura, especialmente en el caso de copas muy delgadas o de tallo muy fino.

Fig. 2.47 Pulido de la cristalería (paso 1)

Método

1. Sostenga una esquina del trapo en la mano izquierda, de modo que le cubra la palma y los dedos.
2. Con la mano derecha, tome la copa más cercana por la base y compruebe que no tenga manchas, por ejemplo, de lápiz de labios; observe también si hay roturas o resquebrajaduras. Las copas manchadas deben devolverse para un nuevo lavado, y las rotas deben tirarse.
3. Sostenga la copa, boca abajo, en el vapor que escapa del tazón de agua caliente, para recoger humedad, tanto por dentro como por fuera, como se muestra en la Fig. 2.48.
4. Transfiera la copa a la mano izquierda, de modo que la base quede firmemente sujeta en la esquina del trapo, como se muestra en la Fig. 2.49.
5. Con el pulgar de la mano derecha, meta en la copa la esquina opuesta del trapo; luego meta más tela de modo que alcance el fondo de la copa.
6. Sostenga la copa con el lienzo dentro y haga girar la base para frotar suavemente el total de la superficie, como se muestra en la Fig. 2.50.
7. Repita la operación hasta que toda la superficie haya sido frotada y pulida.
8. Saque el trapo sin dejar de sostener la base de la copa en la esquina del mismo. Observe la copa a contraluz.
9. Coloque las copas pulidas boca abajo sobre la charola para copas pulidas, como se muestra en la Fig. 2.51.
10. Repita la operación desde el paso 1 hasta haber pulido todas las copas.

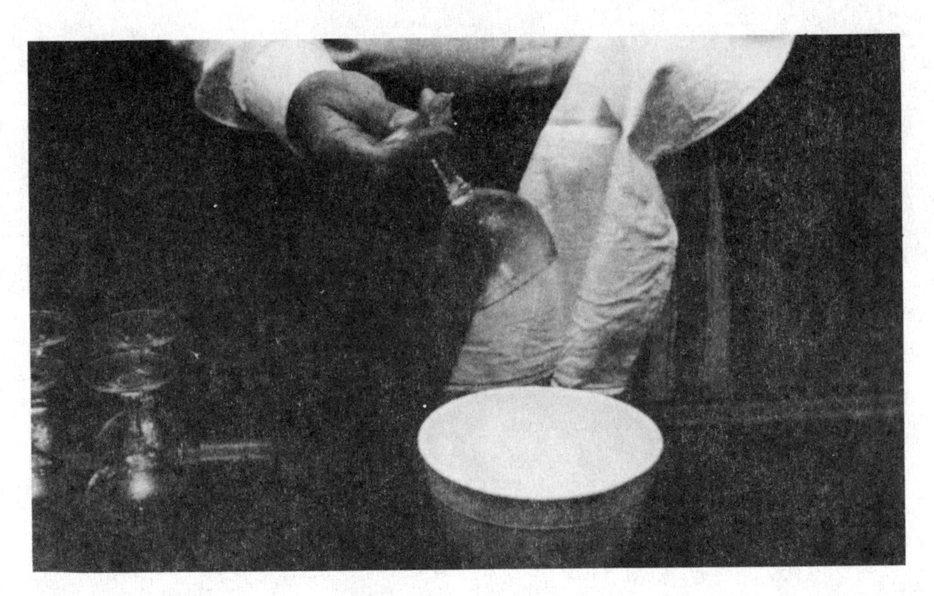

Fig. 2.48 Pulido de la cristalería (paso 2)

2.3.18 PULIDO DE LA VAJILLA

La vajilla, si se lava y seca adecuadamente, no necesita ser pulida. Si presenta manchas de agua, habrá que revisar la máquina lavadora; si ésta funciona co-

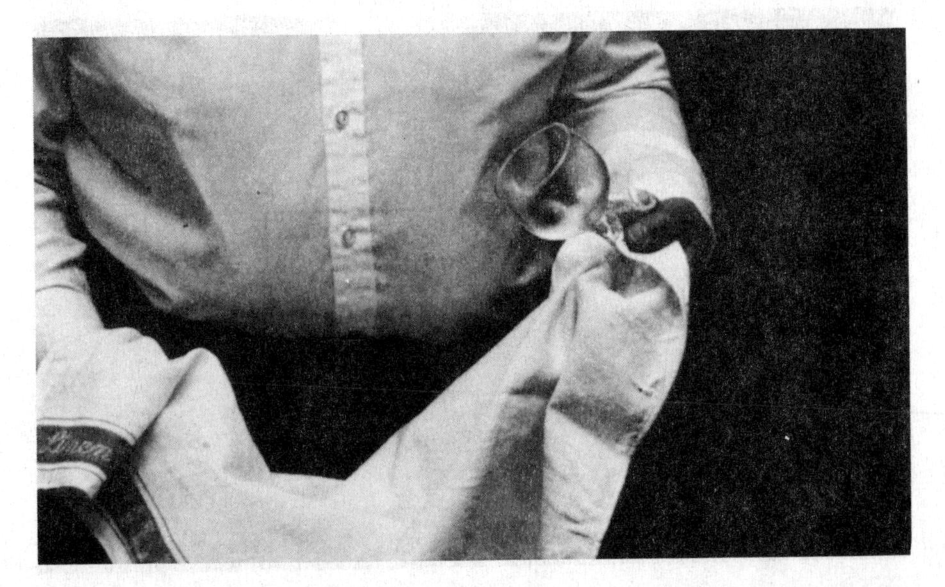

Fig. 2.49 Pulido de ia cristalería (paso 3)

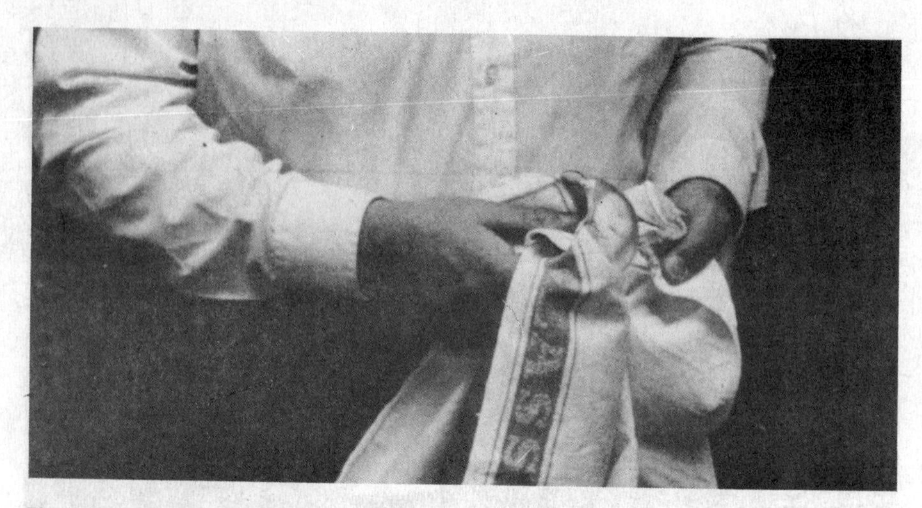

Fig. 2.50 Pulido de la cristalería (paso 4)

rrectamente y se añade el agente de enjuague adecuado al detergente, la vajilla deberá lucir brillante, y no necesitará que se pula.

Si a pesar de ello, debido a un lavado deficiente la vajilla tiene manchas, debe ser pulida con un trapo del mismo tipo que para el cristal, limpio y humedecido, finalizando con un trapo para cristal, seco.

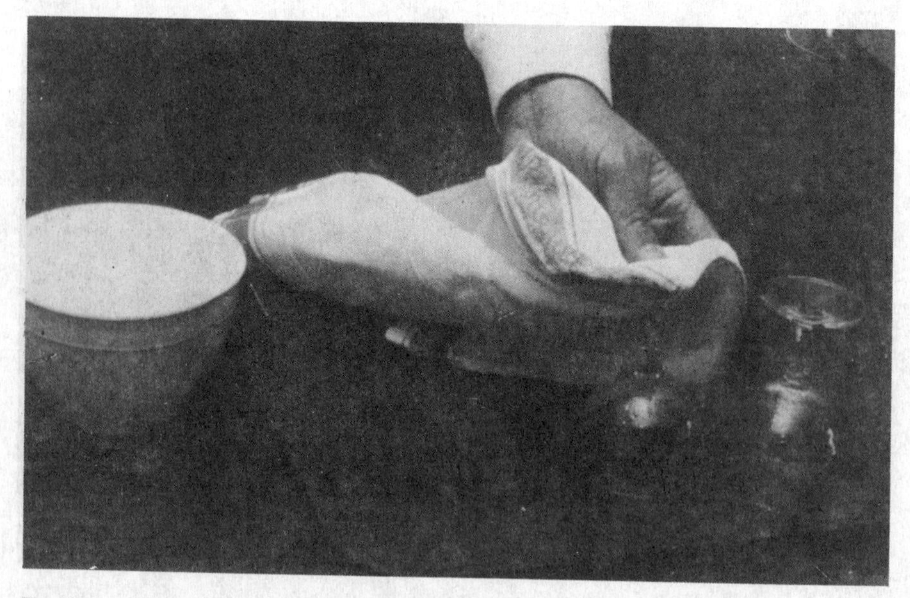

Fig. 2.51 Pulido de la cristalería (paso 5)

2.3.19 USO EFICAZ DEL LIENZO DE MESERO

El lienzo de mesero es una de las herramientas fundamentales del mesero. Por consiguiente, es esencial que éste sepa emplearlo de la mejor manera en una diversidad de situaciones.

Método

1. Compruebe que el lienzo esté limpio, como muestra la Fig. 2.52.
2. Dóblelo por la mitad a lo largo, y vuelva a doblarlo de la misma manera, para formar cuatro capas, a lo largo, como se ilustra en las Figs. 2.53. y 2.54.

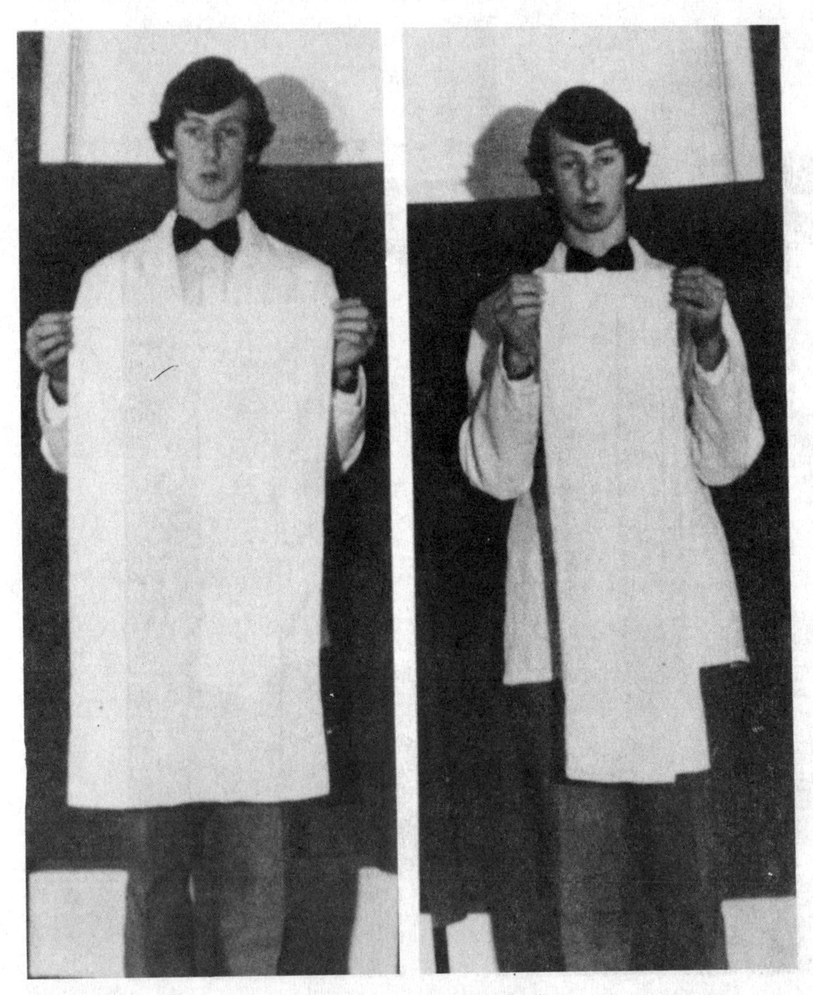

Fig. 2.52 Uso del lienzo de mesero (paso 1) (izquierda)

Fig. 2.53 Uso del lienzo de mesero (paso 2) (derecha)

3. Cuélguese el lienzo, por el centro, sobre el antebrazo izquierdo, cerca de la muñeca, como se observa en la Fig. 2.55. Ésta es la posición normal del lienzo, y es preciso conservarlo de esta forma hasta que se necesite realizar alguna otra tarea (véase Sec. 2.3.1, "Posición al lado del aparador").
4. Para servir de grandes fuentes, alce el lienzo sosteniéndolo por el doblez medio entre los dedos y el pulgar de la mano derecha, y quítelo del brazo izquierdo, como se muestra en la Fig. 2.56.
5. Mantenga extendido el antebrazo y la mano izquierdos, coloque el extremo distante del lienzo sobre la mano izquierda y traiga el extremo doblado hacia

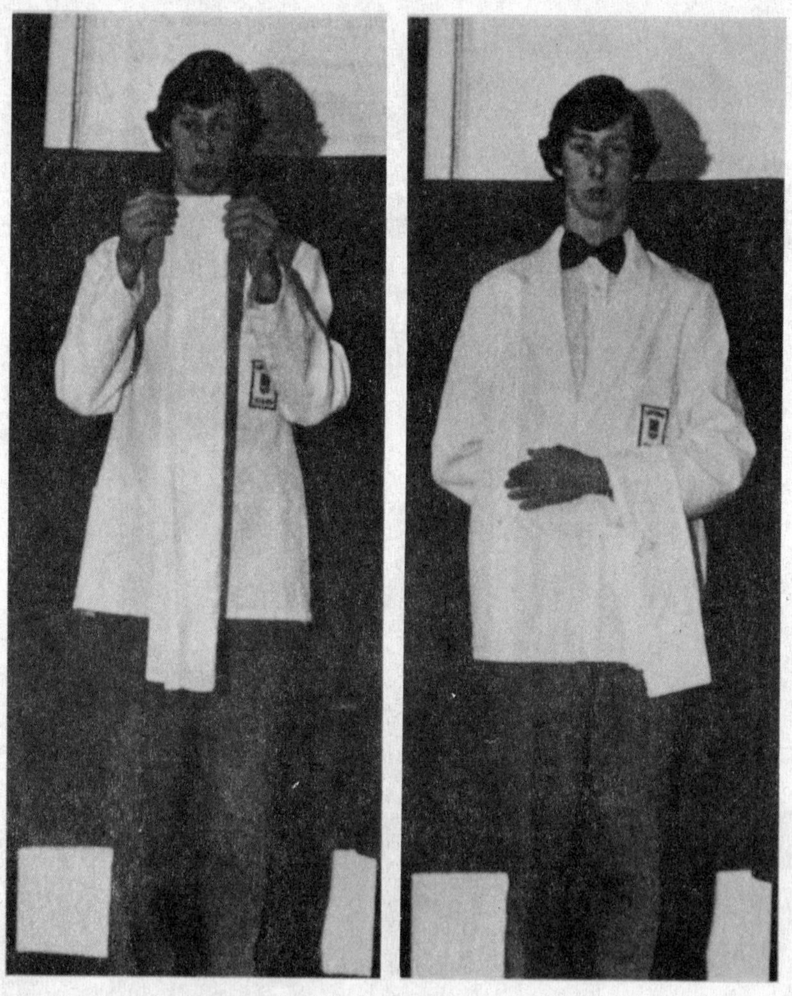

Fig. 2.54 Uso del lienzo de mesero (paso 3) (izquierda)

Fig. 2.55 Uso del lienzo de mesero (paso 4) (derecha)

el codo, cubriendo así la mano y el antebrazo con ocho capas de lienzo; esto constituye un aislamiento adecuado para servir de una fuente caliente, como se ilustra en la Fig. 2.57.

6. Para servir platos pequeños, proceda como en los pasos 4 y 5 y luego doble de nuevo el extremo doblado, desde el codo hacia la mano; esto ofrece 16 capas de lienzo sobre la palma y parte del antebrazo, y constituye un apropiado cojincillo, como se observa en la Fig. 2.58.
7. Para recoger las migajas, doble el lienzo por la mitad dos veces más, y sosténgalo firmemente entre los dedos y el pulgar de la mano derecha, produciendo la impresión de estar sosteniendo un "cepillo", como se muestra en la Fig. 2.59.

Figs. 2.56-2.58 Las tres etapas para hacer un cojincillo (izq. a der.)

8. Utilice el largo total del lienzo al acarrear platos calientes para servirlos a la mesa (véase la Sec. 2.3.2, "Traslado de platos").
9. Utilice el doblez medio para retirar los platos calientes del soporte caliente (como en el paso 4).
10. Use el lienzo doblado por la mitad, tal como en el paso 6, para levantar y recoger platos calientes de la charola al aparador, etcétera.

2.3.20 *POSICIÓN PARA SERVIR A LA MESA*

El mesero es un profesional en el servicio de alimentos. La forma de servirlos es tan importante como el mismo producto del servicio. Una de las posturas más

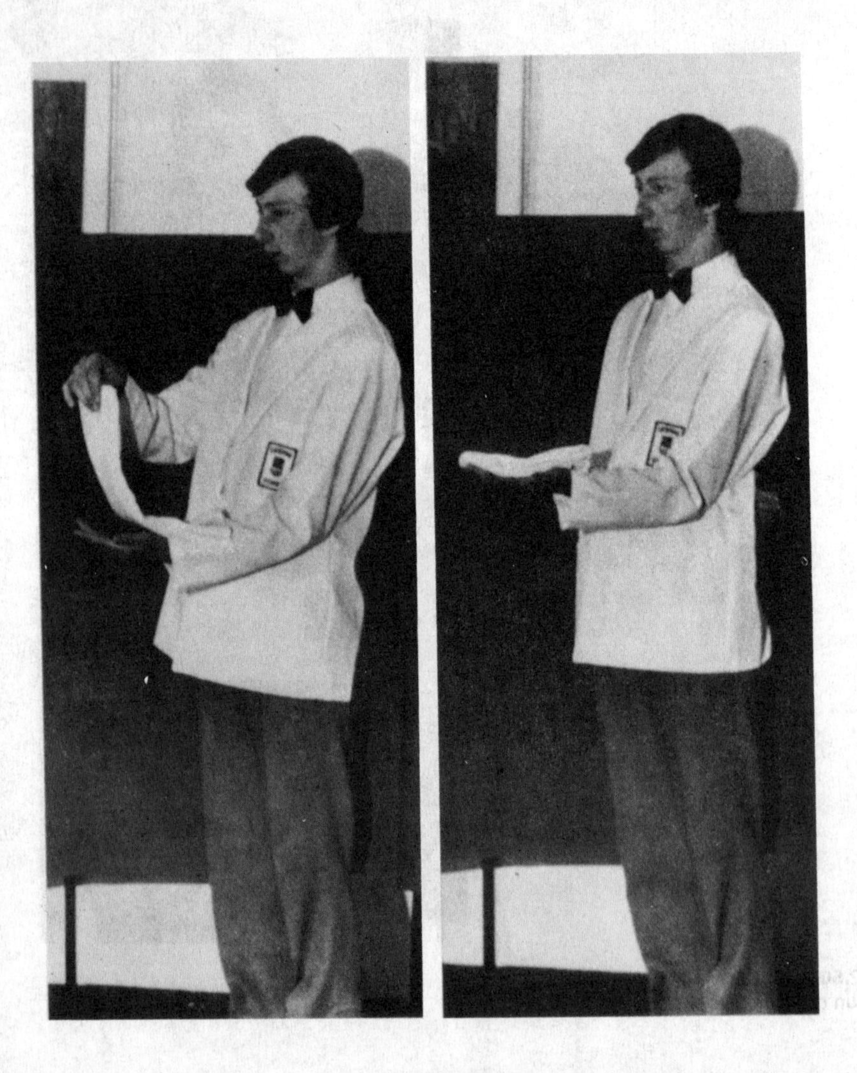

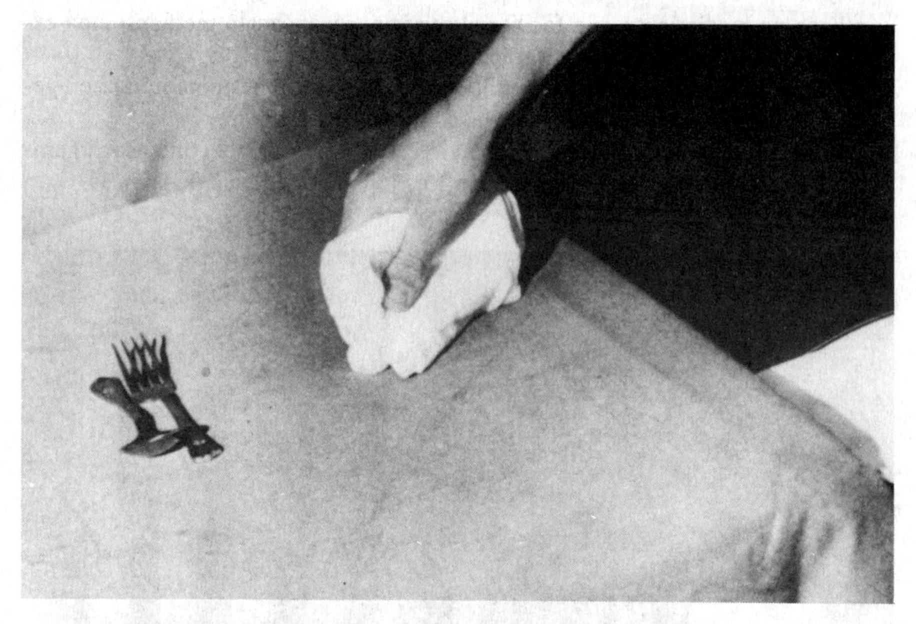

Fig. 2.59 Uso del lienzo de mesero (paso 1) (izquierda)

importantes es la que el mesero adopta cuando está sirviendo en una mesa. La postura correcta para servir, no sólo resulta agradable y profesional, sino que reduce la fatiga innecesaria.

Notas:

1. Antes de acercarse a la mesa, asegúrese de lo siguiente:
   (*a*) Tener la cantidad adecuada del alimento que va a servir.
   (*b*) Que el alimento esté debidamente caliente o frío, según sea el caso.
   (*c*) Saber a quién hay que servir el alimento.
   (*d*) Haberse colocado el plato sobre la mano izquierda, con el lienzo de mesero doblado en la forma de "cojín".
   (*e*) Tener la cuchara y el tenedor para servir, si los necesita, en la mano derecha.
   (*f*) Que haya un plato vacío, caliente o frío, o bien un espacio para el producto que va a servir, al frente del comensal.

2. Aproxímese a la mesa por la izquierda del comensal que va a servir, sosteniendo el plato enfrente de usted, pero sin que toque su ropa.

3. Observe si no hay algún artículo, como bolsas de mano, etc., bajo la mesa o entre las sillas. Coloque el pie izquierdo adelante, cerca de la pata delantera de la silla del comensal y justamente bajo el tablero de la mesa.

4. Mire al comensal a quien está sirviendo y compruebe que se da cuenta de que usted está por servirlo. Si el comensal se mueve ligeramente a su derecha, o hace un movimiento que facilita el servicio, reconózcalo mediante una expresión de cortesía, tal como "gracias".

5. Flexione la cintura, *nunca* las rodillas, hacia adelante, pero manténgase ligeramente inclinado hacia la izquierda, como en la Fig. 2.60.
6. Ponga la fuente de la que está sirviendo cerca del plato del comensal, ligeramente sobrepuesta si es posible, entre 10 y 15 cm por encima de la mesa.

Fig. 2.60 Posición para servir a la mesa

7. Mientras sirve, busque señales del comensal que indiquen el tamaño de la porción que desearía, especialmente en lo que se refiere a salsas, aderezos y acompañamientos. A falta de dicha señal, compruebe los deseos del cliente preguntándole amablemente: "¿Desea usted un poco más?", con preferencia a: "¿Es suficiente?", antes de moverse hacia el siguiente comensal.

2.3.21 *COLOCACIÓN DE LOS PLATOS FRENTE A LOS COMENSALES*

Los platos, calientes para los alimentos calientes y fríos para los fríos, deben colocarse frente a los comensales inmediatamente antes de servir los alimentos.

La tradición de que los alimentos se sirvan por el lado izquierdo y se retiren por el derecho se basa en el hecho de que para los meseros diestros que llevan una fuente en la mano izquierda y sirven con la derecha, éste es el único método obvio práctico; el retirar los platos con la mano derecha permite que esos platos llenos de desechos se pasen a la mano izquierda, apartándolos de la vista de los comensales.

Las bebidas y el café, en cambio, se sirven y se retiran por la derecha, siendo este lado el más conveniente porque el comensal (que se supone diestro), tendrá así la copa y la taza del café cerca de su mano derecha.

Una excepción común al retiro por la derecha es el retiro de los platos laterales, que se efectúan por la izquierda.

Asimismo, cuando un mesero lleva una pila de platos en la mano izquierda, será más fácil para él colocar los platos limpios enfrente de los comensales con su mano derecha, por la derecha.

Hay mucha controversia sobre este tema, sin que exista un verdadero consenso de opinión; en cualquier caso, el criterio está sujeto a las reglas del establecimiento, pero tres factores se deben tener siempre en cuenta:

1. Inconveniencia para el comensal
2. Facilidad de servicio para el mesero
3. Seguridad

Inconveniencia para el comensal. El propósito del mesero debe ser causar las menores molestias al comensal, aun si esto pudiera acarrear alguna dificultad en el servicio. Por ejemplo, si los comensales están enfrascados en una conversación, el mesero debe aplicar su criterio para decidir si sirve algún alimento previamente puesto en plato, como los entremeses, por la derecha, para no interrumpir.

Facilidad de servicio. Aunque la comodidad del comensal siempre debe tenerse en mente, a veces es necesario servir o retirar por el lado que resulte más fácil para el mesero, con el objeto de dar realce al estilo de servicio y a la presentación de los alimentos.

Seguridad. La seguridad, aun si aquí aparece al final, nunca debe pasarse por alto. Si no resulta seguro en cierto momento servir por el lado "incorrecto", el mesero debe estar preparado para esperar hasta que sea conveniente servir al comensal por el lado "correcto". Solamente en casos extremos se puede incomodar a los comensales llamando su atención para realizar el servicio.

Cuando se están aprendiendo las "habilidades para servir alimentos", se debe hacer el esfuerzo de usar la mano correcta, aun cuando en la práctica diaria se emplee indistintamente una u otra con el fin de reducir al mínimo cualquier molestia para los comensales.

Método

1. Aproxímese a la mesa con la pila de platos en la mano izquierda y el antebrazo cubierto con un lienzo de mesero doblado, como se ilustra en la Fig. 2.61.*
2. Párese detrás, ligeramente a la derecha del comensal, con el pie derecho adelante.
3. Si el comensal no se ha dado cuenta de su presencia, llame su atención hacia usted usando en voz baja una expresión como: "¿Señor?" o "¿Madame?".
4. Compruebe que haya suficiente espacio sobre la mesa para el plato y que no haya obstáculos en el camino, tales como copas. Si es necesario, haga espacio moviendo éstas a la zona inmediata
5. Usando el lienzo de mesero, limpie discretamente el plato de arriba; levántelo insertando bajo él los dedos ligeramente separados y tomando el borde con el pulgar; ponga este último dedo lo más paralelo posible al borde del plato, como se ilustra en la Fig. 2.62.**
6. Al pasar el plato a la mesa, manténgalo ligeramente ladeado, de modo que no le impida la visibilidad. Descanse un borde del plato sobre la mesa y baje suavemente el resto, ajustando la posición si es necesario, como se muestra en las Figs. 2.63 y 2.64.

2.3.22 *PRESENTACIÓN DE LOS ALIMENTOS EN LOS PLATOS DE LOS COMENSALES*

Una presentación atractiva del alimento en el plato de los comensales estimula el apetito de éstos y demuestra las habilidades profesionales del mesero. Los *chefs* realizan grandes esfuerzos para decorar los alimentos en los platones de servicio, y no hay nada más lamentable que un mesero descuidado que estropea ese esfuerzo al servir el alimento del platón al plato del comensal.

La intención del mesero debe ser (*i*) hacer que el alimento se vea apetitoso sobre el plato, y (*ii*) facilitar al comensal el mezclar y comer los alimentos sin tener que cambiarlos de lugar.

*Véase la Sec. 2.3.2. "Traslado de platos".

**Si en el plato está impreso un escudo o una insignia del establecimiento, antes de levantarlo compruebe que el escudo esté en la posición correcta, de modo que al colocar el plato en la mesa, el escudo quede derecho frente al comensal.

Fig. 2.61 Colocación de los platos frente a los comensales (paso 1)

Fig. 2.62 Colocación de los platos frente a los comensales (paso 2)

Fig. 2.63 Colocación de los platos frente a los comensales (paso 3)

Fig. 2.64 Colocación de los platos frente a los comensales (paso 4)

Fig. 2.65 Presentación de los alimentos en los platos de los comensales (dibujo)

No existen reglas estrictas sobre cómo se deben presentar los alimentos en el plato. Sin embargo, las reglas siguientes pueden servir de ayuda para lograr los dos objetivos mencionados.

Nota. Con el propósito de explicar dónde se deben colocar los alimentos sobre el plato, conviene hablar de éste como si se tratara de la carátula de un reloj; el 12 correspondería a la parte superior del plato y el 6 a la inferior, es decir, la más cercana al comensal.

Método

1. Sirva primero el alimento principal (por ejemplo, la carne o el pescado) y hágalo coincidir con el sector situado entre las 4 y las 8 de la "carátula" del reloj. Toda guarnición distinta de los berros se debe colocar a un lado del alimento principal. Los berros se deben colocar entre las 11 y la 1 de la carátula del reloj, como se muestra en la Fig. 2.65.
2. A continuación sirva las verduras, dispuestas en montoncitos definidos. Si requirieran ser cortadas, será mejor colocarlas en el sector situado entre las 8 y las 12 de la carátula del reloj; las demás, entre las 12 y las 4. *No* olvide dejar espacio para servir papas, si el platillo las incluye.
3. Después de las verduras sirva las papas, si las hay, y acomódelas en los huecos dejados después de haber servido aquéllas.
4. Sirva las salsas y los aderezos, vertiéndolos con una cuchara sobre el alimento al que corresponden o a su lado, si así lo prefiere el comensal.

Nota. Se deben hacer todos los esfuerzos posibles para crear un efecto de simetría aprovechando la forma natural de los alimentos. Por ejemplo, los trozos grandes de coliflor se deben acomodar para adecuarlos agradablemente a la curva del plato.

2.3.23 *RETIRO DE LOS PLATOS DE LOS COMENSALES*

Los platos no deben retirarse de la mesa sino cuando todos los comensales del grupo hayan terminado de comer el platillo. La mayor parte de los comensales británicos indican que han terminado colocando juntos el cuchillo y el tenedor. Si un comensal no hace uso de esta indicación, será necesario que el mesero lo observe unos minutos para asegurarse de que ha terminado. En tales casos conviene aproximarse al comensal y preguntarle cortésmente si ha terminado. De ninguna manera se debe intentar retirar el plato sin haber confirmado primero que es apropiado hacerlo.

Como regla general, los platos deben retirarse por la derecha del comensal. En las mesas pequeñas, los platos se deben retirar moviéndose en el sentido de las manecillas del reloj, y en las grandes mesas de banquetes, de la derecha a la izquierda, o desde el extremo más lejano a la zona de lavado.

Método

1. Antes de retirar los platos asegúrese de que el comensal se haya dado cuenta de su presencia.
2. Aproxímese por la derecha, con el pie derecho adelante.
3. Tome el plato con la mano derecha, colocando los dedos índice y medio bajo el plato y el pulgar en el borde.
4. Pásese el plato a la mano izquierda, descansándolo sobre los dedos índice y medio y con el pulgar en el borde. Doble los dedos anular y meñique hacia arriba para formar una plataforma con la muñeca. Compruebe que el plato esté bien asido y que se mantenga horizontal.
5. Ponga la hoja del cuchillo en tal posición que quede bajo el puente del tenedor, y que juntos formen una "X", como se observa en la Fig. 2.66.
6. Muévase a la derecha del comensal siguiente, colocando el pie derecho adelante y el plato recogido detrás de la espalda del comensal. Tome el siguiente plato.
7. Pásese el plato a la mano izquierda, colocándolo sobre el antebrazo, usando el pulgar y las puntas de los dedos anular y meñique, como indica la Fig. 2.67. Asegúrese de que ambos platos se mantengan horizontales.
8. Ponga el segundo cuchillo bajo el mango del tenedor, conservándolo paralelo al primer cuchillo.
9. Usando el tenedor, empuje cualquier residuo al primer plato, como se ilustra en la Fig. 2.68, y coloque el tenedor paralelo y junto al primer tenedor.
10. Repita la operación como en el caso del segundo plato hasta haber completado la recolección.
11. Con la mano derecha, pase el primer plato hasta arriba de la pila, sobre la mano y el antebrazo izquierdos, y lleve la pila al aparador.

En la zona de lavado, los cubiertos deben colocarse en recipientes especiales, y los residuos del plato de arriba tirarse al bote de basura.

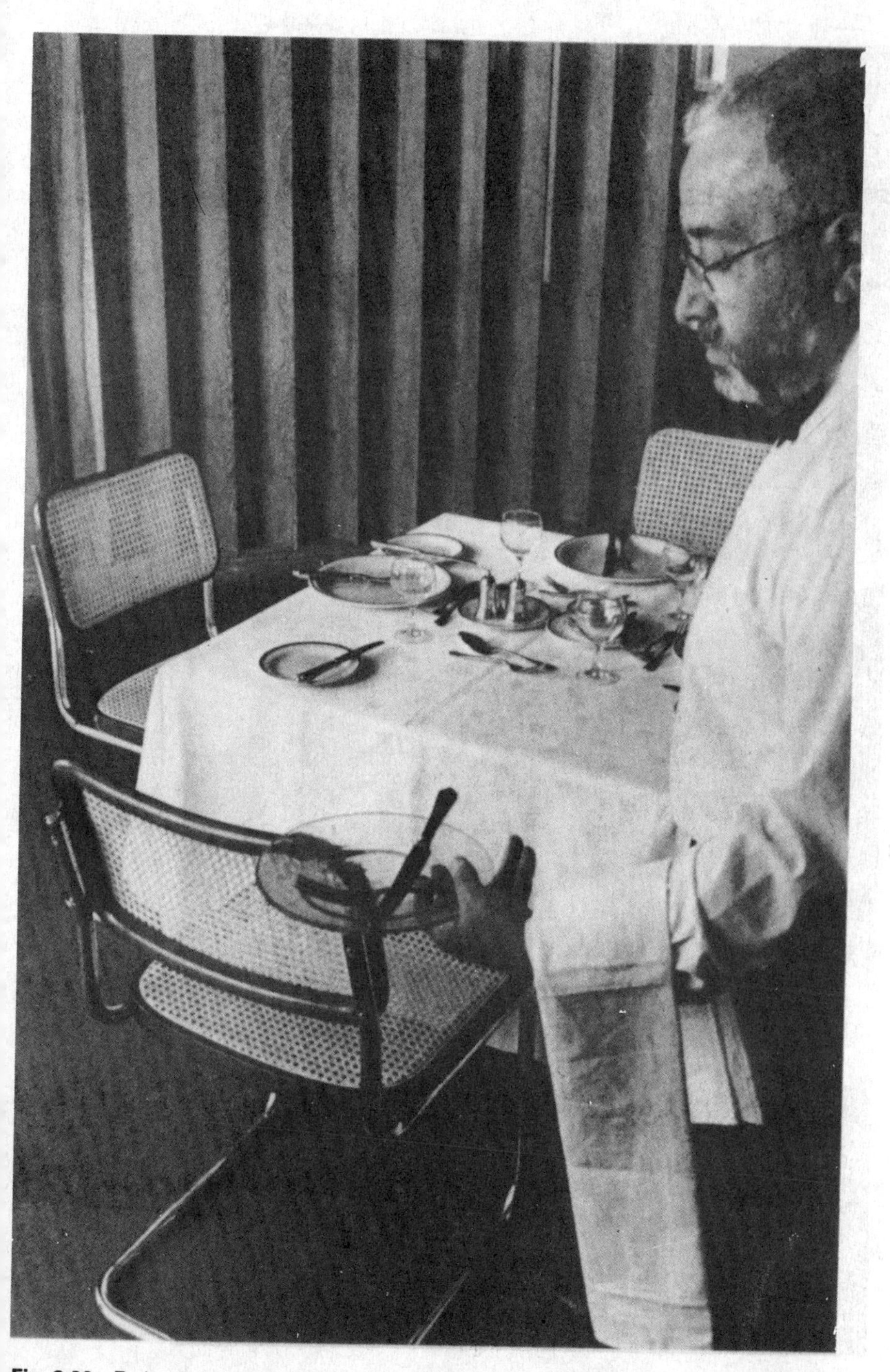

Fig. 2.66 Retiro de los platos de los comensales (mostrando la forma de asirlos, paso 1)

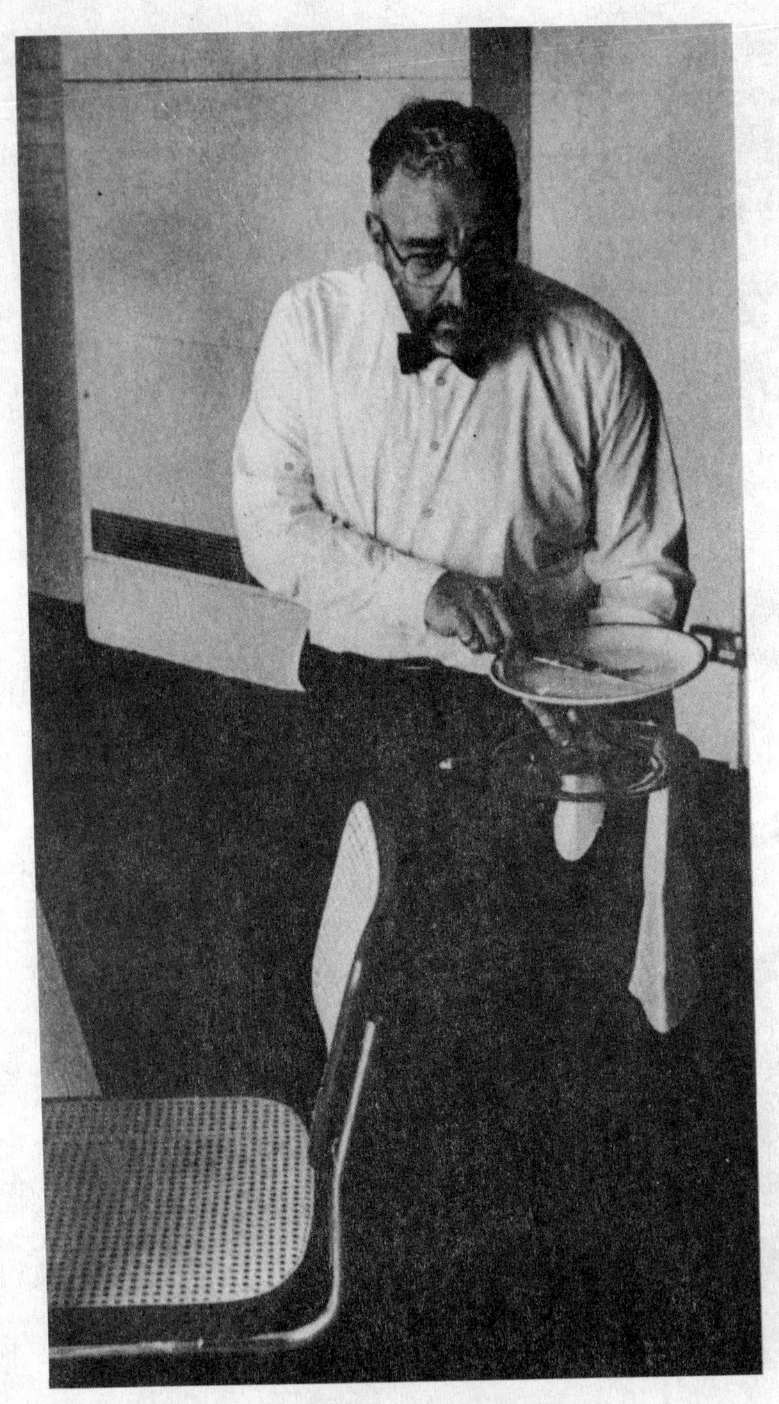

Fig. 2.67 Retiro de los platos de los comensales (paso 2)

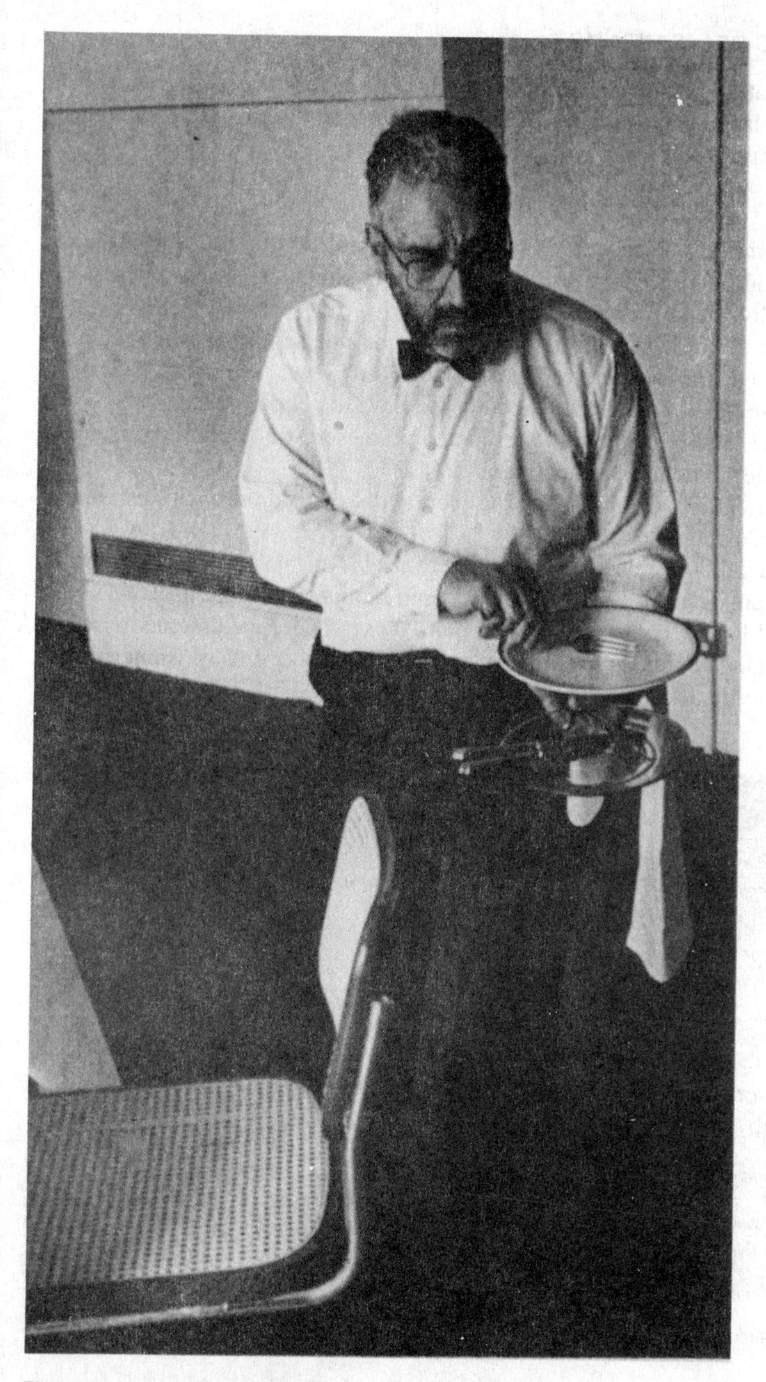

Fig. 2.68 Retiro de los platos de los comensales (paso 3)
Retiro de los platos de los comensales (paso 4)

2.3.24 RETIRO DE LAS MIGAJAS

Al final del platillo principal y antes de servir el postre, es necesario recoger de la mesa todas las migajas de pan. Esto se conoce como "retiro de las migajas". Al mismo tiempo se colocan los cubiertos para el postre.

Método

1. Antes de empezar a recoger las migajas, asegúrese de que todos los objetos, con excepción de los cubiertos para el postre (y el cenicero si los clientes están fumando), se hayan recogido de la mesa.
2. Prepare un plato de servicio recubriéndolo con una servilleta de papel y doble el lienzo de mesero para recoger las migajas.*
3. Aproxímese por la izquierda del comensal, llevando el plato de servicio sobre la palma de la mano izquierda y el lienzo de mesero doblado en la derecha. El pie izquierdo debe estar adelante.
4. Flexione la cintura y ponga el borde frontal del plato de servicio justamente bajo el borde de la mesa.
5. Con ayuda del lienzo de mesero, cepille todas las migajas al plato de servicio, haciendo movimientos largos y suaves, como se muestra en la Fig. 2.69.
6. Coloque el lienzo de mesero sobre el plato de servicio. Baje un tenedor asiéndolo del mango cerca de los dientes, entre el índice y el pulgar, y muévalo hacia la izquierda del comensal.

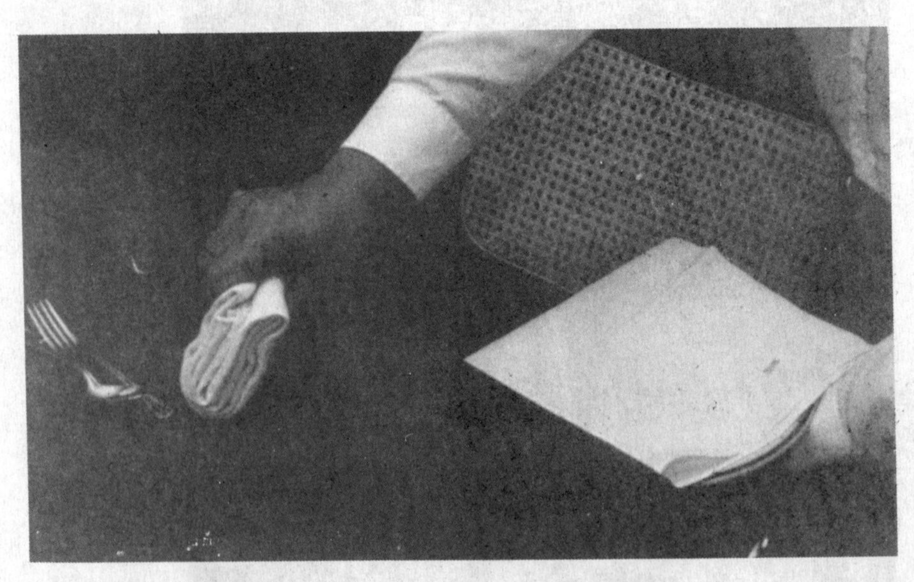

Fig. 2.69 Retiro de las migajas

*En algunos establecimientos se pueden usar pequeños cepillos en forma de media luna para recoger las migajas. Véase la Sec. 2.3.19. "Uso eficaz del lienzo de mesero" para doblar el lienzo.

7. Muévase a la derecha del comensal, con el pie derecho adelante, y baje la cuchara de postre a la derecha del comesal.
8. Dé un paso hacia atrás. Aproxímese al siguiente comensal, por su derecha (o en sentido opuesto al de las manecillas del reloj), con el pie izquierdo adelante.
9. Continúe del mismo modo hasta haber recogido las migajas de todos los comensales.

2.3.25 *PRESENTACIÓN Y CAMBIO DE CENICEROS*

Como regla general, los ceniceros no se colocan en la mesa al principio del servicio. No obstante, si los comensales están fumando, o empiezan a fumar antes de servirles el primer platillo, se debe colocar un cenicero limpio sobre la mesa. Es importante que el cenicero se retire justamente antes o justamente después de que se haya servido el primer platillo.

Si los comensales fuman después de la comida, deben dejarse los cenicero sobre la mesa, y cambiarse periódicamente, en caso necesario. Las mesas con más de cuatro cubiertos requieren más de un cenicero.

Método

1. Tome un cenicero limpio y colóquelo boca abajo sobre una charola o plato de servicio recubierto con una servilleta.

Fig. 2.70 Cambio de ceniceros (paso 1)

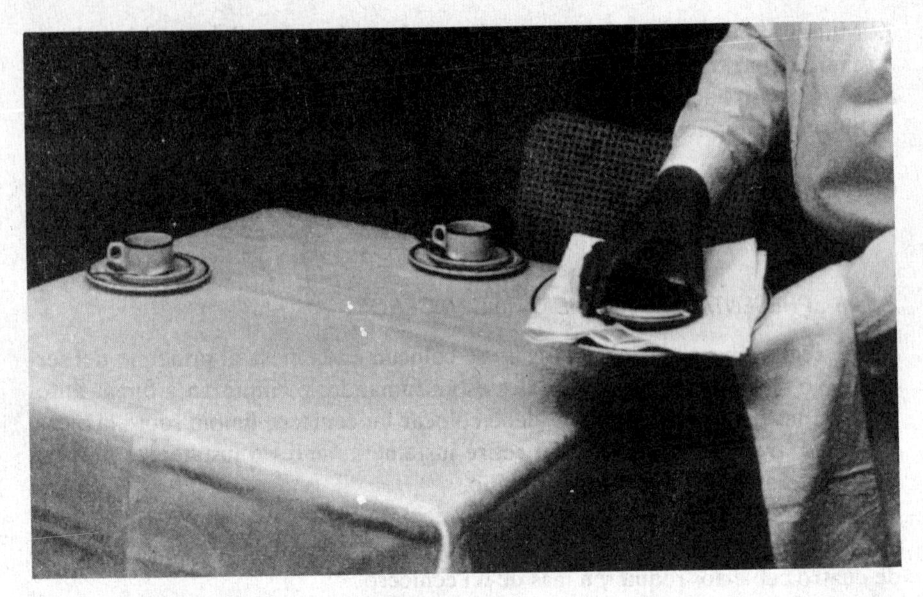

Fig. 2.71 Cambio de ceniceros (paso 2)

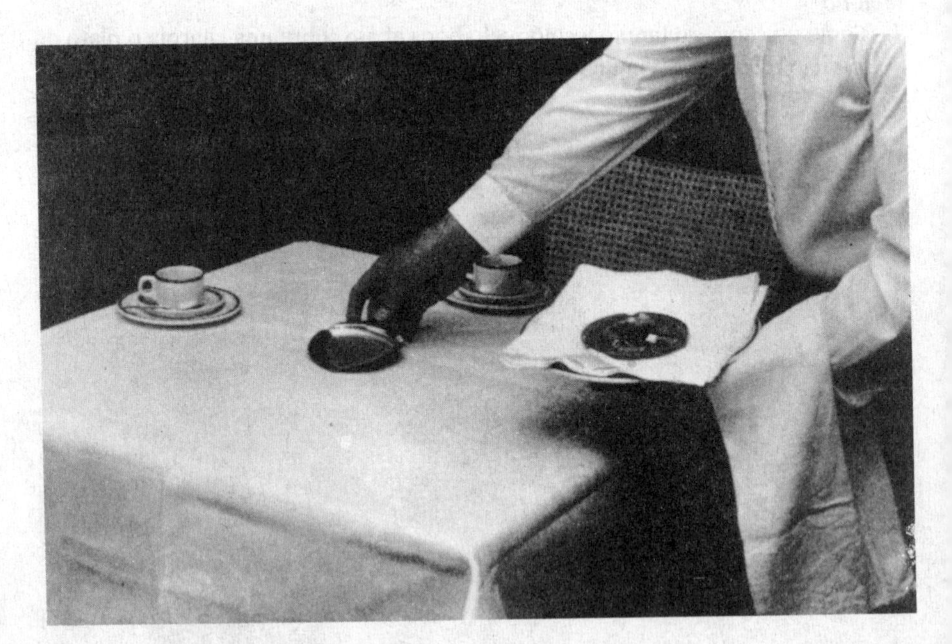

Fig. 2.72 Cambio de ceniceros (paso 3)

2. Aproxímese a la mesa por el lado en que ocasione menos molestias a los comensales.

3. Cubra el cenicero sucio con el limpio, colocándolo boca abajo sobre él, como se ilustra en la Fig. 2.70.
4. Manteniendo cubierto el cenicero sucio, retire ambos ceniceros juntos y colóquelos sobre la charola. Esto evitará que vuele la ceniza, como se observa en la Fig. 2.71.
5. Vuelva a poner el cenicero limpio en la mesa, si se requiere, como se muestra en la Fig. 2.72.

3
TAREAS EN EL RESTAURANTE

3.1 TAREAS ANTES DEL SERVICIO (*MISE EN PLACE*)

3.1.1 DEBERES DE LIMPIEZA (MÉNAGE)

La limpieza diaria normal del "salón" (como se denomina usualmente al restaurante) es llevada a cabo principalmente por el personal de meseros, que cubre todos los aspectos, pero la limpieza periódica a fondo puede ser realizada por el personal de mantenimiento (en un hotel) o mediante un contrato de servicio externo; este trabajo se hace generalmente por la noche, o durante alguna clausura con fines de decoración.

Los procedimientos de limpieza diaria serán establecidos por el jefe de meseros responsable del salón, y se delegarán diversas tareas al personal, por turnos, según la frecuencia con la que se repitan esas tareas, que son las siguientes: mobiliario, pisos, recubrimientos de paredes, cortinas, manteles y espejos, etcétera.

3.1.1.1 Mobiliario

Normalmente consiste en mesas, aparadores y sillas, o bien, en bancas y tableros fijos; el procedimiento de limpieza dependerá del tipo de acabado, como sigue:

Madera pulida. Se puede usar una buena crema para muebles de uso general, sea líquida o en aerosol, con un trapo suave y limpio. Si los muebles están grasientos por el uso frecuente, como pueden estarlo la estación de servicio o los respaldos de las sillas, deben limpiarse primero con agua caliente a la cual deberá agregarse un poco de vinagre, y luego secarlos y lustrarlos. Si la superficie está sellada con resina, puede limpiarse con una solución de agua caliente y un poco de detergente.

Se debe tener mucho cuidado de que el mobiliario que haya sido acabado a la francesa no entre en contacto con alcohol si se utilizan lámparas de alcohol desnaturalizado, porque éste puede disolver el barniz, lo cual hará necesario aplicar un nuevo acabado costoso.

El mobiliario con chapa de melamina, el acabado con resina y el recubierto con láminas plásticas que simulan madera, como la Formica, normalmente se limpia con una solución de agua y detergente, y se le aplica algún lustrador por aspersión para finalizar.

Las sillas con armazón de madera deben lustrarse como se dijo arriba; si están tapizadas, el tapiz debe cepillarse antes de lustrar el armazón. Los tapices de imitación de cuero deben limpiarse con un lustrador en aerosol o según las instrucciones del fabricante.

Nota: Es mejor lustrar los barrotes, patas y brazos de las sillas rociando el lustrador sobre un trapo para evitar salpicaduras en el tapiz.

3.1.1.2 Pisos

Alfombras. El mantenimiento de éstas dependerá de la superficie que en realidad se utilice. La mayor parte de los restaurantes de lujo tienen el piso alfombrado, lo cual da un aspecto suntuoso al salón cuando se dispone para abrirse.

En condiciones de uso normal, las alfombras deben limpiarse con una aspiradora mientras se hace la limpieza previa al servicio, momento en que todas las sillas se pueden poner sobre las mesas (a menos que estén pulidas) para facilitar el trabajo dejando libre toda la superficie del piso. Si la aspiradora que se usa no alcanza las orillas y rincones, antes de pasarla se debe usar un cepillo áspero para eliminar de ellos las migajas o la pelusa.

Entre los servicios de la comida y de la cena, se puede usar una barredora de alfombras para eliminar las migajas visibles, debido a que el salón debe dejarse listo y con manteles.

Si ocurren algunas salpicaduras de alimentos, deben enjuagarse inmediatamente y lavarse con agua jabonosa caliente, quitando primero la mayor cantidad posible de material sólido o semisólido.

Si la alfombra está muy manchada, será necesario aplicarle un champú, sea durante la noche, hora en que el restaurante está cerrado, o durante la clausura anual.

Pisos de parqué. Éstos no son comunes actualmente en los restaurantes, excepto en aquellos con pista de baile. El procedimiento de limpieza debe ser el siguiente:

Primero se barre el piso con una escoba suave o una aspiradora para eliminar todo el polvo y la basura, como colillas de cigarrillo. Si no se dispone de una pulidora de pisos, habrá que aplicar lustrador o cera, seguidos de una frotación rotatoria. El producto usado dependerá del acabado original del piso, sea encerado o recubierto con barniz de poliuretano.

Losetas termoplásticas. Estas losetas, tales como marletyles, accoflex, etc., deben limpiarse según las instrucciones del fabricante, dado que algunas deben tratarse con pulimentos con base de agua y otras con pulimentos con base de alcohol.

Varias empresas proporcionan diferentes tipos de materiales para limpiar y pulir estos pisos y ofrecen asesoramiento a los consumidores sobre el mejor procedimiento de limpieza.

Dado que son muy fáciles de limpiar y de lustrar, se encuentran generalmente en los establecimientos de comida rápida y en comedores de instituciones. Se debe tener cuidado de limpiar alrededor de los muebles fijos para evitar anillos grasientos y negros que requerirían un tratamiento especial de trabajo intenso.

3.1.1.3 Recubrimientos de paredes

Entre los diversos tipos de recubrimientos de paredes que se encuentran en los restaurantes están los siguientes: papel tapiz, aterciopelado y de relieve; yute; piedra, rústica o pulida; azulejos o vitrolite (vidrio de colores, opaco); pintura.

Los métodos de limpieza varían de acuerdo con los materiales usados y según que se consideren las necesidades diarias o las estacionales.

Papel tapiz, *aterciopelado* y de *relieve*. Éstos deben limpiarse con aspiradora al menos una vez a la semana para eliminar el polvo acumulado. Si están muy sucios, los papeles de relieve pueden lavarse (si han sido pintados) o sellarse y pintarse. Si los papeles aterciopelados están muy sucios, deben sustituirse.

Yute. El único tratamiento necesario para el tapiz de este tipo es pasarle la aspiradora regularmente a fin de remover el polvo acumulado. Posteriormente se puede proteger, en algunos lugares (por ejemplo, a la altura del tablero de las mesas) colocándole placas de vidrio atornilladas.

Piedra rústica. El aspirado regular es todo lo que se necesita para conservar las paredes de piedra rústica en buen estado.

Piedra pulida. Es preciso lavarse con una solución de agua y detergente o algún otro limpiador; si no está sucia, bastará con un lustrador en aerosol.

Azulejos o *vitrolite*. Se limpian tal como la piedra pulida (arriba).

Paredes pintadas. Si sólo están sucias, un lavado con un producto comercial puede ser eficaz. Si están manchadas, será necesario repintarlas.

3.1.1.4 Cortinas

Si el restaurante tiene cortinajes gruesos y pesados, éstos deben limpiarse con aspiradora regularmente, en especial por los pliegues, para eliminar el polvo. Periódicamente deben quitarse y mandarse a la tintorería, para lo cual hay que contar con un juego de repuesto, a menos que esta limpieza se lleve a cabo durante la clausura anual.

Las cortinas ligeras (forradas o no forradas) pueden lavarse, en cuyo caso es indispensable tener un juego de reemplazo.

Las cortinas de tul se deben lavar con frecuencia porque atraen lo mismo el polvo que las manchas de nicotina, y si no se limpian tendrán un aspecto desagradable.

3.1.1.5 *Objetos metálicos y espejos*

En los restaurantes se pueden encontrar objetos de metal de varios tipos, como cromados, de latón natural o laqueado, acero inoxidable, hierro fundido o aluminio anodizado.

El tratamiento general para todos ellos, con excepción del latón natural y el hierro fundido, es el mismo. Un lustrador y limpiador en aerosol suele bastar pra conservarlos brillantes para el uso diario.

El hierro fundido debe despolvarse en seco, y el latón natural limpiarse con un lustrador comercial para latón. No se debe intentar limpiar el latón laqueado con lustrador para latón.

Los espejos deben limpiarse con un producto líquido para limpiar vidrios, y luego frotarse con un trapo que no suelte pelusa, limpio y seco. Si se han descuidado, pueden limpiarse con agua tibia que contenga un poco de amoniaco.

Las ventanas se pueden limpiar con los mismos productos que los espejos, aunque en muchos restaurantes con frecuencia se contrata a profesionales para la limpieza de las ventanas.

3.1.2 *TRASLADO Y ACOMODO DEL MOBILIARIO*

En los restaurantes en los que todo el mobiliario está suelto (es decir, no está atornillado al piso como en los establecimientos de comida rápida, ni dispuesto como mesas y bancas fijas), con frecuencia es necesario mover las sillas y las mesas, sea en el caso de hacer la limpieza o de reacomodar el salón para realizar reuniones especiales.

Al mover cualquier mueble debe tenerse cuidado de no causarle daño ni maltratar la decoración con él. Posiblemente lo más importante de los requerimientos de la Ley de Salud y Seguridad en el Trabajo de 1974 es que el traslado del mobiliario no debe lastimar a nadie y, por consiguiente, debe realizarlo quien tenga la capacidad física para ello y no requiera de gran esfuerzo.

Cuando el peso de los muebles y la altura del salón lo permiten, se acostumbra en los restaurantes trasladar tanto las sillas como las mesas pequeñas encima de la cabeza, con las patas hacia arriba, lo que no obstruye la visibilidad.

La disposición del mobiliario en un restaurante es asunto que se presta a mucha discusión, pero el principio debe ser siempre la *simetría*. En un salón grande y largo, nada luce peor que las mesas acomodadas al azar.

Siempre debe dejarse espacio para el paso de los carritos. El espacio debe calcularse considerando la anchura de los carritos que se usan.

Es importante no hacer que los comensales se sienten donde haya corrientes de aire de la puerta de entrada de abierta, o demasiado cerca de las puertas de servicio, en donde pueda molestarles el ruido del personal de servicio que entra o sale de la cocina, etcétera.

Al acomodar las mesas, se debe considerar que a los comensales les gusta sentirse dentro del salón; si el espacio lo permite, las mesas para dos cubiertos deben colocarse de modo que una esquina esté en contacto con la pared y los comensales puedan sentarse en lados adyacentes, viendo al salón.

3.1.3 EMPLEO DE UN CARRITO: MANEJO, EMPUJE

Es frecuente que en los restaurantes se utilicen carritos de varios tamaños. Los hay de dos categorías: los usados para el servicio y los empleados para el transporte.

En la categoría de los de servicio se incluyen los carritos para entremeses, dulces, quesos, licores, carritos para flamear y para trinchar. Entre los de transporte se cuentan los que se emplean durante el periodo de preparación del salón para transportar vajilla, cubiertos y cristalería.

La mayoría de los carritos tienen ruedecillas recubiertas de caucho en cada esquina, lo cual facilita su arrastre en cualquier dirección. Excepto al franquear umbrales de puerta y molduras de alfombra, situaciones en que es preciso jalar los carritos para no tirar la carga, lo más conveniente es empujarlos a fin de no dañar el mobiliario ni causar molestias a los comensales ni a los colegas.

Al colocar los carritos en su sitio durante el servicio, siempre hay que hacerlo de modo que su contenido resulte claramente visible para el comensal; el personal de servicio debe colocarse detrás o a un lado del carrito para ayudar al cliente a elegir.

Ningún mantel usado en un carrito debe ser tan largo como para atorarse entre las ruedecillas.

Notas generales

1. La mayoría de los carritos tienen cuatro ruedecillas giratorias, pero algunos sólo tienen dos giratorias; las otras dos son fijas.
2. El carrito se carga de modo que el peso de los artículos quede distribuido lo más uniformemente posible.
3. Los objetos deben apilarse de manera segura. Los artículos similares de vajilla deben apilarse juntos. Evite apilar artículos de cristal y botellas.
4. Si los artículos que están en el carrito tienen riesgo de resbalar, ponga en la cubierta un mantel de tamaño apropiado (o un mantel de mesa doblado adecuadamente).
5. Siempre empuje el carrito hacia adelante, de modo que en todo momento pueda ver los objetos que está acarreando mientras llega a su destino.
6. Cuando pase por las puertas (oscilantes o de un solo sentido), detenga el carrito con el borde delantero a unos 45 cm (18 pulg) de la puerta, pase al fren-

te del carrito y jálelo hacia usted al tiempo que empuja suavemente para abrir la puerta con la espalda. Asegúrese de que la longitud total del carrito quede fuera de la trayectoria de la puerta antes de cruzar ésta.

Notas de maniobra

1. Para guiar un carrito en línea recta, ejerza igual presión en ambos lados del extremo trasero. Controle la dirección reduciendo la presión en el lado hacia el cual quiere usted que el carrito se mueva. Esto imprime dirección a las ruedas delanteras; las ruedas traseras las seguirán.
2. Algunas veces es necesario maniobrar las ruedas traseras, para dar vuelta en ángulos agudos o alrededor de las mesas del salón. Esto se consigue aplicando presión lateral al carrito, en el extremo que hay que mover. Esto tendrá el efecto de mover el carrito como sobre tres ruedas, sirviendo de pivote una de las ruedas delanteras o traseras, según la dirección en la cual se esté empujando (la rueda del extremo que se esté empujando actúa como pivote).
3. Cuando sea necesario dar un giro de 180 grados; por ejemplo, para presentar al comensal un platillo que está en el extremo más lejano, hay que tomar el carrito de dos esquinas diagonalmente opuestas y aplicar presión en cada una de ellas en dirección opuesta. Esto hará girar el carrito como una mesa giratoria, como si fuese un eje al centro.

Nota. El mejor método para adquirir estas habilidades es practicar las tres reglas con un carrito y observar su movimiento.

3.1.4 MANTELES: DE RESTAURANTE Y PARA BANQUETE

Existen tres razones principales para cubrir las mesas con manteles:

1. Para mejorar la apariencia y la presentación.
2. Para amortiguar cualquier ruido que se haga al colocar piezas de la vajilla y de cubiertos.
3. Para reducir al mínimo el movimiento de los platos y demás objetos mientras los comensales están comiendo.

Los manteles deben ponerse con el mínimo manejo posible, para conservar su aspecto de recién salidos de la lavandería.

Método

1. Antes de poner el mantel, compruebe que la mesa esté firme tratando de balancearla por esquinas opuestas. Si no lo está, inserte un pedazo de corcho o un menú doblado debajo de una pata.
2. Compruebe que la superficie de la mesa esté libre de partículas de polvo y revise con la mano si no hay algún rastro de humedad que pueda manchar o ensuciar el mantel.

3. Seleccione un mantel de tamaño correcto. Aprenda a hacerlo sopesando el mantel. Con experiencia es posible seleccionar el tamaño correcto guiándose por el peso.*
4. Párese frente al centro de la mesa, entre las patas. En el caso de mesas oblongas, párese frente al lado más largo.
5. Coloque el mantel doblado sobre la mesa, de modo que los extremos queden hacia arriba y del lado derecho.
6. Haga coincidir el lado derecho del mantel doblado con el centro de la mesa, como se ilustra en la Fig. 3.1.
7. Con la mano izquierda, desdoble la parte superior doblada, y con la derecha deshaga el segundo doblez. Ahora el mantel debe colgar a igual distancia de ambos lados de la mesa. Compruebe que el doblez central esté hacia arriba y los extremos sueltos queden hacia abajo, como se muestra en las Figs. 3.2 y 3.3.**
8. Conservando una separación adecuada entre las dos manos, sostenga el doblez del centro entre los pulgares e índices, como se muestra en la Fig. 3.4.
9. Sin soltar el doblez del centro, levante y sostenga el siguiente extremo suelto del mantel entre los dedos medio e índice, como se muestra en la Fig. 3.5.
10. Levante el mantel de la mesa, dejando colgar el extremo inferior.
11. Flexione la cintura para alcanzar la orilla distante de la mesa y haga que el extremo suelto cuelgue detrás de ella, como se muestra en la Fig. 3.6.

Fig. 3.1 Puesta de manteles (paso 1)

*Véase la Sec. 2.2.11, "Mantelería".

**Dependiendo de cómo se haya doblado el mantel, puede ser necesario voltearlo. También en el caso del doblado en biombo, el doblez del centro debe estar en medio. En ese caso, siga el mismo procedimiento, pero en el paso 12 suelte el doblez central de entre los dedos medio e índice.

Fig. 3.2 Puesta de manteles (paso 2)

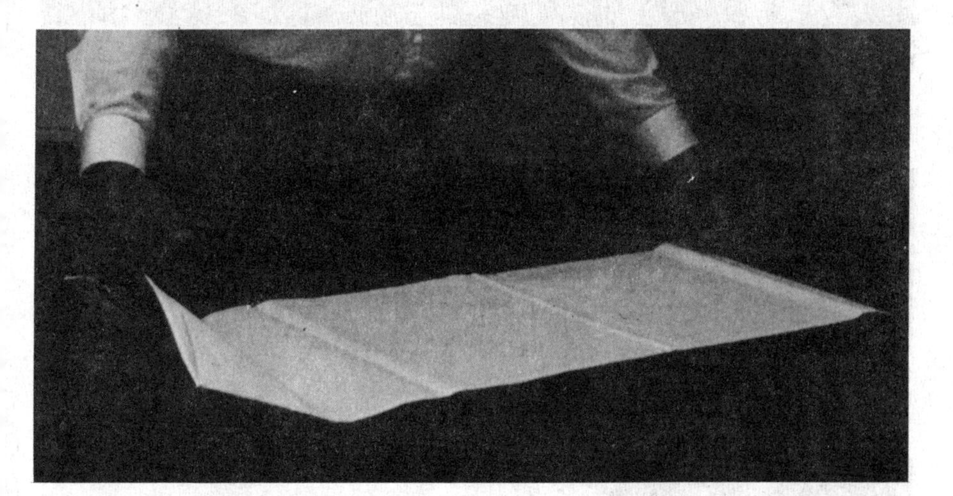

Fig. 3.3 Puesta de manteles (paso 3)

12. Deje descansar el mantel sobre la mesa y suelte el doblez medio de entre los dedos pulgares e índices mientras aún sostiene el extremo libre entre los dedos medios e índices.

13. Jale hacia atrás el extremo libre, con una ligera sacudida si es necesario. Enderécese y haga colgar ese extremo en la orilla más próxima de la mesa, como se muestra en la Fig. 3.7.

14. Compruebe que la caída sea igual en todos los lados, como se muestra en la Fig. 3.8. Si es necesario, ajuste la posición del mantel tirando de él por el do-

Fig. 3.4 Puesta de manteles (paso 4)

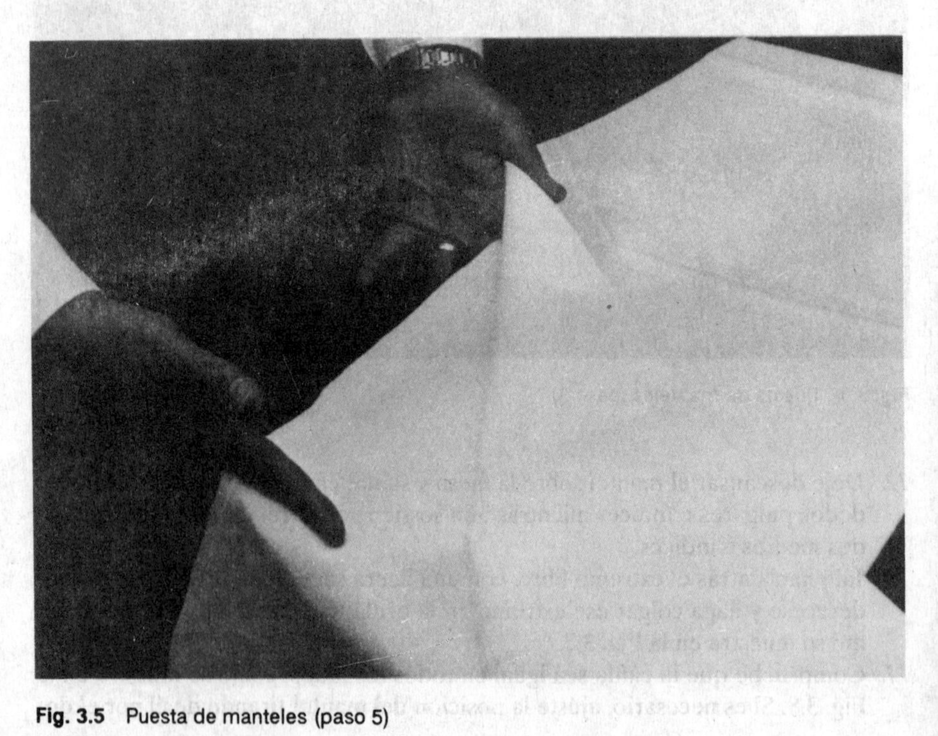

Fig. 3.5 Puesta de manteles (paso 5)

Fig. 3.6 Puesta de manteles (paso 6)

Fig. 3.7 Puesta de manteles (paso 7)

Fig. 3.8 Puesta de manteles (paso 8)

bladillo y no por el borde donde cuelga de la mesa, ya que esto ocasiona arrugas y marcas de los dedos.*

Notas. Las mesas para banquetes son largas, y su arreglo se logra mejor trabajando en parejas. La mayor parte de los buenos establecimientos mantienen en existencia manteles de longitud apropiada para cubrir mesas de diversos largos. Sin embargo, a veces es necesario sobreponer dos manteles cortos para cubrir una mesa muy larga.

Método

1. Seleccione un mantel de tamaño adecuado para la mesa (aproximadamente entre 45 y 60 cm más largo que ella).
2. Ponga el mantel en un extremo de la mesa, con los extremos libres orientados hacia el borde.
3. Desdoble el mantel hasta que quede en el centro de la mesa, a lo largo.
4. Con un ayudante en el otro extremo, desdoble el mantel y manténgalo tirante.
5. Baje el mantel suavemente sobre la mesa, asegurándose de que cuelgue por igual en todos los lados (como regla general, el doblez central del mantel debe correr a lo largo de la línea central de la mesa, y quedar hacia arriba).

*Con un poco de práctica se elimina la necesidad de ajustar la caída.

3.1.5 *PONER LA MESA: DISPOSICIÓN NORMAL Y ESPECIAL*

El objetivo de poner la mesa antes de servir las comidas es reducir al mínimo la necesidad de traer o cambiar cubiertos y otros objetos durante la comida misma. Así, la disposición de la mesa estará determinada por el tipo de menú o comida que se va a servir y por la práctica particular de cada establecimiento.

El procedimiento es similar para cada tipo de disposición de mesa; los diferentes estilos se ilustran en las Figs. 3.9 a 3.12.

Cada cubierto de una mesa de hotel puesta de modo normal consta de un "plato base", una servilleta, cubiertos para pescado, un plato lateral con cuchillo, y copa(s) para vino.

Método

1. Compruebe que todas las mesas tengan mantel y que las sillas estén en su lugar antes de proceder a poner las mesas.
2. Tome una pila de platos y coloque un plato lateral por cada cubierto, en el centro; esto formará la base del cubierto.
3. Tome un puñado de cuchillos para carne envueltos con una servilleta limpia.
4. A medida que vaya poniendo los cubiertos, deles un lustrado final y colóquelos tomándolos de la parte media entre el índice y el pulgar. Nunca toque las hojas de los cuchillos, ni los dientes de los tenedores, ni los huecos de las cucharas.
5. Repita los pasos 3 y 4 para cada cubierto que se requiera (excepto los cuchillos de los platos laterales), colocándolos en la posición debida.*
6. Cuando todos los artículos hayan sido colocados en su sitio, inspeccione y ajuste cada cubierto en cuanto a su pulcritud y simetría.
7. Mueva el plato lateral de cada cubierto hacia el lado izquierdo y coloque un cuchillo apropiado sobre él. Repita esta operación en cada cubierto.
8. Coloque un juego de salero y pimentero a la mitad de la mesa (las mesas con más de cuatro cubiertos requerirán juegos de salero y pimentero adicionales, colocados convenientemente).
9. Ponga piezas adicionales según sea la costumbre del establecimiento.

Nota. En opinión de los autores: *1.* Es innecesario colocar el número de la mesa sobre ésta. *2.* La mantequilla no debe llevarse a la mesa sino hasta que los clientes se hayan sentado.

3.1.6 *DOBLADO DE LAS SERVILLETAS*

Aunque todavía es práctica común de muchos restaurantes ingleses y del extranjero, el arte en otro tiempo común de doblar las servilletas está cayendo en desu-

*El orden sugerido para poner un cubierto en una mesa de hotel: cuchillo, tenedor, cuchillo para pescado, tenedor para pescado, cuchara para sopa, tenedor para postre, cuchara para postre, copa(s) para vino, servilleta.

Fig. 3.9 Disposición normal para la comida a la carta

Fig. 3.10 Disposición normal para comida corrida

Fig. 3.11 Disposición normal para desayuno

so por razones higiénicas, pues a los clientes no les agrada la idea de que un artículo que se llevan a la boca haya sido previamente manipulado, aparte del hecho de que es una actividad de trabajo intenso sin rendimiento alguno para el restaurante.

No obstante, ciertas formas de doblado son apropiadas para mesas de bufet y para ocasiones festivas, y por ello presentamos una selección de esas formas; en opinión de los autores, el estilo suizo o alemán, con el doblez superior de la servilleta vuelto hacia abajo sin prensarse, es quizá de una sencillez aceptable, y se puede colocar con ayuda de una cuchara y un tenedor. El método francés de colocar una servilleta doblada en cuadro sobre el "plato base" del cubierto se considera muy severo en la Gran Bretaña.

Fig. 3.12 Disposición normal para té de la tarde

A fin de lograr una servilleta doblada apropiadamente, es esencial su almidonado por la lavandería. Para el método francés, se debe doblar dos veces, como se muestra en la Fig. 3.13. Para el método suizo, se debe doblar tres veces, como se muestra en la Fig. 3.13; este doblez también es la base para el Cono o "Gorro de tonto".

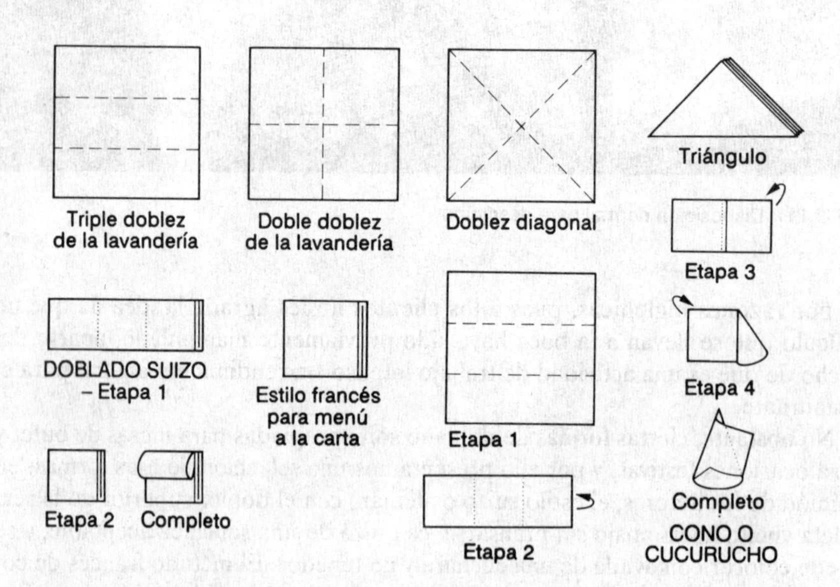

Fig. 3.13 Doblado de las servilletas

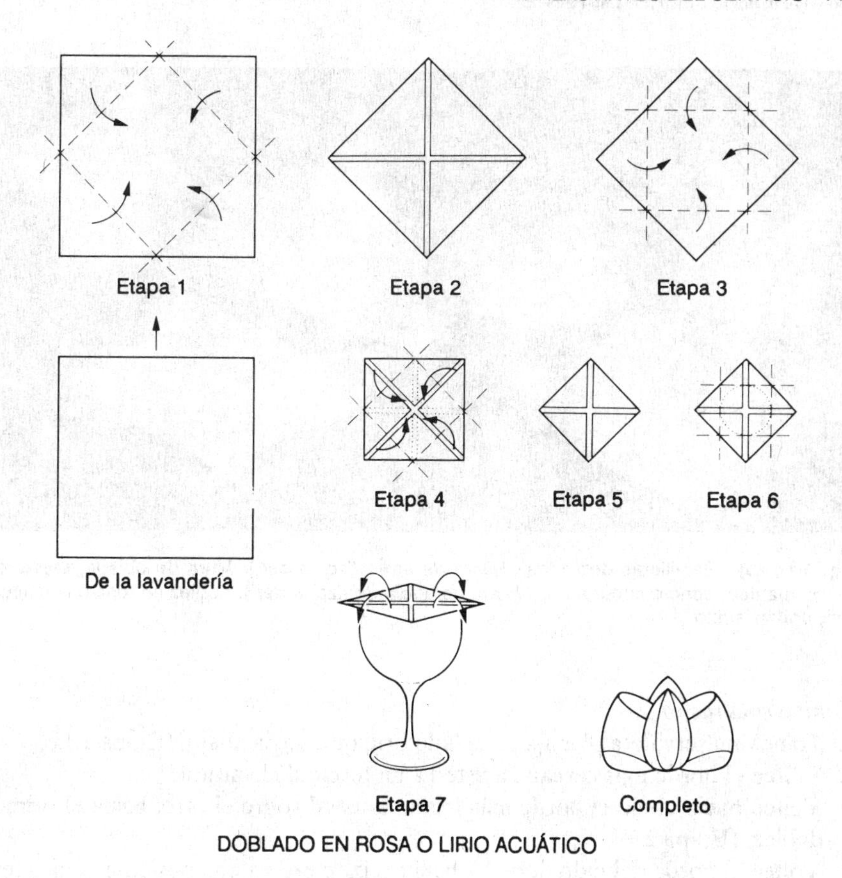

Fig. 3.14 (a) Doblado de las servilletas

Si se considera necesario doblar las servilletas para uso general, el "cono" o "cucurucho" se puede hacer con poca manipulación.

La "rosa" es muy útil como recipiente de pequeños platos redondos o pan tostado en rebanadas; en las mesas para desayuno y en los restaurantes de hotel, es aceptable el uso de servilletas pequeñas o servilletas de papel dobladas en triángulo sobre el plato de pan.

El número de estilos de doblado es infinito, habiéndose presentado más de 100 en una obra sobre el siglo XVII francés titulada "El jefe de comedor". Se han publicado trabajos modernos sobre el tema, siendo uno de los más recientes *The Art of Napkin Folding (El arte de doblar servilletas)*, de James Ginders, Northwood, 1978.

Método

Las etapas hacen referencia a las Figs. 3.13 y 3.14 (a)

Fig. 3.14 (b) Servilletas dobladas *Hilera de atrás* (izq. a der.): Mitra de obispo; cresta de gallo: abanico; cono o cucurucho; *hilera de adelante* (izq. a der.): doblez en rosa o lirio acuático; doblez suizo

Cono o *cucurucho*

1. Tome una servilleta plana, con el lado brillante hacia abajo. (Etapa 1.)
2. Voltee el borde más cercano a usted a un tercio de la altura.
3. Voltee hacia abajo el borde más lejano a usted sobre el otro, hasta el primer doblez. (Etapa 2.)
4. Voltee el borde del lado derecho hacia la izquierda a una posición de dos tercios de la longitud. (Etapa 3.)
5. Enrolle la esquina superior derecha hacia abajo, con la mano derecha adentro. (Etapa 4.)
6. Baje la esquina superior izquierda para que coincida con la punta del rollo.
7. Saque la mano del rollo, sosteniendo juntas ambas puntas; luego, comprobando que no quede hueco en la parte superior, voltee las dos puntas hacia arriba para formar una base horizontal.

Rosa o lirio acuático

1. Principiando con una servilleta plana, con el lado brillante hacia abajo, doble las cuatro esquinas hasta el centro, como se muestra en la etapa 2.
2. Con el cuadrado más pequeño así formado, repita el procedimiento dos veces más. (Etapas 3 y 6.)
3. Sosteniendo tirantes los dobleces, coloque la servilleta, con el lado plano hacia abajo, sobre una copa de París; mientras la oprime contra la copa, tire de las ocho puntas hacia afuera y hacia abajo. (Etapa 7.)
4. Ajústela de modo que parezca una rosa o un lirio acuático.

3.1.7 LLENADO DE LOS SALEROS Y PIMENTEROS

Antes de iniciar cada servicio es esencial asegurarse de que todos los saleros y pimenteros estén llenos. Esta tarea se lleva a cabo generalmente durante el periodo de preparación de la mañana, pero se debe hacer una comprobación de cualquier manera durante el tiempo en que se cierra por la tarde.

El personal de meseros debe conocer el tipo de saleros y pimenteros que se usan en el establecimiento; por ejemplo, si la tapa se enrosca o se pone a presión. Actualmente, la mayoría de los establecimientos de servicio eligen modelos de saleros y pimenteros que no necesiten invertirse para rellenarse, lo que facilita el trabajo y reduce la pérdida de tiempo.

Método

1. Recoja *todos* los juegos del restaurante en una charola de tamaño mediano, poniendo los saleros de un lado y los pimenteros del otro.
2. Seleccione un lugar de trabajo adecuado en una zona protegida de corrientes de aire y bien iluminada del restaurante o de la despensa.
3. Tenga a la mano una copa limpia, un trapo limpio para cristalería, una cucharita de té o de café, otra charola mediana y algunos alfileres o palillos de dientes.
4. Desenrosque o quite las tapas de todos los utensilios del mismo tipo (saleros o pimenteros), revise si hay en ellas agujeros obstruidos y aparte las que necesiten limpieza o atención.
5. Mantenga las bases sobre la charola, acomodadas en hileras.
6. Con la cucharita de té o de café, rellene las bases hasta unas tres cuartas partes de su capacidad.
7. Preste atención a las tapas, destapando los agujeros con los palillos o los alfileres, etcétera.
8. Vuelva a colocar las tapas sobre sus bases.
9. Con el trapo para cristalería, húmedo, limpie el exterior de los saleros y pimenteros y vaya colocándolos sobre la charola limpia.
10. Repita el procedimiento anterior para el otro condimento.

Nota

1. Si los saleros y pimenteros son de una pieza, con un tapón de caucho o de nylon en la base, es necesario invertirlos para quitarles el tapón y rellenarlos. En este caso, rellene uno por uno de la siguiente manera: tape los agujeros con la palma de la mano izquierda antes de invertir el salero, rellenarlo y volver a colocar el tapón.
2. Antes de proceder a rellenar los recipientes del segundo condimento, es esencial que se hayan vuelto a poner todos los tapones de los primeros, para evitar que se mezclen y que puedan causar molestias a los comensales, quienen podrían espolvorear en sus alimentos el condimento equivocado.

3. En forma periódica (normalmente una vez por semana), todos los saleros y pimenteros deben vaciarse, lavarse, secarse cuidadosamente y frotarse con un trapo seco y suave, antes de volverlos a llenar.

3.1.8 PREPARACIÓN DE LA MOSTAZA

La mostaza inglesa debe estar recién hecha para cada comida, a menos que en el establecimiento se utilice mostaza inglesa preparada comercialmente. Otras mostazas comerciales (francesa, alemana, etc.) deben también estar a la disposición de los comensales si éstos lo requieren.

Método

1. Tome la mostaza y el equipo para prepararla; por ejemplo, un recipiente lo suficientemente grande para contener la cantidad que se requiere, una cuchara de mezclar, un recipiente pequeño con agua y tarros de mostaza limpios.
2. Con la cuchara de mezclar, seca, mida y pase a un recipiente la cantidad necesaria de mostaza en polvo.
3. Añada una pequeña cantidad de agua cada vez, mezclando constantemente la mostaza con la cuchara de mezclar, hasta obtener la consistencia de una pasta espesa.
4. Con una cucharita de té o de café, pase la mostaza preparada a los tarros para mostaza.
5. Con un trapo húmedo limpie el exterior y el borde de los tarros.

Nota. Después de dejar reposar un momento la mostaza, puede aparecer una capa de agua sobre la superficie, lo que indica que se puso demasiada agua. En tales casos, antes de presentar la mostaza al comensal, el mesero debe agitarla suavemente de modo que el agua vuelva a absorberse dentro de la mostaza.

3.1.9 PREPARACIÓN DE LOS APARADORES: MANTELERÍA Y EQUIPO

El aparador o estación de servicio es la base de operaciones del personal de meseros. Por consiguiente, debe tener todo el equipo que un mesero puede necesitar durante el servicio de una comida. El tamaño y el diseño del aparador dependerá del tipo de menú y del número de cubiertos que se sirvan por cada estación de servicio.

El arreglo del equipo puede variar de un establecimiento a otro. No obstante, se recomienda que cada establecimiento tenga una disposición estándar para facilitar el servicio y promover la flexibilidad en el personal. Los siguientes factores se deben tomar en consideración:

1. Los objetos que se requieren frecuentemente deben colocarse a tal altura que eviten la necesidad de agacharse.

2. Los artículos más pesados, como los platones, deben colocarse en el anaquel inferior.
3. Los cubiertos deben acomodarse en los cajones en un orden tal que los que son similares no queden en compartimientos adyacentes; por ejemplo, los cuchillos de carne y los de plato lateral deben estar separados colocando entre unos y otros los tenedores para carne.
4. La superficie de trabajo del aparador debe conservarse libre de cualquier artículo en todo momento.
5. La apariencia general del aparador debe ser agradable, ordenada y estética.

Nota.
Los aparadores de tipo antiguo que no tienen las superficies recubiertas de material plástico deben tener anaqueles cubiertos con carpetas cuyos bordes delanteros estarán doblados hacia abajo (las carpetas para aparador suelen hacerse de manteles viejos).

Método
1. Retire todos los objetos del aparador.
2. Quite los cajones de cubiertos y límpielos, volteándolos hacia abajo si es necesario, y cepillándolos si están forrados de fieltro.
3. Forre los cajones con servilletas de papel limpias, dobladas (esto no es necesario si los cajones tienen recubrimientos de fieltro).
4. Limpie todas las superficies con un trapo húmedo.
5. Si es necesario, ponga carpetas en los anaqueles inferiores.
6. Compruebe que cada artículo esté limpio antes de volver a colocarlo en el aparador.

La disposición que se sugiere para colocar los artículos en el aparador se muestra en la Fig. 3.15, y dependerá del número de anaqueles:

Arriba:	Libre
Cajones:	Cubiertos: cuchillos, tenedores, cucharas, etc. (los mangos hacia afuera).
Anaquel 1:	Artículos de vajilla: platos para carne, platos para pescado, platos laterales, platos para taza.
Anaquel 2:	Saleros y pimenteros, azucareras, aceite y vinagre, salsas comerciales, mostazas, jarra de agua, copas de repuesto, cesto para pan.
Anaquel 3:	Charola, platones para servir, ceniceros, servilletas de repuesto.

3.1.10 PREPARACIÓN DE LAS LÁMPARAS PARA FLAMEAR

Las lámparas para flamear, de muy diversos diseños, son de dos tipos principales:

De gas propano o butano. Sea que tengan un tanque de gas intercambiable o estén fijas a un carrito y conectadas a un tanque de gas como Calor o de alguna otra marca.

Fig. 3.15 Preparación de un aparador

Alcohol desnaturalizado. Éstas pueden ser: del tipo ajustable, de pabilo o de vaporizador, la cual tiene un extinguidor o una cubierta para regular la flama.

Con anterioridad al servicio, la superficie exterior de la lámpara debe limpiarse según el tipo de metal de que esté hecha. La parrilla superior puede ser de cuero, en cuyo caso debe limpiarse con un estropajo de nylon o con lana de acero, para eliminar el tizne, la grasa quemada o las partículas de comida.

Después de limpiar una lámpara de gas, solamente es necesario comprobar que el tanque no esté vacío y que los surtidores no estén tapados.

Las lámparas de alcohol deben volverse a llenar. La de pabilo tiene generalmente un capuchón para llenarla junto a la base del tanque, lo que debe hacerse usando un embudo. Se debe comprobar que haya suficiente mecha y que el ajustador trabaje libremente. La lámpara de vaporizador normalmente se llena a través de un orificio en la parte superior. Cualquier salpicadura de alcohol debe limpiarse con un trapo húmedo, debido a que al secarse se hace pegajosa. Hay que tener cuidado de que al llenarla con el alcohol éste no entre en contacto con las superficies de madera pulida, porque el alcohol disuelve el pulimento francés o cualquier otro con base de laca.

3.1.11 LIMPIEZA Y RELLENADO DE LAS BOTELLAS DE SALSAS COMERCIALES

Las botellas de salsa comerciales, cuando se presentan al comensal, deben estar llenas por lo menos hasta tres cuartas partes de su capacidad. Es por esta razón que las botellas deben rellenarse al término de cada servicio. Alternativamente, la tarea puede llevarse a cabo antes de servir la comida.

Método

1. En una charola de tamaño mediano, recoja las botellas de salsa, separándolas por clases.
2. Tome un trapo húmedo, uno seco y un tazón de agua caliente que deberá tener a la mano.
3. Para salsas como la de tomate, mantenga la tapa puesta y ponga la botella boca abajo de modo que la salsa que aún contiene se reúna hacia el cuello.
4. Las botellas que estén llenas a menos de la mitad deben vaciarse a otros que tengan más de la mitad.*
5. Una vez que haya vuelto a llenar las botellas, límpielas por fuera con el trapo húmedo.
6. Con un extremo del trapo, limpie el interior del cuello de cada botella.
7. Lave las tapas en el tazón de agua caliente y séquelas con el trapo seco.
8. Vuelva a colocar las tapas en las botellas y retire las vacías.
9. Guarde las botellas llenas en posición vertical.

3.1.12 *PREPARACIÓN DE PAN DE CAJA, BOLLOS Y PAN TOSTADO PARA SERVIRLOS*

Pan de caja. Con un cuchillo afilado, quite la corteza de todos lo lados de las rebanadas. Corte éstas diagonalmente a la mitad y acomódelas de forma agradable, sobrepuestas unas a otras, en una panera forrada con una servilleta de papel.

Bollos. Acomode los bollos de forma agradable, en una panera forrada con una servilleta.

Pan tostado. (Para el desayuno.) Utilice pan en rebanadas delgadas: después de tostarlas por ambos lados, quite la corteza de todos los lados con un cuchillo afilado. Corte las rebanada diagonalmente a la mitad y acomódelas de forma agradable en un panera forrada con una servilleta de papel; si las sirve calientes para tomarlas con café, métalas en una servilleta de tela doblada en "bolsa" y colocada en un plato de tamaño adecuado.

Pan tostado delgado. Tueste rebanadas gruesas de pan por ambos lados y, con un cuchillo afilado, quite la corteza de todos los lados; luego rebane la tostada por la mitad de su grososr y tueste de nuevo la parte sin tostar de cada mitad. Acomódelas en un plato de tamaño adecuado, forrado con una servilleta, o en una servilleta doblada en "rosa".

*Para facilitar el escurrimiento de la salsa de una botella a otra, existe en el mercado un adaptador especial que se atornilla.

3.1.13 PREPARACIÓN DE LA MANTEQUILLA PARA SERVIRLA

Normalmente la mantequilla se prepara, antes del servicio, en el salón de destilados con alguno de los diversos métodos, según sea la costumbre del establecimiento.

El propósito principal es dividir la mantequilla en porciones manejables. Las porciones obtenidas habitualmente son las siguientes: trozos (con una máquina); rizos; trocitos cortados a mano; platitos llenos de mantequilla hasta el borde.

Trozos obtenidos a máquina (para ello se usa una máquina como la que aparece en la Fig. 3.16).

1. Tome barras de mantequilla del refrigerador e insértelas en el cilindro de la máquina, asegurándose, tanto como sea posible, de que quede bien lleno y no contenga aire.
2. Coloque el émbolo en su lugar y ensamble el cilindro en la máquina.
3. Ajuste la palanca según el grueso que quiera dar a los trozos.
4. Ponga un trazón de agua helada bajo el alambre cortador de la máquina.
5. Haga girar la manivela y recoja los trozos en el agua helada.

Rizos de mantequilla

1. Deje reposar la mantequilla durante 5 a 10 minutos después de haberla sacado del refrigerador.
2. Tome la herramienta para rizar la mantequilla, una jarra de agua caliente y un tazón de agua fría con hielo.
3. Sumerja la herramienta rizadora en el agua caliente y pásela por la superficie de la mantequilla de manera que desprenda rizos del tamaño adecuado.

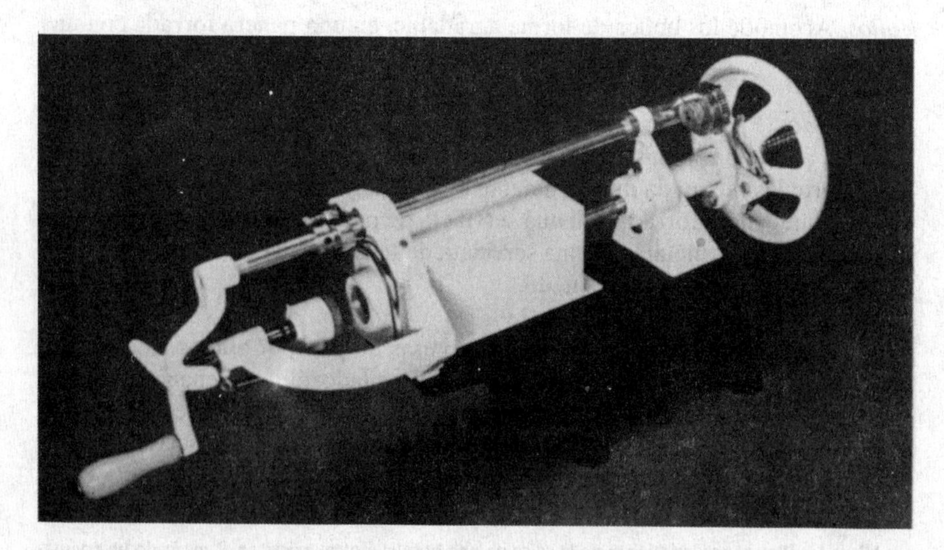

Fig. 3.16 Máquina para hacer trozos de mantequilla (Buttapatta Co Ltd)

4. Coloque cada rizo en el agua helada.
5. Continúe con el resto de la mantequilla, metiendo la herramienta en el agua caliente entre una pasada y otra.

Trocitos cortados a mano

1. Saque la mantequilla del refrigerador, tome un cuchillo afilado, una jarra de agua muy caliente y un tazón de agua fría con hielo.
2. Desenvuelva y marque la barra de mantequilla con el cuchillo según el tamaño de trozos que se requieran. (Una barra de 250 g se puede dividir en 32 trozos marcándolos primero en dos mitades a lo largo, luego en dos a lo ancho y, finalmente, cada barrita resultante en ocho.)
3. Meta el cuchillo en el agua caliente y déjelo calentar.
4. Corte la mantequilla sobre las líneas marcadas y moje el cuchillo en el agua caliente entre un corte y otro.
5. Coloque los trozos cortados en el agua helada.

Nota

1. Debido a que el calor corporal produce una fusión parcial, y por razones de higiene, la mantequilla nunca debe tocarse con la mano. Siempre debe usarse un tenedor.
2. La mantequilla preparada por cualquiera de los métodos anteriores se acomoda en un plato para mantequilla para cada orden y se decora con un ramito de perejil.

Platitos de mantequilla. Éstos son pequeños platitos de barro, hondos, en los cuales se pone la mantequilla, hasta los bordes, alisando luego la superficie. Se sirve uno como porción para cada comensal a la mesa.

3.1.14 *PREPARACIÓN DE VARIOS PARA EL SERVICIO: JARRAS DE AGUA, ENJUAGUES Y LIMÓN*

Preparación de las jarras de agua

1. Seleccione jarras limpias y compruebe que no estén astilladas o resquebrajadas.
2. Llene las jarras hasta dos terceras partes de su capacidad con agua potable fría y recién obtenida.
3. Añada unos cuantos cubos de hielo y una rebanada de limón.
4. Coloque las jarras en las estaciones de servicio, sobre un plato de tamaño adecuado, previamente cubierto con una servilleta de tela, doblada (las servilletas de papel pueden deshacerse con el agua que se condense y escurra por las paredes de la jarra).

Preparación de los enjuagues

Los enjuagues son parte del cubierto en el caso de cualquier platillo para el cual el comensal necesite usar los dedos (por ejemplo, los fondos de alcachofa).

Siempre que se coloque un enjuague con el cubierto, se debe acompañar de una pequeña servilleta adicional.

1. Recoja los enjuagues limpios.
2. Llénelos a la mitad con agua tibia.
3. Añada una rebanada de limón.
4. Coloque el enjuague sobre un plato lateral, con un pañito de adorno, ligeramente a la derecha o a la izquierda del comensal, según sea más conveniente.

Preparación del limón

El limón se usa en el restaurante con varios propósitos y puede prepararse de dos modos: en segmentos o en rebanadas. Ambos métodos se inician de igual forma.

1. Tome un cuchillo de acero inoxidable, afilado, y una tabla de picar.
2. Coloque el limón sobre la tabla y córtele ambos extremos para formar una superficie terminal plana.
3. Corte el limón en dos mitades, a lo largo.

Para rebanadas. Coloque el medio limón, con el lado cortado hacia abajo, sobre la tabla y rebánelo a lo ancho con el cuchillo al grosor requerido; quite las semillas.

Para segmentos. Coloque el medio limón sobre su extremo, en la tabla, y córtelo en segmentos del tamaño requerido, retirando las semillas al hacerlo.

El limón cortado debe guardarse en jugo de limón o en agua ligeramente salada para evitar que se reseque.

3.1.15 PREPARACIÓN DE LAS COPAS PARA EL SERVICIO

Antes de cada servicio es necesario limpiar y pulir suficientes copas para el uso del restaurante (véase también la Sec. 2.3.17).

3.1.15.1 Selección de las copas

Esto dependerá de la costumbre de la casa. La mayor parte de los restaurantes disponen cubiertos con copas de vino para uso general, como las de París de 200 ml (6.66 oz), pero otros pueden poner tanto una copa de París como una para vino blanco.

En ocasiones especiales, o en fiestas en donde se han preseleccionado los vinos y el menú se ha ordenado, es costumbre común poner una copa para cada uno de los vinos que se van a servir durante la comida.

3.1.15.2 Colocación de las copas

Cuando se coloca una copa sobre la mesa, debe alinearse con la punta del cuchillo para carne. Cuando se ponen dos copas, la de vino tinto debe quedar frente a la punta del cuchillo, y la de vino blanco ligeramente al frente y a la derecha.

En los casos en que se colocan más copas, la distribución se presenta en la Fig. 3.17.

3.1.16 PREPARACIÓN Y MANTENIMIENTO DE LOS FLOREROS DE MESA

Las flores en las mesas de restaurante ayudan a mejorar la decoración y el ambiente, pero se deben tener en cuenta dos puntos:

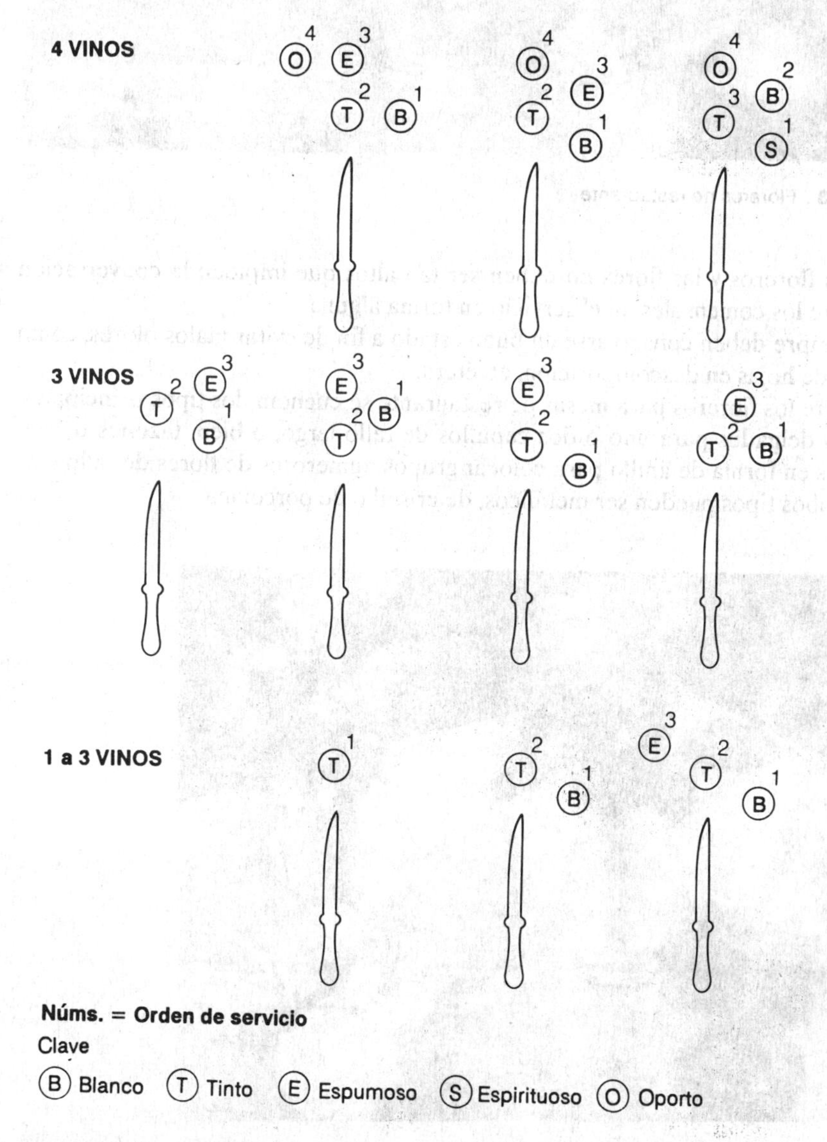

Fig. 3.17 Colocación de las copas

Fig. 3.18 Floreros de restaurante

1. Los floreros y las flores no deben ser tan altos que impidan la conversación entre los comensales, ni el servicio en forma alguna.

2. Siempre deben conservarse en buen estado a fin de evitar malos olores, como los de hojas en descomposición, etcétera.

Entre los floreros para mesas de restaurante se cuentan dos tipos principales: altos y delgados para uno o dos capullos de tallo largo, o bien, tazones o recipientes en forma de anillo para colocar grupos numerosos de flores de tallo corto. Ambos tipos pueden ser metálicos, de cristal o de porcelana.

Fig. 3.19 Floreros de restaurante

Es necesario revisar diariamente las flores, cualquiera de ellas que ya no esté fresca debe descartarse. Los tallos blandos deben recortarse, y los duros, como los de las rosas, los claveles o los crisantemos, martillarse o aplastarse. Hay que cambiar el agua y lavar el florero con la frecuencia necesaria para evitar que el agua se eche a perder.

Si los floreros se ponen verdosos en su interior, deben restregarse con un escobillón para botellas y un poco de sal, después de lo cual se deben enjuagar, secar y volver a llenar.

Los arreglos florales grandes pueden recibir atención del departamento de limpieza o por contrato de servicio externo, pero entre una visita y otra pueden necesitar que se les añada agua y que se revise si tienen basura (colillas de cigarrillo, etc.), la cual habrá que quitar.

3.2 TAREAS DURANTE EL SERVICIO

3.2.1 *ACTIVIDADES BASADAS EN LOS CLIENTES*

3.2.1.1 Bienvenida a los comensales

Es un hecho que no admite discusión el que los clientes deben recibir una bienvenida. Lo que el mesero y cualquier otro miembro del personal de servicio de alimentos necesita saber es qué hacer y cómo hacerlo para lograr el resultado correcto.

En la mayoría de los establecimientos es obligación de alguna persona, generalmente el jefe de meseros, el jefe de meseros de recepción o la anfitriona, el recibir, saludar y dar la bienvenida a los comensales cuando éstos llegan. No obstante, la sensación de "ser bienvenido" que experimenta el cliente a su llegada debe persistir durante toda su estancia en el restaurante. Así, todo miembro del personal debe contribuir a crear y mantener esta sensación.

Bienvenida general

1. Al llegar los clientes mantenga la puerta abierta, póngase a un lado y permita que entren.
2. Establezca un breve contacto visual, sonría y salude de acuerdo con la hora del día.
3. Ofrézcase a tomar los abrigos, mantos, etcétera.

En esta etapa, conviene clasificar mentalmente a los clientes en alguna de las siguientes tres categorías, debido a que cada una de ellas necesita un trato ligeramente distinto.

Bienvenida específica

1. Para quienes llegan por primera vez, conviene hacer un breve comentario casual, quizá respecto al clima, para establecer el primer contacto, seguido de

una afirmación con tono interrogativo: "¿Una mesa para... (cuatro, seis, etc.)?", más bien como confirmación del número de personas que usted ha contado en el grupo, y de que no se espera a alguien más.

Tenga mucho cuidado de no provocar incomodidad en los clientes por lo que toca a las reservaciones. Es preferible, en caso de duda, suponer que alguna persona del grupo, aún ausente, haya hecho la reservación, que empezar con la pregunta: "¿Hicieron su reservación?", aun cuando se haga sonriendo.

2. Para los visitantes poco frecuentes, conviene un comentario como: "Es agradable volver a verlo, señor", para lo cual debe usarse un tono de voz sincero. Evite expresiones que en realidad digan: "No lo había visto desde hace mucho tiempo".
3. Para los clientes asiduos, adquiera un estilo de saludar adecuado con el nivel de formalidad del establecimiento, a fin de reafirmar a la persona que usted la reconoce como cliente regular, tal como: "Buenos días/tardes/noches señor..., ¿su mesa de siempre...?"; al mismo tiempo, camine delante del cliente hasta la mesa y asegúrese de que lo sigue.

No deje a los clientes sino hasta haberles llevado al *sommelier* (encargado del servicio de vinos) en caso de que deseen aperitivos, o bien, al jefe de meseros de estación. En cualquier caso, es buena práctica mencionar el nombre del miembro del personal que en adelante se encargará de ellos, por ejemplo: "Pedro los seguirá atendiendo. Disfruten su comida", o alguna otra expresión similar.

3.2.1.2 Dirigirse correctamente a los comensales

Véase la Sec. 2.1.4 "Lenguaje y forma de dirigirse a las personas".

3.2.1.3 Acomodo de los comensales

El sentar a los comensales es la primera oportunidad que tiene el "personal de la estación" para hacer que los clientes se sientan bienvenidos. Deben aprovechar al máximo esta oportunidad. Todo grupo de comensales debe ser tratado con igual entusiasmo; la bienvenida nunca debe sonarles como un "estribillo".

Notas

1. Una vez que el mesero jefe de estación recibe a los clientes de quien les haya dado la bienvenida, debe saludarlos según la hora del día, mientras ellos deciden por sí solos cómo van a sentarse.
2. El jefe de meseros de estación debe retirar prontamente la silla para la dama de más edad del grupo, mientras otro personal de la estación retira las sillas para las demás señoras, o los caballeros nayores del grupo.
3. Retire la silla a suficiente distancia para permitir al cliente pararse entre ella y la mesa.

4. Cuando el cliente empiece a sentarse, empuje la silla de modo que el frente le toque apenas la parte posterior de las piernas (esto confirma al cliente que la silla está en posición).
5. Repita la operación hasta que todos los miembros del grupo se hayan sentado, según lo permita el número del personal y de los clientes.
6. Una vez que todos los comensales estén sentados, pueden tomarse las servilletas de la mesa, desdoblarlas y ponerlas en el regazo de cada uno (nuevamente, primero las damas), pero hay que aplicar el criterio, porque ahora la mayoría de los comensales se encargan de sus servilletas.
7. Cuando todos los comensales se encuentren cómodos, será momento de presentar los menús; mientras se estudian éstos, se servirán los panecillos, y si es la costumbre de la casa, se ofrecerá agua.

3.2.1.4 Manejo de los abrigos

La mayoría de los establecimientos de primera clase toman provisiones para guardar los abrigos de sus clientes. A causa de las implicaciones legales (véase la Sec. 4.5, "Aspectos legales básicos"), el personal debe seguir estrictamente la política del establecimiento. Si los abrigos son recogidos por el personal, deben guardarse en lugar seguro, inaccesible a los clientes y a otros miembros del personal.

A la llegada de los clientes, el jefe de meseros o la persona responsable de la recepción se ofrecerá a encargarse de los abrigos. Mientras se disponen a acompañar a los comensales, pasará las prendas a un empleado. En condiciones ideales, el guardarropa debe estar equipado con ganchos numerados, correspondientes a cada una de las mesas. Una vez que los clientes se han sentado a su mesa, la ropa debe colgarse cuidadosamente en los ganchos apropiados.

A la hora de salir, deben entregarse los abrigos a los comensales. El jefe de meseros y el empleado se ofrecerán para ayudarlos a ponerse sus prendas.

3.2.1.5 Cómo hacer que los comensales se sientan a gusto

Véase la Sec. 2.1.4 "Lenguaje y forma de dirigirse a las personas".

3.2.1.6 Conversación con los comensales

Se aplica la nota anterior.

3.2.1.7 Reconocimiento del anfitrión y del invitado principal

Una de las habilidades sociales que todo mesero debe desarrollar es la de reconocer al anfitrión y al (a los) invitados(s) principal(es) entre los comensales. Nunca se insistirá demasiado en que el anfitrión está pagando por la comida, sobre todo para agasajar a su invitado principal. Por consiguiente, el grado de satisfacción del anfitrión está en relación directa con el grado de satisfacción de su invitado principal.

Además de lo anterior, algunas decisiones, como la selección del vino, corresponde al anfitrión, aunque con influencia de otros miembros del grupo. En consecuencia, es importante que el mesero sepa reconocer al anfitrión sin tener que preguntarlo.

La habilidad se adquiere básicamente por medio de la observación. El invitado principal suele ser el foco de atención para la "elección de los platillos", mientras que el anfitrión suele ser el que da las órdenes.

La habilidad no puede enseñarse; es necesario adquirirla por medio de la conciencia y la observación individuales.

3.2.1.8 Entrega de los menús

A menos que la comida se haya ordenado previamente en la sala de estar o en el bar, debe ofrecerse un menú (uno a cada comensal) tan pronto como se haya tomado la orden del aperitivo, o tan pronto como los huéspedes se hayan sentado.

Método

1. Tome el número correcto de menús limpios de la estación de servicio (se deben revisar antes de cada servicio y también antes de cada uso). Lleve la pila de menús sobre el antebrazo derecho.
2. Aproxímese por la izquierda a los comensales, con el pie izquierdo adelante y, con la mano izquierda, coloque el menú enfrente de cada uno de ellos, en posición correcta para leerse (y abiertos, si es del tipo de un libro). Si el comensal intenta tomar el menú, bájelo suavemente a sus manos, como se muestra en la Fig. 3.20.
3. Regrese a la estación de servicio y espere el tiempo suficiente para que los comensales decidan. Esté dispuesto a ofrecer ayuda si se requiere.
4. Antes de aproximarse a la mesa a tomar la orden, recoja el bloc de órdenes, colocándolo sobre un lienzo de mesero doblado (o sobre un plato de servicio, si se prefiere) y anote los detalles como el número de mesa, el número de cubiertos, la fecha y su firma.
5. Si es evidente que existe un anfitrión, aproxímese a él por la izquierda, párese viéndolo y espere instrucciones. No se incline sobre la mesa ni sobre el respaldo de las sillas, y tampoco flexione la cintura ni las rodillas.
6. En esta etapa sólo se toma la orden de los entremeses y al platillo principal con su guarnición respectiva.
7. Si cada comensal ordena individualmente, será necesario colocarse a su izquierda antes de tomar la orden.

Nota: En el caso de ciertos platillos, como los filetes y las chuletas, es necesario preguntar la preferencia del comensal respecto al término de cocción; por ejemplo, poco cocido, bien cocido, etcétera.

3.2.1.9 Registro de la orden

La cocina necesita que la orden sea registrada en forma tal que se pueda leer con facilidad el número de porciones de cada platillo, sin tomar en cuenta quién los ha ordenado, aunque el mesero debe saber esto último. No existe otra forma, en este caso, que desarrollar una buena memoria, ya que no es recomendable to-

Fig. 3.20 Entrega de los menús

mar nota separada de los platillos para uso personal a la vez que se expide una orden para la cocina según lo requiere ésta.

Mucho dependerá también del tipo de servicio que ofrezca el establecimiento. En el caso de los platos previamente servidos, desde luego, es necesario especificar un platillo principal completo, incluyendo las verduras, etc.; pero es mejor práctica, cuando el servicio es a la mesa, registrar la cantidad total de cada platillo que la cocina deba disponer en el platón, para que el mesero la distribuya en la mesa.

Un sistema de órdenes por triplicado permite que el mesero cuente con su propia copia sin tener que escribirla aparte.

Para el control adecuado de este sistema, todo lo que se anota en una orden se carga a la cuenta; si algún platillo fuera rechazado por el cliente, o se cayera accidentalmente durante el servicio o se devolviera a la cocina por cualquier otra razón, deberá acreditarse ante el cajero por medio de la expedición de una nota debidamente autorizada por el jefe de meseros o el gerente, como sigue:

1. Para una devolución, se emite una nota de "devolución".
2. Para una sustitución, se emite una nota de "sustitución por devolución".
3. Para un accidente, se emite una nota de "sustitución por accidente".
4. Si no hay diferencia de precio entre un artículo y otro, la nota se debe marcar "n/c"; si la hay, debe hacerse constar.
5. Los platillos adicionales a un menú de precio fijo deben señalarse como "complemento" o "extra", y mostrarse su precio.
6. Solamente la primera nota de una comida debe tener anotado el número de cubiertos; en todas las notas siguientes deben marcarse "suite".

Véase la Sec. 2.2.12, "Notas de los meseros, cuentas y notas del bar".

3.2.1.10 Toma de la orden de bebidas

Las órdenes de bebidas deben considerarse en tres categorías: orden de aperitivos, orden de vinos y orden de licores y brandis.

1. Las órdenes de aperitivos pueden tomarse en el vestíbulo, en la sala de estar, en el bar (fuera del restaurante) o en la mesa. No se ofrece lista de bebidas, ya que se espera que los establecimientos de buena clase cuenten con la mayoría de los aperitivos. Un buen vendedor, al tomar las órdenes, usará una frase como: "¿Qué bebida le traigo?", en lugar de: "¿Gustaría alguna bebida?" Las sugerencias de bebidas deben hacerse con tacto.
2. Un buen mesero de vinos (*sommelier*) no se aproxima a la mesa para tomar la orden sin saber antes qué alimentos se ordenaron para esa mesa. Por consiguiente, la orden de los vinos que acompañarán a los platillos normalmente no se toma sino hasta que todos los comensales han ordenado aunque en ocasiones el anfitrión puede pedir una botella de champaña al momento de ordenar los aperitivos. El *sommelier* ofrecerá la lista de vinos al anfitrión y tendrá a la mano ejemplares adicionales para los otros invitados, en caso que los ne-

cesiten; luego esperará detrás del anfitrión para darle tiempo de leer y decidir sobre su elección.

Es propio de un buen vendedor hacer una sugerencia, usando, por ejemplo una frase como: "Tenemos un clarete muy fino, Château... que iría muy bien con la carne..." A pesar de ello, no debe apresurarse a dar sugerencias; conceda el tiempo suficiente al anfitrión para que lea toda la lista y consulte con los demás comensales, especialmente con su invitado principal.

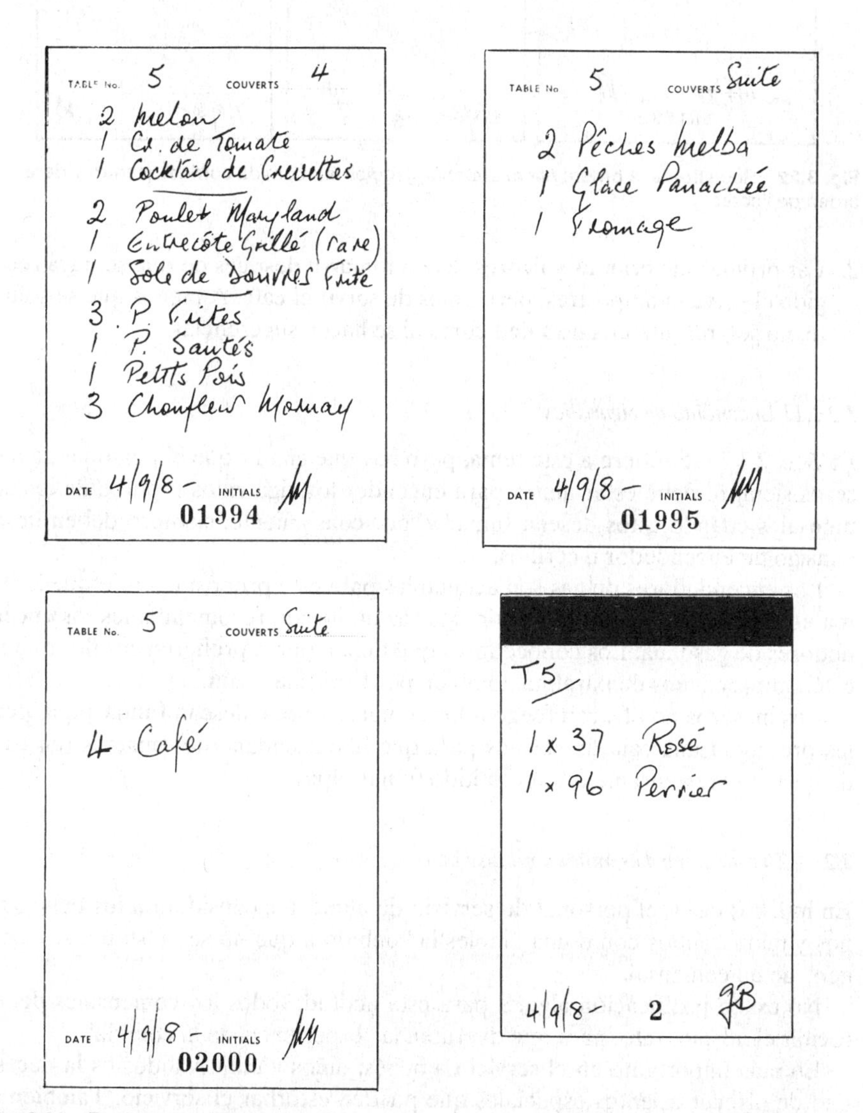

TABLE No. 5 COUVERTS 4
2 Melon
1 Cr. de Tomate
1 Cocktail de Crevettes
2 Poulet Maryland
1 Entrecôte Grillé (rare)
1 Sole de Douvres Frite
3 P. Frites
1 P. Sautés
1 Petits Pois
3 Choufleur Mornay
DATE 4/9/8- INITIALS
01994

TABLE No. 5 COUVERTS Suite
2 Pêches Melba
1 Glace Panachée
1 Fromage
DATE 4/9/8- INITIALS
01995

TABLE No. 5 COUVERTS Suite
4 Café
DATE 4/9/8- INITIALS
02000

T5
1 x 37 Rosé
1 x 96 Perrier
4/9/8- 2 JB

Fig. 3.21 Registro de la orden: *hilera superior* (izq. a der.): a la carta - entremés y platillo principal; dulce *hilera inferior:* (izq. a der.): café; bebidas

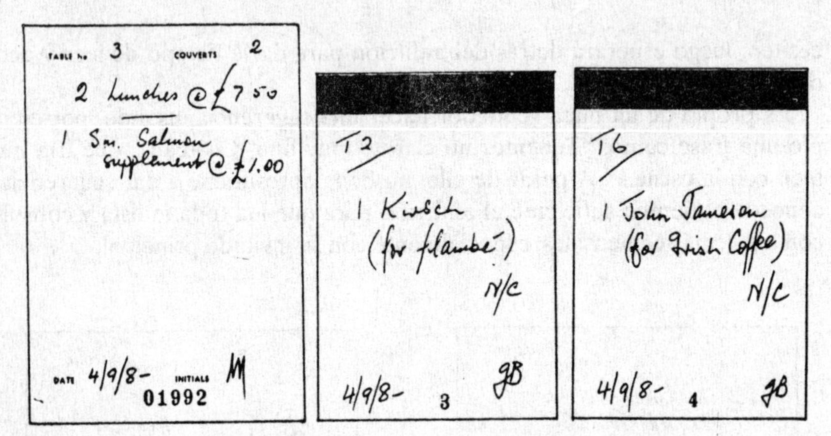

Fig. 3.22 Registro de la orden: *hilera superior* (izquierda): comida corrida; (centro y derecha) orden de licores

3. Las órdenes de brandis y licores deben tomarse después de que se haya recogido el servicio de postres, pero antes de servir el café. A menos que se solicite, no se presenta una lista de licores ni se hacen sugerencias.

3.2.1.11 Encendido de cigarrillos

La Sec. 2.3.25 se refiere a este tema, pero hay que añadir que el personal de meseros siempre debe estar alerta para encender los cigarrillos o puros de los comensales cuando éstos deseen fumar y, por consiguiente, siempre deben llevar consigo un encendedor o cerillos.

Los encendedores de gas son aceptables para este propósito, dado que la flama no desprende ningún olor; por esta razón, no son recomendables los encendedores de gasolina. Los conocedores que fuman puros prefieren cerillos que no estén impregnados de parafina, también por la misma razón.

Los meseros no ofrecen fuego a los comensales que desean fumar pipa, pero les presentan una caja de cerillos para que la enciendan ellos mismos (en caso de que en el restaurante esté permitido fumar pipa).

3.2.1.12 Trato con bebés, niños y minusválidos

En muchos casos el personal de servicio de alimentos considera a los bebés, niños y minusválidos como una “molestia” debido a que no se ajustan a su “imagen” de un comensal.

No existe justificación alguna para esta actitud; todos los comensales deben recibir el mismo trato, para que disfruten la “experiencia de la comida”.

Lo más importante en el servicio a bebés, niños y minusválidos es la necesidad de ofrecer asientos especiales que pueden estorbar el servicio. También se aplican otros factores, tales como:

TABLE No. 1 COUVERTS Suite

ACCIDENT

1 Filet de Sole

Authorised G. Smith

DATE 4/9/8- INITIALS

01997

TABLE No. 7 COUVERTS Suite

RETOUR

1 Petits Pois

DATE 4/9/8- INITIALS

01998

TABLE No. 4 COUVERTS Suite

RETOUR

1 Pommes Vapeur

EN PLACE

1 Pommes Frites

N/C

DATE 4/9/8- INITIALS

01996

TABLE No. 8 COUVERTS Suite

RETOUR

1 Filet de Plie Frit

EN PLACE

1 Côtelettes d'Agneau

£1.50 extra

DATE 4/9/8- INITIALS

01999

Fig. 3.23 Registro de la orden: diversas notas de devolución (véase el texto)

Bebés. Un restaurante bien atendido debe contar siempre con cierto surtido de alimentos para bebé o estar dispuesto a prepararlos si se solicitan. También hay que estar preparado para calentar la leche u otros alimentos que los padres traigan para sus hijos. Se deben tomar provisiones, dentro de lo posible, para colocar una cuna portátil sobre dos sillas (o en algún soporte especial), cerca de la madre.

Niños. Según sea su edad, pueden requerir una silla alta o un asiento para niño de los que se fijan a una silla de comedor ordinaria. Se debe tener en cuenta lo que se refiere a los menús y a los tamaños de las porciones, y se debe tener cuidado de apartar los cubiertos del alcance de los niños pequeños, de modo que no se puedan lastimar a sí mismos o a otros con cuchillos, tenedores, etcétera.

Minusválidos. Las sillas de ruedas ocupan mucho más espacio que las normales; por consiguiente, deben colocarse en una posición tal que causen la menor obstrucción posible al servicio, siempre y cuando el comensal tenga una vista razonable del restaurante.

Para aquellos comensales mancos o cuyas manos tienen un movimiento limitado, se dispone de cubiertos especiales, aunque es común que ellos lleven los suyos propios, en cuyo caso se toman las medidas necesarias para lavarlos y devolverlos limpios al final de la comida.

3.2.2 ACTIVIDADES BÁSICAS DEL MESERO

3.2.2.1 Servicio de una comida

En la tabla 3.1 se presenta en orden cronológico el servicio de una comida típica en un restaurante de primera clase, que emplea un *chef* y un personal completo de empleados.

Por necesidad, se trata solamente de una sinopsis que en ninguna forma se puede considerar definitiva, y dependerá tanto del personal empleado como de las costumbres del establecimiento.

3.2.2.2 Ofrecimiento de panecillos

En la mayoría de los establecimientos se ofrecen panecillos y mantequilla como parte del cubierto; el servicio se incluye en el "cargo por cubierto" si lo hay. El servicio de panecillos debe llevarse a cabo mientras los comensales están estudiando el menú (antes de tomar la orden de los platillos).

Método

1. Del cuarto de destilados tome mantequilla fresca. Coloque el platito de mantequilla en un mantelito de adorno, sobre un plato mayor. Agregue un cuchillo para mantequilla y ponga el conjunto cerca del centro de la mesa.

Nota. Las mesas de más de cuatro comensales requerirán más de un plato de mantequilla, colocados a lo largo de la línea central de la mesa, de modo que cada cuatro comensales compartan uno.

2. Coloque la cesta de panecillos sobre un lienzo de mesero doblado sobre la palma de la mano izquierda, y tome una cuchara y un tenedor de servicio con la derecha.

3. Aproxímese a cada comensal por la izquierda, con el pie izquierdo adelante, y sirva el panecillo en el plato lateral.

3.2.2.3 Servicio de agua

El momento de servir agua difiere de un establecimiento a otro. En algunos restaurantes el agua se sirve al "estilo americano", tan pronto como los comensales se hayan sentado a la mesa. En opinión de los autores, es preferible retardar el servicio de agua hasta que se haya tomado la orden del vino, si la hay. Este procedimiento evita el desorden innecesario de vasos de agua sobre la mesa.

Método

1. Tome del aparador una jarra de agua helada sobre un plato de postre cubierto con una servilleta; llévela sobre un lienzo de mesero doblado sobre la palma de la mano izquierda.
2. Aproxímese al comensal por la derecha, con el pie derecho adelante.
3. Manteniendo la jarra detrás de la espalda del comensal y utilizando la mano derecha, voltee el vaso (si no lo ha volteado ya el mesero de vinos u otra persona antes del servicio).
4. Asegúrese de que el comensal se dé cuenta de que usted va a servirle agua. Mueva la mano izquierda para acercar la jarra de agua al vaso.
5. Sirva el agua ladeando la jarra de modo que la base aún descanse sobre la servilleta en el plato, como se ilustra en la Fig. 3-24.

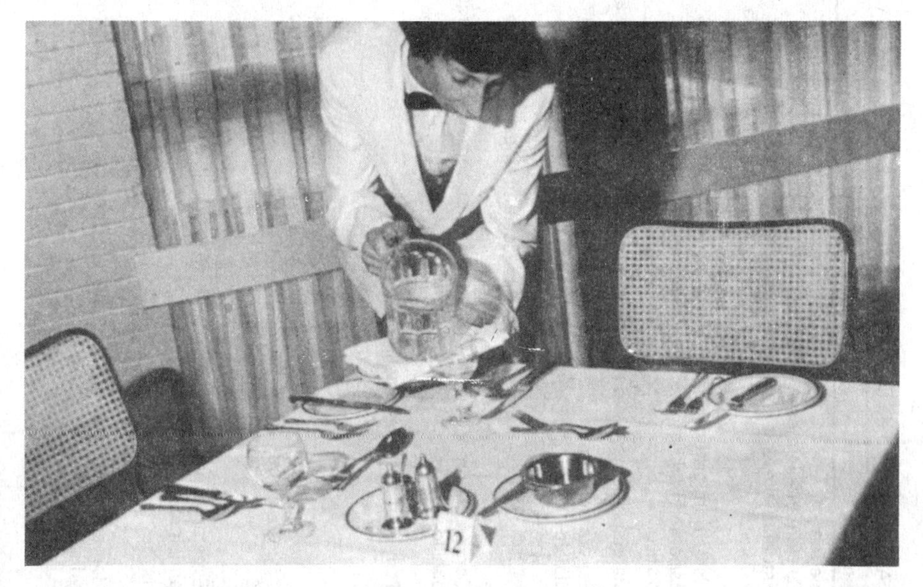

Fig. 3.24 Servicio de agua

TABLA 3.1 Servicio de una comida

Comensales	Mesero de la estación	Ayudante 1	Ayudante 2
1. Llegan	Los saluda y los ayuda a sentarse	Los ayuda a sentarse	Los ayuda a sentarse
2. Se sientan a la mesa	Ofrece los menús	Ofrece agua	
3. Estudian el menú	Espera atentamente junto al aparador, listo para ofrecer ayuda o sugerencias	Espera en el aparador luego de quitar los cubiertos adicionales	Lleva panecillos, panes tostados, mantequilla, etc., del cuarto de destilados al aparador
4. Listos para ordenar	Toma la orden	Espera en el aparador	
5. Esperan el primer platillo	Pasa la orden al ayudante 2 y lleva el duplicado al cajero	Pone el platito de mantequilla y sirve panecillos	Lleva la orden a la cocina y espera allí para recoger el primer platillo
En esta etapa el mesero de vinos toma la orden del vino que se servirá con la comida			
6. Esperan el primer platillo	Ajusta el cubierto de cada comensal	Alista los platos fríos. Recoge el carrito de entremeses. Pone los platos calientes sobre el aparador	Regresa con el primer platillo y lo pone en el aparador, ayudado por el ayudante 1
	2. Sirve los entremeses; primero los fríos	1. Coloca los platos frente a los comensales	3. Ofrece aderezos o acompañamientos
7. Comen el primer platillo	Atiende a otros comensales u otras tareas	Espera en el aparador anticipándose a las necesidades de los comensales	Recoge los platos usados y los lleva a lavado. Regresa y espera en el aparador
8. Terminan el primer platillo		Recoge los platos del primer platillo y los lleva al aparador. Pone allí platos calientes	Junto con el ayudante 1, lleva los platos del primer platillo a la zona de lavado
	Releva al ayudante 1 para recoger junto con el ayudante 2 el platillo principal	Prepara el servicio del platillo principal: pone platos calientes sobre el aparador Va a la cocina y ayuda al ayudante 2 a recoger el platillo principal	Espera y recoge el platillo principal, junto con el ayudante 1
9. Esperan el platillo principal	2. Sirve el platillo principal	1. Pone los platos para carne frente a los comensales 4. Sirve verduras, salsas y acompañamientos	3. Sirve papas
10. Comen el platillo principal	Atiende a otros comensales o tareas	Espera en el aparador, anticipándose a las necesidades de los comensales	Recoge los platos de servicio del platillo principal, los lleva a la cocina y regresa al aparador

11. Terminan el platillo principal	Atiende a otros comensales o tareas	Recoge los platos del platillo principal y los lleva al aparador	Recoge los platos laterales y los cuchillos, y los lleva al aparador
		Recoge las migajas y pone cuchara y tenedor para el postre	Recoge los saleros y los vasos de agua, si no se requieren
			Lleva los platos del platillo principal a lavar y regresa al aparador
12. Esperan el postre	Toma la orden del postre (caliente o frío)	Presenta el carrito de postres (si debe ser presentado)	Toma la orden del mesero de estación para los postres calientes y los recoge
		Sirve el postre en platos	Coloca los platos servidos frente a los comensales
13. Comen el postre		Espera en el aparador	Espera en el aparador
14. Terminan el postre		Lleva los platos del postre al aparador	Lleva los platos del postre a lavar
15. Esperan el café	Toma la orden de licores (si no lo hace el mesero de vinos)	Prepara los platos, platitos y cucharas para el servicio del café	Recoge tazas para café, café y leche
		Sirve el café	
16. Durante el café		Pone ceniceros en la mesa, si se requieren	
17. Piden la cuenta	Recoge la cuenta del cajero. Devuelve la cuenta y su liquidación al cajero. Da el cambio y el recibo al comensal	Espera en el aparador	Espera en el aparador
18. Listos para salir	Despide a los comensales y retira las sillas	Ayuda al mesero de la estación; ayuda con los abrigos	Trae los abrigos. Ayuda al mesero de estación
19. Se van	Revisa si hay algún objeto olvidado por los comensales	Vuelve a poner la mesa	Ayuda al ayudante 1

Nota. Es mejor usar una servilleta de tela bajo la jarra de agua que una de papel, porque la condensación puede hacer que ésta se humedezca y se deshaga.

3.2.2..4 Cambio de cubiertos antes de servir el primer platillo

Es importante que cada comensal tenga solamente los cubiertos necesarios para todos sus platillos. Por consiguiente, hay que volver a disponer los cubiertos, si es necesario, después de que se haya tomado la orden y, desde luego, *antes* de servir el primer platillo. La mejor persona para realizar esta tarea es quien haya tomado la orden (por lo general, el jefe de meseros de estación o el mesero de estación).

Método

1. Consulte la orden e identifique los cubiertos adicionales requeridos por cada comensal.
2. Reúna los cubiertos adicionales en un platón o charola de servicio, cubiertos por una servilleta.
3. Para reacomodar tenedores, aproxímese por la izquierda; en el caso de los cuchillos o las cucharas soperas, hágalo por ls derecha del comensal. Nunca se atraviese.
4. Con los dedos índice y el pulgar, retire primero el cubierto sobrante, tomándolo por el centro del mango, y colóquelo en la charola de servicio. Coloque el cubierto adicional que se requiera antes de moverse al otro lado del comensal.
5. Repita la operación con cada comensal hasta haber puesto todos los cubiertos.

3.2.2.5 Identificación de alimentos del menú y sus acompañamientos, con el equipo necesario para servirlos

Es necesario que el mesero esté preparado para aconsejar a los comensales sobre su elección de platillos, por lo que conviene que el personal de meseros conozca al menos el contenido del menú del establecimiento en el cual trabaja; no obstante, se recomienda que con la experiencia, adquieran un conocimiento más amplio del contenido de los menús en general.

Este tema se trata de forma más completa en el Cap. 4, Secs. 4.1 y 4.2; aquí sólo nos referiremos al servicio de alimentos normales y especiales que se pueden encontrar en un menú bajo encabezados generales.

Entremeses (hors d'oeuvre)

Como encabezado del menú, este concepto puede referirse a entremeses propiamente dichos, tanto calientes como fríos, o a otros platillos que se sirven en su lugar al principio de la comida.

Jugos de frutas (jus des fruits). Éstos se preparan en copas de tallo corto (150 ml)(5 onzas) o similares en un plato lateral con servilleta de papel y cucharita de té, y junto con una azucarera.

Jugo de tomate (jus de tomate). Se sirve en una copa de tallo corto (150 ml)(5 onzas) u otra semejante, en un plato lateral con servilleta de papel y cucharita de té. Lleve una botella de salsa inglesa agitada (sin tapa) sobre un plato lateral con servilleta de papel. Asegúrese de que en la mesa haya sal y pimienta (molida).

Cocteles de frutas (cocktails des fruits... Florida, etc.). Éstos suelen servirse en la cocina, en copas de París o en copas anchas de cristal o metal. Se presentan sobre un plato lateral cubierto con una servilleta de papel, junto con una cucharita de té. Lleve la azucarera. El coctel de melón debe servirse en la cáscara del melón si es de las variedades Charentais u Ogen.

Media toronja (demi-pamplemousse). Se prepara, ya sea en la cocina o en el restaurante, con un cuchillo afilado. Todos los gajos deben separarse de sus paredes, empezando desde el centro, habiendo quitado previamente el corazón; luego se cortan los bordes exteriores. Todos los gajos deben quedar sueltos. Se adorna con una cereza cubierta o de coctel, y una cucharadita de azúcar granulada. Se sirve en una copa ancha sobre un plato lateral con servilleta de papel y una cuchara para toronja o para té. Se lleva la azucarera.

Melón (melon). El servicio depende de la variedad de melón que se sirva. Algunos se sirven en rebanadas (Honeydew, Elche); otros enteros (Charentais, Ogen, Rock, Canteloupe). En la mayoría de los establecimientos, el melón se prepara en la cocina.

Los melones que se sirven enteros (generalmente habiéndoles quitado la parte superior y las semillas), se pueden poner en copas anchas o tazones de porcelana pequeños, colocadas sobre una servilleta de papel en un plato lateral. El cubierto es una cuchara para postre.

El melón rebanado en rodajas debe servirse directamente en un plato. El cubierto debe ser una cuchara y un tenedor para postre, a menos que se sirva jamón parma con el melón, en cuyo caso un cuchillo para postre puede sustituir a la cuchara para postre.

Se debe pasar una azucarera y jengibre en polvo, o bien, se puede preparar una mezcla de una parte de jengibre y 10 partes de azúcar para este fin.

Aguacate (avocat). Una porción consiste en la mitad de un aguacate cortado a lo largo, sin hueso. Se puede servir en un plato lateral, sobre una cama de lechuga, en un plato especial con forma de aguacate o en una copa ancha. La guarnición será la que figure en el menú y se servirá en la cocina. El platillo se presenta a la mesa sobre una servilleta de papel, en un plato. El cubierto es una cucharita para té y, si el aguacate está relleno de mariscos, un tenedor para ostiones. El platillo debe acompañarse de un enjuague y una servilleta.

Entremeses mixtos (hors-d'oeuvre varié). Consisten en una selección de pequeños alimentos apetitosos, como carne, pescado, verduras o una combinación de ellos, a menudo en una salsa o con aderezo de vinagre y aceite. Suelen estar muy sazonados, con el propósito de despertar el apetito para los otros platillos que siguen en la comida.

Normalmente, los entremeses deben servirse en alguna de las siguientes formas, dependiendo de la costumbre de la casa y de si se sirven como parte de una comida corrida o a la carta:

En plato. Sobre un plato mediano en el caso de una comida corrida o en un plato de pescado cuando son a la carta, aderezados en la cocina.

En charola. Se trata de una charola dividida en compartimientos, que contienen una selección de unos seis alimentos; la charola se presentará por turno a cada uno de los comensales, a quienes se servirá una pequeña cantidad de cada sección, con tenedor y cuchara de servicio, en un plato para pescado.

Nota: Para cada alimento se requiere un juego de cubiertos de servicio.

En carrito. Suele tratarse de un carrito rotatorio, de forma cilíndrica, provisto de unos 12 a 18 alimentos diferentes, según su tamaño. El carrito se llevará hacia la mesa, donde se dejará que cada comensal haga su selección, mostrándole bien todo aquello de lo que se dispone. El mesero estará de pie detrás del carrito, sirviendo los alimentos en un plato para pescado que deberá sostener en la mano izquierda o sobre una base para platos, si la tiene adaptada el carrito. Después de servir a cada comensal, el mesero mueve el carrito hacia el siguiente antes de servirle.

Siempre se coloca en la mesa un juego para aceite y vinagre cuando se sirven los entremeses, y se ofrece pimienta molida y pimienta de Cayena, según el contenido de la selección.

La lista de alimentos posibles de la imaginación del *chef*, pero algunos de los alimentos más comunes se enlistan a continuación:

Pescado	**Carne**	**Verduras**
Sardinas en aceite	Salami rebanado	Ensalada rusa
Sardinas en tomate	Salchicha con ajo	Betabel en vinagre
Atún	Ensalada de cachete de res	Pepinillos en escabeche
Filete de arenque ahumado	Jamón rebanado	Setas a la Griega
Arenque curado (rollmop)	Ensalada italiana	Ensalada de tomate
Anguila ahumada	Ensalada de pollo	Coliflor
Salmón ahumado en barquillos	Mayonesa con huevo	Pepino rebanado
Arenques pequeños ahumados		Ensalada de papa
Pescado en mayonesa		
Arenque de Bismarck		
Arenque en escabeche		
Filete de anchoa		

El cubierto para los entremeses solía ser el mismo que para el pescado, pero actualmente todas las hojas de los cuchillos son de acero inoxidable, de manera que es aceptable el uso de un tenedor y un cuchillo para postre, especialmente si el entremés contiene carne.

Ostras (huitres). ahora sólo se encuentran normalmente en los restaurantes de lujo o de especialidades, debido a su alto costo, pero siguen siendo populares. La porción suele ser media docena.

Las ostras se sirven en la cocina, abiertas, en la parte más honda de la concha o en una cama de hielo, sea en platos especiales para ostras, con siete muescas (seis para las ostras y una en el centro para medio limón), o en un plato sopero sobre otro de base.

El cubierto para las ostras es un tenedor para ostras colocado al sesgo a la derecha del cuchillo para carne, un enjuague compuesto de agua tibia y una rebanada de limón y una servilleta.

Con las ostras se sirven rebanadas delgadas de pan moreno con mantequilla, salsa tabasco, chile en vinagre, vinagre de estragón, pimienta molida o un molinillo de pimienta, pimienta de cayena; algunos comensales, especialmente si son europeos, desearán salsa de tomate.

Nota. En los restaurantes con gran consumo de ostras, lo anterior (excepto el pan moreno) se conoce como "convoy de ostras", y puede estar contenido en un recipiente metálico que a su vez contiene varios recipientes de vidrio.

Caviar (caviare). Es raro encontrarlo en la mayor parte de los restaurantes debido a su elevado costo. Lo hay de varios tipos; el de mejor calidad se conoce como Beluga. Se vende en latas que, una vez abiertas, deben conservarse refrigeradas. Se sirve en la cocina en su lata, colocada sobre un plato de plata y rodeada de hielo picado. La lata se pesa antes y después de servirla, y se cobra al comensal la cantidad consumida, aunque la porción normal es de una cuchara de postre o dos cucharaditas de té (aproximadamente, 30 gramos).

El caviar se toma de la lata con una cuchara de cuerno, de hueso o de cristal.

El cubierto consta de un plato para pescado, frío, y un cuchillo para caviar al lado derecho. Si no se dispone de cuchillo para caviar, puede usarse uno para pescado.

Como acompañamiento del caviar se sirve pan moreno, pan tostado caliente o blinis (tortillas de trigo sarraceno), mantequilla, mitades de limón envueltas en muselina, chalotes finamente picados, huevos cocidos pasados por criba (separada la yema de la clara) y perejil picado, junto con un molinillo para pimienta y pimienta de cayena.

También se colocan, para cada comensal, enjuagues de agua tibia con una rebanada de limón, así como una servilleta.

Paté de hígado de ganso (Patê de fois gras). Especialidad de Estrasburgo, esta pasta de hígado de gansos engordados viene en un recipiente de gres con reborde (*terrine*) o en una lata cilíndrica (*bloc tunnel*). Si el recipiente es de gres, se presentará en un plato de plata sobre una cama de hielo picado. Se sirve una porción (una cucharada de postre) en un plato para pescado, frío, usando una cuchara para postre previamente calentada en una jarra de agua caliente. (N.B. No se use agua hirviendo en una jarra de vidrio, a menos que éste sea refractario; por ejemplo, Pyrex, Duralex o similar).

El paté de hígado de ganso en recipiente cilíndrico se sirve generalmente en la cocina, en rebanadas, sobre una cama de lechuga.

El cubierto es un cuchillo para postre y un plato para pescado frío.

El acompañamiento consta de pan tostado caliente sin corteza, y mantequilla.

Pasta (Patê du chef, maison, en croûte, etc.). Se trata de una carne horneada en un plato de gres redondo o en forma de barra, o en una envoltura de pasta hojaldrada, compuesta de hígado y otras carnes, de acuerdo con el nombre.

La porción puede ser una rebanada [alrededor de 1 cm de grueso (0.5 pulg)].

El cubierto es como el anterior.

Los acompañamientos son como los anteriores, pero si la carne está envuelta en pasta o sobre una cama de lechuga, debe incluirse un tenedor para postre.

Huevos de gaviota/huevos de chorlito real (oeufs de mouette/oeufs de pluvier). Con frecuencia aparecen en los menús, con precio individual, y se sirven cocidos (en frío). La porción normal es de tres huevos.

El cubierto es un plato para pescado, cuchillo y tenedor para postre, y un plato lateral para los cascarones. También se lleva a la mesa un enjuague compuesto de agua tibia con una rebanada de limón, así como una servilleta adicional.

Los acompañamientos son pan moreno en rebanadas, mantequilla y sal oriental (una mezcla de sal, semillas de apio y pimienta de cayena).

Camarones cocidos a la cazuela. Son una especialidad de la Bahía de Morecambé. Se trata de pequeños camarones con caparazón, cocidos, condimentados y puestos en mantequilla clarificada. Generalmente se venden en envases de cartón; un envase constituye una porción, que se envía de la cocina sobre una cama de lechuga desmenuzada junto con un cuarto de limón.

El cubierto es un cuchillo, un tenedor y un plato de pescado, frío.

Los acompañamientos son pan moreno cortado, mantequilla y pimienta de cayena.

Salmón ahumado (saumon fumé). Son filetes delgadísimos obtenidos por cortes del salmón entero, tan paralelos a la piel como sea posible. Esto puede hacerse en la cocina, en cuyo caso se presentarán rebanadas sobrepuestas en un plato de plata o plateado; si se trincha en una estación de servicio del restaurante o sobre una mesita, frente al comensal, debe ponerse sobre un plato normal, acompañado de un cuarto o una mitad de limón.

El cubierto consta de un plato para pescado, así como tenedor y cuchillo para pescado.

El servicio se llevará a acabo con ayuda de un tenedor para carne, enrollando en él las rebanadas; para ello debe tomarse la rebanada entre dos dientes del tenedor, y luego desenrollarse sobre el plato.

Los acompañamientos para este servicio son pan moreno en rebanadas muy delgadas, mantequilla y pimienta de cayena.

Nota. Si el salmón entero se conserva en el salón durante el servicio, su superficie debe frotarse ligeramente con aceite antes de servirlo, para mejorar su apariencia.

Coctel de camarones o de gambas (cocktail des crevettes grises o *crevettes roses).* Consta de camarones o gambas pelados, sobre una cama de lechuga desmenuzada, cubiertos con salsa Marie-Rose y servidos en una copa de París o en una copa para coctel de mariscos, metálica (una copa doble, con pie, que permite colocar hielo machacado en el recipiente exterior). En cualquiera de los dos casos, la copa se pone en un plato cubierto con una servilleta de papel.

El cubierto consta de una cuchara de té y un tenedor para mariscos, colocando las puntas una hacia la otra, en el plato base del coctel, con la cuchara del lado derecho.

Los acompañamientos son un cuarto de limón, pan moreno en rebanadas delgadas, mantequilla y pimienta de cayena.

Nota. Si el coctel se adorna con una gamba entera colocada sobre el lado de la copa, debe acompañarse también de un enjuague que contenga agua tibia con una rebanada de limón, y de una servilleta adicional.

Gambas o camarones (crevettes roses o *crevettes grises).* Las gambas de cualquier tamaño, así como los camarones, con frecuencia constituyen un platillo en sustitución de un entremés.

Después de hervirlos se pueden servir calientes, fríos o fritos. Si se sirven sin pelar, deben enviarse de la cocina sobre un plato sobre hielo machacado o, si son fríos, alrededor del borde de una copa de París (*en promenade*).

Si están calientes, deben llevarse a la mesa en un platón de plata adornado con un cuarto de limón.

El cubierto es un plato para pescado, frío o caliente, según la temperatura del platillo, con un plato sopero para los desechos, un enjuague de agua tibia y una rebanada de limón, junto con una servilleta adicional.

Los acompañamientos son un cuarto de limón, pan moreno en rebanadas delgadas y mantequilla.

Trucha ahumada (truite fumée). Suele servirse entera en la cocina y debe presentarse al comensal antes de llevarla a la estación de servicio o aparador, en donde se le quitará la cabeza y la piel. Los dos filetes se separan y se colocan sobre un plato para pescado, frío, junto con alguna guarnición enviada desde la cocina, con el lado de la piel hacia arriba.

El cubierto será un cuchillo y un tenedor para pescado.

Los acompañamientos son un cuarto de limón, pan moreno en rebanadas delgadas, mantequilla, pimienta de cayena y un molinillo para pimienta. Se puede llevar salsa de rábano picante.

Macarela ahumada (maquereau fumé). Como la trucha ahumada, arriba.

Anguila ahumada (anguille fumée). Como la trucha ahumada, pero sin salsa de rábano.

Caracoles (escargots). Los caracoles, preparados especialmente con ajo y mantequilla, se sirven en porciones de 6, 9 o 12.

Se presentan en sus propias conchas o en conchas de porcelana, en las muescas de un plato para caracoles, con la abertura hacia arriba, de modo que la mantequilla con ajo caliente no escurra.

El servicio es un plato para caracoles sobre un plato para pescado, caliente, con una servilleta de adorno.

El cubierto es un tenedor para caracoles, una cuchara para té a la derecha y pinzas para caracoles a la izquierda.

Los acompañamientos son rebanadas delgadas de pan moreno con mantequilla o pan tostado de desayuno, caliente.

Sopas básicas (potages)

Para un descripción completa de los tipos de sopas, *véase* la Sec. 4.1.3.

En los restaurantes de lujo, todas las sopas, excepto cuatro, se sirven de la misma manera.

El cubierto normal es un plato sopero caliente, con un plato para carne o para pescado como base y una cuchara sopera del lado derecho. Es discutible si se usa un plato caliente o uno frío como base, pero el uso de una base es esencial para el servicio de primera clase.

El tipo de servicio dependerá de que se sirva una o más porciones de la misma sopa a la mesa.

Si solamente se va a servir una porción, se traerá de la cocina una sopera de porción individual; el plato sopero y la base se ponen frente al comensal, por la izquierda, mientras se lleva la sopera sobre una charola de servicio pequeña.

A continuación se vierte la sopa en el plato sopero con la mano derecha, en dirección opuesta al comensal, evitando salpicarlo y sosteniendo la charola de servicio en la mano izquierda.

Para el servicio de más de una porción de la misma sopa, *véase* Sec. 2.3.10, "Servicio con el cucharón de una sopera".

Los acompañamientos dependerán de la sopa de que se trate; el personal de meseros debe encargarse de ellos en caso de que la cocina no los presente al momento del servicio. Véase la lista al final de esta sección.

Los cuatro tipos de sopas que requieren mención especial son los siguientes:

Consomés calientes o fríos. Los consomés se sirven en tazones especiales (de dos asas) sobre un platito colocado a su vez encima de un plato para postre o para pescado previamente cubierto con una servilleta de papel.

Nota. El cubierto para el consomé ha sido tradicionalmente una cuchara para postre, *no* una sopera. Los tazones deben estar calientes para el consomé caliente y fríos para los fríos o gelatinosos.

Marmita pequeña (petite marmite). Ésta se sirve en una pequeña vasija de gres con tapa (una por cada comensal), que se pone sobre un plato para postre cubierto con una servilleta de papel. Se sirve al comensal sin la tapa, por la izquierda.

El cubierto es una cuchara para postre (y un tenedor si la sopa contiene alones de pollo).

Sopa de tortuga (tortue claire). Generalmente se sirve en tazones, como el consomé, pero también puede servirse en platos soperos. En otro tiempo, solía servirse en tazas especiales, ligeramente mayores que una media taza de café, pero éstas son hoy sumamente raras.

Acompañamientos para el servicio de las sopas

Sopa con cuscurros fritos	Rebanada pequeña de pan francés (*baguette*), cortada en diagonal y tostada, y queso parmesano rallado.
Sopa de cebolla	Como arriba.
Marmita pequeña	Como arriba.
Minestrone (sopa milanesa)	Queso parmesano rallado.
Sopa Saint Germain	Cuscurros (pan blanco en cubos de 0.5 cm, frito).
Sopa de pescado (bouillabaisse)	Rebanadas de pan francés tostadas.
Sopa de tortuga	Jerez (calentado en el cucharón antes de añadirlo a la sopa), rebanadas delgadas de pan moreno con mantequilla, un cuarto de limón y tiras de queso.
Bortsch a la rusa	Crema agria, jugo de betabel y piroshkis (tortitas pequeñas rellenas de pato).

Pastas y arroz (farineux)

De origen principalmente italiano, incluyen todos los platillos de pasta, los de arroz, salados, y el gnocchi (ñoqui).

La mayoría de ellos se llevan a la mesa en platones de plata, a menudo con la salsa aparte *(à part)*, pero algunos platillos con salsa se pueden servir en la cocina, en un plato de loza resistente al fuego. Si se llevan a la mesa en platón, deben servirse al comensal en un plato para pescado, caliente, a menos que se trate del platillo principal. Si se usa un plato resistente al fuego, éste se pondrá sobre un plato para pescado con una servilleta de papel.

El cubierto varía de acuerdo con el platillo. Para el espagueti, debe ser un tenedor para carne por el lado derecho, y una cuchara para postre por el izquierdo; para todos los otros platillos, una cuchara y un tenedor para postre, con el tenedor del lado izquierdo.

El acompañamiento para los platillos de pasta es el queso parmesano rallado, espolvoreado encima. Una vez servido, con ayuda de una cuchara para postre, se retira de la mesa.

Platillos de huevo (oeufs)

Los huevos se pueden encontrar en los menús de comidas y cenas en todas las formas, excepto cocidos, los cuales sólo aparecen en los menús del desayuno. Las formas en que suelen presentarse son escalfados *(poché)*, pasados por agua *(mollet)*, fritos o estrellados *(sur le plat)*, revueltos *(brouillés)*, "al plato" o en tortilla *(omelettes)*.

Normalmente los platillos de huevo se sirven en platos para pescado previamente calentados, excepto las tortillas, que se sirven como el platillo principal en un plato de carne. Los huevos "al plato" se sirven en un plato lateral con una servilleta de papel si la porción es de uno, y en un plato para pescado, con servilleta, de papel, si la porción servida es de dos.

El cubierto que se usa es un tenedor (por la derecha) para las tortillas si se sirven solas; en caso contrario se pone tenedor y cuchillo de carne. Para los demás platillos de huevo se emplean cuchillo y tenedor para postre, excepto para los siguientes, en cuyo caso se utiliza el cubierto que se señala:

Huevos al plato	Cucharita de té
Huevos estrellados	Cuchara y tenedor para postre
Tortilla Arnold Bennett	Cuchillo y tenedor para pescado

Nota:

1. Los platillos de huevo fríos aparecen normalmente en el menú como entremeses.

2. Los extremos de las tortillas deben quitarse antes de servirlas si están bien cocidas. Algunos comensales prefieren las tortillas ligeramente líquidas (*baveuse*) en el centro, lo que se les debe preguntar cuando se les toma la orden.

Platillos de pescado (poissons)

Las muy numerosas especies de pescado de agua dulce y salada se prestan a diferentes métodos de preparación, como escalfados, asados a la parrilla, fritos en mucha o poca grasa y cocidos (*véase* también la Sec. 4.1.3).

El tamaño del pescado y el método de cocción determinan la forma en la cual se sirve.

Pescado escalfado (poché). Los pescados pequeños casi siempre se cocinan en filetes planos, doblados o enrollados, y generalmente se sirven cubiertos por una salsa. Una porción puede ser uno o dos filetes con guarnición, si la hay. Los pescados redondos pequeños, como la trucha, etc., pueden escalfarse también, en cuyo caso se sirven enteros.

Los pescados grandes y selectos como el salmón (*saumon*) o el rodaballo (*turbot*) con frecuencia se cocinan y se sirven enteros, especialmente en banquetes y mesas de bufet, pero también se pueden cortar en filetes o en rodajas (*darnes*). Otros pescados grandes, como el bacalao (*cabillaud*) o el abadejo (*aigrefin*) se pueden servir en la misma forma. Antes de servirlos, debe quitarse la piel de las rebanadas, enrollándola entre los dientes de un tenedor del lomo hacia el vientre, un lado a la vez; luego se retira la espina central.

Los desechos se ponen en otro plato y el pescado se sirve de un platón de plata.

Pescado poco frito (à la meuniere, belle-meunière, etc.). Este método se utiliza principalmente para los pescados que se sirven enteros, como la trucha, el lenguado, etc. El platillo se presenta al comensal, a quien se le pregunta si quiere que se descabece el pescado, o si quiere que se rebane (en el caso del lenguado). Si así lo desea, se lleva el pescado a la estación de servicio o aparador, donde se realiza esta operación. Se ponen los desperdicios en otro plato y se sirve el pescado.

Pescado muy frito [frit(e)]. Para el servicio de los lenguados muy fritos también se aplican las notas anteriores.

Los filetes muy fritos y los salmonetes se sirven de manera normal.

Pescado asado a la parrilla [grillé(e)]. Tratándose de lenguados y filetes, *véase* bajo "Pescado poco frito", en el caso de los filetes de bacalao, etc., *véase* bajo "Pescado escalfado".

Pescado cocido (Bouilli). Se prepara principalmente para los enfermos, pero algunas veces también en los menús de comida aparecen filetes de bacalao cocidos. Se sirve tal como el pescado escalfado.

Nota. El pescado se sirve en plato para pescado a menos que se trate del platillo principal, en cuyo caso se sirve en un plato para carne, caliente para el pescado caliente, y frío para el pescado frío. El cubierto consta de cuchillo y tenedor para pescado.

Los acompañamientos del servicio de pescado dependen del platillo de que se trate. Aquellos platillos que consisten en filetes escalfados o rebanadas de pescado con una salsa no requieren nada más. La salsa dependerá del nombre del platillo. Abajo se enumeran los diversos acompañamientos:

Pescado escalfado. Una salsa suculenta, basada en huevos, mantequilla o ambos, como la holandesa, la salsa de mantequilla, la salsa de huevo o mantequilla fundida.

Salmón escalfado caliente. Salsa holandesa o salsa Mousseline, ensalada de pepino y papas pequeñas.

Salmón escalfado frío. Mayonesa, ensalada de pepino.

Pescado a la parrilla. Una mantequilla compuesta como mantequilla con anchoas, o Maître d'Hôtel, mantequilla fundida, salsa de mantequilla, holandesa o Mousseline.

Pescado muy frito (rebozado) (poisson frit a l'Orly). Salsa de tomate. *(Empanizado) (poisson frit a l'Anglaise)*. Un cuarto de limón, perejil frito y salsa tártara.

Crustáceos (crustacés). Las gambas y los camarones se tratan bajo el encabezado "Entremeses". Para el platillo de pescado, el principal crustáceo que debe considerarse es la langosta (*langouste*), y en menor grado el cangrejo (*homard*). Ambos pueden servirse calientes o fríos, con su caparazón o sin él, pero para el objetivo del presente libro consideraremos una porción y presentación de media langosta que se preparará y se pondrá en el plato en la estación de servicio o en la cocina.

El servicio será con un plato de carne con uno adicional para los desperdicios. El cubierto es el que corresponde al pescado, pero, con un platillo para langosta, y si el comensal quiere quitar la carne de las pinzas por sí solo, un cascador de langosta. También debe ponerse a la mano un enjuague de agua tibia y una rebanada de limón, además de una servilleta.

Los acompañamientos del servicio son mayonesa y la guarnición de la cocina, si el platillo es frío; o bien, la salsa que se especifique en el menú si es caliente.

Nota:

1. El cangrejo se trata de modo idéntico, excepto que entre los cubiertos no se necesita cascador para las pinzas.
2. Los mejillones a la marinera (*moules à la marinière*) se sirven en un plato sopero con plato base, y se coloca una cuchara para postre junto con los cubiertos para pescado. También se sirve pan moreno con mantequilla y un molinillo para pimienta.
3. Los camarones y las gambas pueden servirse calientes, con alguna salsa, con curry o a la provenzal, en cuyo caso se les quita la cáscara y se sirven como un platillo normal de pescado.

Platillos de carne (viandes)

Las reglas para servir casi todos los platillos de carne son simples. Con la excepción de las entradas que se sirven como un platillo separado (lo cual requiere un plato para entrada –20 cm, 8 pulg–), las carnes que llevan salsa de curry o el guisado irlandés (que requieren, ambas, un plato sopero), todos los platillos de carne se sirven en la mesa, de un platón de plata a platos de carne (generalmente de 25 cm –10 pulg–) o a platones ovales.

El cubierto es cuchillo y tenedor para carne, con una cuchara de postre adicional para el guisado irlandés, y una cuchara y tenedor para postre para los guisos al curry. Para los filetes se ponen cuchillos con filos aserrados; si el cuchillo normal para carne es de filo recto, algunos restaurantes tienen cuchillos especiales para filete con este propósito.

El servicio se realiza con cuchara y tenedor de servir; la carne se pone en el fondo del plato (del lado más próximo al comensal) en todos los casos, excepto en los guisos al curry, en los cuales se servirá primero el arroz cocido, formando un anillo en el plato, y luego el curry, en el centro.

El platillo de carne determinará los acompañamientos que han de servirse; éstos son los siguientes:

Carnes asadas

Res – Aderezo para asado. Pudín de Yorkshire, salsa de rábano.
Cerdo – Aderezo para asado. Relleno de salvia y cebolla, salsa de manzana.
Ternera – Aderezo para asado, relleno de perejil, tomillo y limón.
Cordero – Aderezo para asado, salsa o jalea de menta.
Carnero – Aderezo para asado, jalea de grosella o salsa de cebolla.

Carnes cocidas a fuego lento

Jamón – Salsa de madeira, espinacas (hojas o puré).
Res – Según se especifique en el menú.
Lengua – Como el jamón.

Carnes a la parrilla

Filetes – Berros, de una mantequilla compuesta, como la Maître d'hôtel o la salsa bearnesa (para los filetes Châutebriand); se puede llevar mostaza francesa o inglesa, u otra salsa especificada en el menú.
Jamón – Según se especifique en el menú.

Otros platillos de carne

Con curry – Arroz cocido (*véase* arriba), pato de Bombay, poppadums, chutney; con frecuencia una selección de frutas rebanadas o en cubos (plátano, pepino, manzana, pasas de Esmirna) y coco.
Estofado de Lancashire – Col morada encurtida.
Estofado irlandés – Salsa inglesa.

Carnes frías — Encurtidos, chutney, mostazas.
Salchichas — Mostaza inglesa o francesa.

Aves y caza (volaille y gibier)

El cubierto y el servicio son iguales a los de los platillos de carne (arriba).

Los acompañamientos de los diversos platillos son los siguientes:

Aves asadas

Pollo — Aderezo para asado, berros, salsa de pan, trocitos de carne de caza, lonja de tocino entreverado o rollo de tocino.
Pato — Aderezo para asado, salsa de manzana, relleno de salvia y cebolla.
Ganso — Como el pato.
Pavo — Aderezo para asado, salchicha corta (chipolata), rollo de tocino, relleno de salvia y cebolla o castaña, o castañas asadas, salsa de arándano.

Aves de caza asadas

Faisán — Aderezo para asado, trocitos de caza, salsa de pan, cubos de pan blanco fritos, todo servido en una salsera.
Gallina silvestre — Como el faisán.
Perdiz — Como el faisán.

Otros platillos de caza

Estofados (*salmis*) — Jalea de grosella.
Liebre a la cacerola — Como los estofados.
Liebre asada — Como los estofados; también.con puré de castaña y albóndigas.
Venado — Jalea de grosella, salsa de Cumberland.

Verduras (légumes)

En el servicio de tipo francés clásico, las verduras de primera clase se sirven generalmente como platillo separado (*entremet de légumes*) o en sustitución de los entremeses, y las demás constituyen la guarnición de la carne o de otros platillos. Las papas se sirven principalmente como guarnición. En Gran Bretaña, las verduras se sirven invariablemente como acompañamiento del platillo principal, además de las que se sirven en sustitución de los entremeses.

Las principales verduras incluyen espárragos, alcachofas, elotes y brócoli, y generalmente se sirven con alguna salsa, como sigue:

Espárragos calientes — Mantequilla fundida o salsa holandesa.
Espárragos fríos — Vinagreta o mayonesa.
Alcachofas calientes — Como los espárragos.
Alcachofas frías — Como los espárragos.

Elotes calientes – Mantequilla fundida.
Brócoli caliente – Salsa holandesa.

La coliflor se puede servir como guarnición o como platillo solo, como la coliflor mornay. Actualmente, las papas con cáscara se han vuelto muy populares como entremés, con diversos rellenos, o como platillo acompañante del principal. A cada papa se le hace un corte en cruz en la parte superior, por donde se rellena con mantequilla, queso crema y cebollines o algún otro relleno. Suelen servirse en un plato lateral.

Nota. Las verduras de primera clase se sirven normalmente en platos de entrada, con excepción de los espárragos, que se servirán en un plato de carne; los platos para espárragos y alcachofas calientes se inclinan hacia el lado más distante del comensal colocándoles debajo un tenedor con los dientes hacia abajo, a fin de dirigir la mantequilla fundida a un punto, de modo que la verdura quede cubierta por ella.

Las alcachofas se comen con los dedos, y también así puede comerse los espárragos si no se dispone de tenacillas para espárragos; por consiguiente, debe ofrecerse un enjuague de agua tibia con una rebanada de limón, además de una servilleta adicional.

Los espárragos pueden prepararse en la cocina de dos formas: sobre un plato cubierto con una servilleta o en un plato especial para espárragos, con un escurridor perforado.

Ensaladas (salades)

Las ensaladas que se encuentran en el restaurante clásico pueden ser de dos clases: las ensaladas compuestas (*salades composées*) preparadas en la cocina, como la ensalada Niçoise o la Waldorf; o bien, las sencillas, como la ensalada verde (*salade verte*) o la mixta (*salade panachée*). Estas últimas se preparan también en la cocina, pero se aderezan en la mesa con alguno de los aderezos normales (*véase* abajo).

La ensalada, después de aderezarse, se sirve generalmente en un plato para ensalada (en forma de media luna), que se colocará junto a la parte superior izquierda del plato de carne; dentro del plato debe haber un tenedor para postre, con los dientes hacia abajo y el mango apuntando hacia el plato lateral, es decir, a unos 30 grados de la línea central del cubierto al cual corresponde.

Si no se dispone de platos de media luna para ensaladas, las ensaladeras de madera o de cristal de tamaño adecuado (de 15 cm –6 pulg– como máximo) son aceptables para porciones individuales.

A fin de aderezar las ensaladas, pueden utilizarse los siguientes utensilios y condimentos:

Plato sopero	Tenedor	Sal	Molinillo de pimienta
Aceite	Vinagre	Azúcar granulada	Mostaza inglesa
Mostaza francesa.			

Nota. El aceite debe ser de oliva, maíz o cacahuate; el mejor vinagre es el de vino, de preferencia blanco.

Debe usted ofrecer al comensal aderezarle su ensalada. Si así lo desea, en el plato sopero, con ayuda del tenedor, mezcle sal, pimienta, mostaza y azúcar (si se quiere), y humedezca la mezcla con vinagre. Luego agregue el aceite y obtenga la consistencia que se desea añadiendo aceite o vinagre en la proporción de una parte del primero por tres del segundo, o de acuerdo con lo que el comensal solicite.

El aderezo se vierte con la cuchara sobre la ensalada, que luego se voltea con cuchara y tenedor para recubrir todas las superficies; finalmente, la ensalada se dispone agradablemente en el plato.

La lechuga debe romperse en pedazos pequeños con la cuchara y el tenedor antes de verterle el aderezo; no debe cortarse con cuchillo para evitar que “sangre”.

El aderezo descrito arriba es una vinagreta sencilla o aderezo “francés”, y constituye la base de otros muchos.

Detalles completos sobre los aderezos se pueden encontrar en *Modern Restaurant Services*, de J. Fuller (Hutchinson), 1983.

Nieves (sorbets)

Se trata de helados de agua con sabor a frutas o a licores; se sirven tradicionalmente, en los banquetes antes del asado, junto con cigarrillos rusos, como un intervalo durante la comida y para ayudar a la digestión. Generalmente se sirven en copas pequeñas y altas, sobre un plato lateral cubierto con una servilleta de papel.

Dulces (entremets)

Los dulces no requieren observaciones especiales, porque invariablemente se sirven en la cocina o en la sección de pasteles en fuentes de plata o en copas anchas. Si se sirven de una fuente en la mesa, se aplican las reglas normales de servicio; las salsas se vierten encima del dulce en un plato de 19 a 20 cm (7.5 a 8 pulg); si se sirven en copas, éstas se colocan sobre una servilleta de papel en un platito, con una cuchara de té.

Las galletas se sirven normalmente por separado en un platito con servilleta de papel o se pasan por turnos a cada comensal.

Nota. Antes de servir el platillo dulce, se recogen de la mesa todos los artículos, excepto las copas de agua y de vino que estén usándose aún; se recogen también las migajas, al tiempo que se pone una cuchara y un tenedor frente a cada comensal.

El cubierto normal para los dulces es una cuchara y un tenedor para postre, excepto en el caso de las copas, descrito arriba; si se va a servir fruta fresca, *véase* abajo.

Si en lugar de dulce se va a servir un platillo salado, *véase* más adelante.

Postres salados (savoureux)
Se sirven de la misma manera que los platillos de carne, con una cuchara y un tenedor, en un plato caliente para dulce.

Los cubiertos son cuchillo y tenedor para postre, aun si el platillo contiene pescado.

Los acompañamientos dependen del contenido del platillo, pero siempre debe haber sal y pimienta, pimienta de Cayena, molinillo de pimienta, salsa inglesa, salsa de tomate, compota de alguna fruta y mostaza inglesa o francesa, que se ofrecerán a los comensales.

Quesos (fromages)
Los quesos se pueden servir de la manera continental (es decir, antes del platillo dulce) o al modo inglés (después del platillo dulce).

Si en el menú hay una selección de quesos, deben presentarse al comensal, sea en una tabla o en un carrito de quesos, y el mesero debe servirlos en un plato lateral.

El cubierto constará de un cuchillo para postre (y un tenedor en los establecimientos de primera clase), o bien, cuchara y tenedor para postre en el caso del queso petite Suisse, que siempre se sirve con azúcar granulada.

Los acompañamientos son pastas de mantequilla y galletas mixtas de queso (incluyendo las digestivas), bollos o pan francés (y torta de avena para el queso Crowdie escocés).

Generalmente se sirven tallos de apio y rábanos; los comensales pueden requerir cebollas tiernas, encurtidos mixtos, mostaza y manzana, lo que siempre debe estar disponible.

Nota. Siempre debe proveerse un cuchillo y un tenedor para cada tipo de queso que haya sobre la tabla.

En cuanto a los métodos de cortar los diferentes tipos de quesos, *véase* la Sec. 4.2.4.

Fruta fresca (Fruits frais)
La fruta fresca distinta de la que se sirve en sustitución de un entremés (por ejemplo, melón, toronja, etc.) o la piña, que se prepara generalmente en la cocina o en el aparador, se presentará al comensal contenida en una cesta de frutas, para que él se sirva por sí solo.

El cubierto consta de un plato lateral, así como cuchillo y tenedor para fruta presentados en el plato con la punta del cuchillo inserta entre los dientes del tenedor, y abiertos en un ángulo amplio; se presenta además un enjuague que contenga agua tibia con una rebanada de limón; el enjuague se coloca sobre un plato cubierto con una servilleta de papel junto con una servilleta adicional.

TABLA 3.2 Salsas que se usan en el restaurante

Salsas basadas en mantequilla dorada							Salsas basadas en mantequilla fundida	Salsas basadas en aceite	
Color de la mantequilla		Blanca	Blanca	Blanca	Blanca	Blanca			
Líquido/caldo	Caldo dorado	Caldo de ternera	Caldo de ternera	Caldo de pescado	Caldo de pollo	Leche			
Salsa básica	Española (Salsa morena)	Caldo de ternera espesado	Salsa de tomate	Salsa velouté de pescado	Salsa velouté de ave	Salsa bechamel	Salsa holandesa	Mayonesa	Vinagreta
Salsa secundaria	Semi-glaseada	Velouté		Salsa al vino blanco	Salsa suprema				
Otros derivados importantes	Bordelesa Setas Charcutière Cazador Diabla Italiana Lyonesa Madeira Périgueux Picante Reforma Robert Tortuga Cíngara	1. Alemana 2. Alcaparrada De cebollín De estragón Blanca	Choron Portuguesa Provenzal	Anchoas Bercy Cardenal De camarón De cangrejo Joinville Normanda	Caliente-fría	Aurora Crema Mornay Raifort Soubise	Bearnesa Choron Foyot Maltesa Holandesa con nata Rica	Gribiche Con mostaza Tártara Tirolesa Verde	Noruega Pescador Salsa verde

El mesero traerá a la mesa la cesta de frutas junto con una taza de agua fría en la cual enjuagar las uvas o las cerezas, si se sirven.

Si las uvas se presentan en racimos grandes, hay que tener a mano unas tijeras; con ellas se corta un racimo de tamaño conveniente y se introduce en el agua, debidamente puesta sobre la mesa. Del mismo modo, las cerezas deben introducirse en el agua, sostenidas entre los dientes de un tenedor.

En la mesa debe estar una azucarera por si se requiere.

Salsas estándar, frías y calientes, de la cocina

El número de salsas que el mesero puede llegar a encontrar es infinito, y estará determinado por el tipo y la variedad de platillos del menú, así como por la frecuencia con la que se cambian. Desde el punto de vista del experto técnico, es mejor tratar de recordarlas conforme se vayan conociendo en lugar de aprender listas de salsas que quizá no se vean nunca.

La mayoría de las salsas de la cocina francesa para carne o pescado se basan en tres salsas principales, elaboradas con mantequilla dorada, e invariablemente se hacen añadiendo otros ingredientes a estas bases.

Las tres salsas básicas son la bechamel (una salsa blanca), la española (una salsa morena) y la velouté (ésta puede ser con base de ternera o pescado).

Además de las anteriores y sus derivados, existen otras salsas basadas en mantequilla, y otras más basadas en aceite; las primeras se sirven calientes y las segundas frías.

Las salsas pueden verterse encima de los platillos de carne o de pescado, o enviarse a la mesa por separado, contenidas en salseras, en cuyo caso se servirán según se describe en la Sec. 2.3.11.

Contenido y usos de las salsas estándar

Morenas:

Española (*espagnole*)	–	Una salsa morena básica. Generalmente no se usa sola.
Semiglaseada (*demi-glacé*)	–	Salsa española refinada y concentrada. Se usa principalmente como base de otras salsas.
Madeira (*madère*)	–	Salsa semiglaseada (*demi-glacé*) con vino de Madeira. Se usa con jamón, lengua, etc., cocinados a fuego lento.
Bordelesa (*bordelaise*)	–	Salsa semiglaseada (*demi-glacé*) con vino tinto estragón, chalote y granos de pimienta.
Cazador (*Chasseur*)	–	Salsa semiglaseada (*demi-glacé*) con vino blanco, chalote, tomate y setas.
Diabla (*Diable*)	–	Salsa semiglaseada (*demi-glacé*) con vino tinto o blanco, chalote, vinagre y salsa inglesa.
Italiana (*italienne*)	–	Chalote, cebolla y setas en salsa semiglaseada con tomate, vino blanco y jamón picado.

Robert – Salsa semiglaseada (*demi-glacé*) con vino blanco, cebolla frita en mantequilla, con mostaza para darle sabor.

Tortuga (*tortue*) – Salsa madeira ligeramente entomatada, con caldo de jamón, páprika y "hierbas de tortuga".

Cíngara (*zingara*) – Salsa semiglaseada (*demi-glacé*) rebajada con vino blanco y puré de tomate; adicionalmente, juliana de jamón, trufas y setas.

Charcutière – Salsa Robert con pepinos en tiras o rebanadas delgadas.

Picante (*piquante*) – Salsa diabla con pepinillos picados y perejil.

Lyonesa (*lyonnaise*) – Salsa semiglaseada (*demi-glacé*) rebajada con vino blanco o vinagre de vino y cebolla en rebanadas finas.

Périgueux (*périgueux*) – Salsa madeira con trufas.

Reforma (*réforme*) – Salsa semi glaseada (*demi-glacé*) rebajada con granos de pimienta y vino tinto. Adicionalmente, jalea de grosella. Suele añadírsele una juliana de trufas, setas, pepinillos, lengua y clara de huevo cocido.

Setas (*champignons*) – Salsa semiglaseada (*demi-glacé*) con setas, esencia de seta y vino blanco (también se puede hacer con salsa velouté).

Con base de salsa velouté:

Alemana (*Allemande*) – Salsa velouté reducida, espesada con yemas de huevo y crema.

Alcaparrada (*câpres*) – Salsa alemana con adición de alcaparras. (Si se va a servir con pescado, se usa una velouté con base de pescado en vez de alemana).

De cebollín (*ciboulette*) – Salsa alemana con adición de cebollines finamente picados.

De estragón (*estragon*) – Salsa alemana con adición de hojas de estragón finamente picadas, previamente blanqueadas en vinagre.

Blanca (*poulette*) – Salsa alemana con esencia de setas y jugo de limón.

Con base de tomate:

Provenzal (*provençale*) – Salsa de tomate con ajo, "hierbas finas", aceitunas, setas, tomates picados, vino blanco y anchoas machacadas en mantequilla.

Choron – Partes iguales de salsa de tomate y salsa bearnesa mezcladas.

Portuguesa (*Portugaise*) – Salsa de tomate y velouté de ternera con ajo, perejil y cebolla picada frita.

Con base de caldo de pescado:

De anchoas (*anchois*) – Salsa crema con mantequilla de anchoas.

Cardenal (*cardinal*) – Bechamel mezclada con mantequilla de langosta.

De camarón (*crevettes*) – Velouté de pescado con mantequilla de camarón.

De cangrejo (*homard*) – Salsa crema con mantequilla de langosta y langosta en cubitos.

Joinville – Salsa de camarón con bechamel y juliana de trufas.

Bercy – Velouté de pescado con chalotes y rebajada con vino blanco y caldo de pescado. Se termina con perejil picado.

Normanda (*normande*) – Velouté de pescado con esencia de setas y terminada con crema.

Con base de caldo de pollo

Suprema (*suprème*) – Velouté de pollo rebajada, terminada con esencia de setas, crema y jugo de limón.

Caliente-fría (*chaudfroid*) – Velouté de pollo mezclada con crema y batida. Sirve para capear.

Con base de bechamel

Aurora (*Aurore*) – Salsa bechamel con consomé. Rebajada y coloreada con tomate y crema.

Crema (*crème*) – Bechamel espesada con yemas de huevo y terminada con doble crema y un poco de jugo de limón.

Mornay – Bechamel espesada con yemas de huevo a la que se añaden queso parmesano y gruyère (para un abrillantado rápido, como se ha dicho; para un abrillantado más prolongado, omítanse las yemas de huevo). Para los platillos de pescado, use caldo de pescado.

Raifort – Salsa crema con adición de rábano picante rallado. Se termina con jugo de limón (para usarse con carne de res cocida, caliente).

Soubise – Salsa bechamel y caldo de pollo mezclados con puré de cebolla endulzado.

Con base de mantequilla fundida

Holandesa (*hollandaise*) – Chalotes, vinagre, mantequilla, sal, pimienta de Cayena y jugo de limón batidos a fuego

		lento con yema de huevo. Se usa para verduras, pescados finos calientes y como base para otras salsas.
Bearnesa (*béarnaise*)	–	Holandesa preparada con estragón en la mezcla de vinagre; terminada con estragón picado y perifollo.
Choron	–	Cantidades iguales de salsa bearnesa y de tomate.
Foyot	–	Salsa bearnesa con carne.
Maltesa (*maltaise*)	–	Salsa holandesa con jugo y ralladura de naranja en lugar de limón.
Holandesa con nata (*mousseline*)	–	Salsa holandesa con adición de doble crema batida.
Rica (*riche*)	–	Salsa holandesa con adición de crema, trufas y colas de cangrejo.

Con base de aceite

Emulsionadas:

Mayonesa	–	Una emulsión de yemas de huevo, aceite, mostaza, sal, pimienta y jugo de limón (o vinagre).
Gribiche	–	Mayonesa adelgazada con mostaza, huevo cocido picado, pepinillos picados, perifollo, estragón, perejil y alcaparras.
Con mostaza (*rémoulade*)	–	Como la salsa gribiche, pero sin perifollo, estragón ni huevo.
Tártara (*tartare*)	–	Como la salsa gribiche, pero sin huevo cocido.
Tirolesa (*tyrolienne*)	–	Mayonesa a la cual se añade ajo y chalote endulzado en tomate machacado. Se termina con perejil picado.
Verde (*verte*)	–	Mayonesa con puré de espinaca blanqueadas, perejil picado y estragón.

Líquidas:

Vinagreta (*vinaigrette*)	–	Básicamente dos terceras partes de aceite y una tercera parte de vinagre, mezcla a la cual se agregan algunos o todos los siguientes ingredientes: sal, pimienta, mostaza, cebolla finamente picada, perejil, pepinillos y alcaparras.
Noruega (*norvégienne*)	–	Vinagreta completa, con yema de huevo cocido y filetes de anchoa.
Pescador (*pêcheur*)	–	Vinagreta completa con carne de cangrejo picada.
Salsa verde (*Ravigote*)	–	Vinagreta completa con huevo cocido picado.

Mantequillas compuestas (*beurres composés*)
En alguna forma están en la misma categoría que las salsas; las mantequillas compuestas se sirven como acompañamientos de varios platillos, calientes o fríos, dependiendo de éstos.

Calientes:

Mantequilla fundida (*beurre fondu*)	–	Mantequilla fundida que se sirve sobre los espárragos y otras verduras.
Mantequilla negra (*beurre noir*)	–	Mantequilla dorada que se sirve como salsa para pescado (especialmente la raya: *raie au beurre noir*); incluye jugo de limón y perejil.
Mantequilla avellana (*beurre noisette*)	–	Mantequilla ligeramente dorada con un poco de jugo de limón.
Mantequilla molinera (*beurre meunière*)	–	Como la mantequilla avellana, pero con perejil picado.

Frías:*

Mantequilla al ajo (*beurre a l'ail*)	–	Ajo machacado añadido a la mantequilla y vuelto a machacar junto con ella.
Mantequilla de anchoas (*beurre d'Anchois*)	–	Mantequilla machacada con filetes de anchoa.
Mantequilla maestresala (*beurre maître d'hôtel*)	–	Mantequilla machacada con perejil, sal, pimienta y jugo de limón.

Nota. Existen muchas más mantequillas; la mayoría de ellas se nombran por su principal contenido; por ejemplo, mantequilla de mostaza es la que contiene mostaza.

Salsas no clasificadas
Muchas de éstas son de origen inglés y acompañan platillos de carne, como sigue:

Salsa de menta (*sauce à la menthe*)	–	Hojas de menta machacadas en una solución de vinagre de malta endulzada. Se sirve con el cordero asado.
Salsa de arándano (*sauce aux airelles*)	–	Arándanos y azúcar a punto de compota ligera. Se sirve con el pavo asado.
Salsa de Cumberland	–	Mezcla de jalea de grosella, vino de oporto, jugo de naranja y de limón, mostaza, chalotes picados y ralladura

*Todas las mantequillas frías, después de preparadas, se moldean en cilindros de unos 2.5 cm de diámetro, se congelan y se rebanan en discos de 7 a 8 mm de espesor; éstos se ponen en platitos sobre hielo picado y se llevan a la mesa o, en caso de platillos a la parrilla, se colocan encima en la cocina.

de naranja. Se sirve con el jamón y los pasteles de animales de caza.

Salsa de manzana (*sauce aux pommes*) – Puré de manzanas cocidas, endulzadas ligeramente. Se sirve con asados de cerdo, pato, ganso, etcétera.

Salsa de pan (*sauce pain*) – Migas de pan calentadas en leche a la que se ha dado sabor a cebolla. Se sirve con pollo asado.

Salsas comerciales
El uso de salsas comerciales no está restringido al servicio de alimentos popular, y tiene un lugar incluso en los restaurantes de más alta clase que sirven carnes a la parrilla, mariscos, etcétera.

Los tipos usuales de que se dispone son una salsa morena como OK o A1, una salsa de tomate (catsup), y una salsa inglesa (Worcestershire), junto con la salsa Tabasco, para usarlas con los mariscos.

La mostaza inglesa suele servirse recién hecha; las mostazas francesa y alemana y los pepinillos se suministran en tarros y deben mantenerse siempre en perfecto estado. El exterior de las botellas y tarros, así como los cuellos y el interior de las tapas deben conservarse escrupulosamente limpios. Normalmente se guardan en aparadores y se presentan a los comensales en platos base, con las tapas quitadas, listos para usarse; en el caso de los pepinillos, se ofrecen cucharas o tenedores a un lado.

3.2.2.6 *Servicio de vinos, licores y cervezas en la mesa*

El servicio de bebidas alcohólicas y refrescos es una tarea especializada, realizada generalmente por el mesero de vinos (*sommelier*) en los restaurantes de primera clase. No obstante, todo mesero debe estar familiarizado con el servicio básico de estas bebidas.

Vinos. La orden de vinos se toma después de haber tomado la de los alimentos y antes de servir el primer platillo. Si se han rodenado vinos separados para cada platillo, deben servirse en una copa limpia justamente antes de servir cada platillo.

Como regla general, los vinos tintos se sirven a la temperatura ambiente y los blancos y rosados se sirven fríos.

La botella de vino debe presentarse al anfitrión de la mesa con la etiqueta hacia arriba para obtener su aprobación. La cápsula que cubre el cuello de la botella debe cortarse en redondo por encima del reborde y luego, con un sacacorchos, la botella debe descorcharse en la mesa; debe servirse un poco de vino en la copa del anfitrión para que lo pruebe. Al recibir su aprobación, el vino debe servirse a todas las damas presentes, después a los caballeros y finalmente al anfitrión.

Los vinos blancos deben dejarse en un enfriador de vinos medio lleno con hielo y agua, a la derecha del anfitrión, y los tintos en un carrito a un lado de la mesa o en una cesta para vinos, de acuerdo con lo que se acostumbre en el restaurante.

Las copas deben llenarse periódicamente hasta que se haya agotado todo el vino ordenado.

Licores. Las bebidas compuestas se recogen en la despensa del bar. Cuando tome la orden de bebidas, compruebe con el cliente si desea hielo y también invítelo a seleccionar el "mezclador"

Tome el licor y el mezclador separadamente en el bar y póngalos sobre una charola; ponga el mezclador en la mesa, de modo que el cliente pueda decidir la cantidad de "mezclador" que requiere.

Cervezas y cervezas ligeras (lager). Las cervezas suelen abrirse en la despensa del bar, aunque algunos establecimientos prefieren abrirlas en la mesa. En cualquier caso, el mesero debe llevar las cervezas que sirve y sus copas sobre una charola hasta la mesa y servirlas por la derecha del cliente, colocando la copa ligeramente a la derecha del cubierto.

3.2.2.7 Preparación y servicio de bebidas no alcohólicas

Té y otras infusiones. El té proviene de las hojas de la planta de té; lo hay de dos tipos principales: "negro" y "verde". El té "negro" se produce principalmente en India, Pakistán, Bangladesh, Sri Lanka, Kenia, Uganda, Malawi y Mozambique, en tanto que el té "verde" proviene principalmente de China y Taiwán (Formosa).

La mayor parte de los tés que se utilizan en los establecimientos que sirven comidas son mezclas preparadas por los importadores o por los comerciantes para obtener mejores resultados con el agua de determinada zona. Incluso los tés que se venden para consumo doméstico varían de una región a otra debido a las diferentes características del agua.

Las hojas de té grandes son las más caras, pero enteras producen una infusión débil y necesitan cierto tiempo para prepararse. Durante años, el gusto inglés ha evolucionado hasta preferir infusiones fuertes y de color intenso que pueden obtenerse fácilmente con los tés de clase más barata, conocidos como *fanning* o "polvo", lo que a su vez ha originado la manufactura de las bolsitas de té, en un esfuerzo por eliminar las partículas de la infusión.

Varios tés "finos" que tienen características propias se usan en establecimientos de primera clase, pero en general esto puede dejarse al criterio de la administración, según la aceptación particular que tenga determinado producto en el restaurante de que se trate.

Algunos de los reconocidos tés "finos" incluyen el Darjeeling, de marcado sabor a "moscatel"; el Assam, de fuerte sabor parecido al de la malta; los aromáticos tés de Ceilán, y el "Earl Grey" de sabor a bergamota. El té siempre debe hacerse con agua recién hervida, habiendo calentado antes el tarro, y con una proporción de una cucharadita de té por persona. Si se emplean bolsitas de té, éstas se obtienen de varios tamaños, para preparar una o más porciones, o cantidades grandes.

El té siempre debe guardarse en alacenas frescas y secas, apartado de los artículos de olor fuerte como los jabones o quesos, y de preferencia en los empaques de los fabricantes; no deben comprarse cantidades excesivas, dado que el té no tiene una "vida de anaquel" prolongada.

Los tés "negros" o de la India suelen servirse (en Inglaterra) con leche fría y azúcar (si se desea); la leche se vierte antes en la taza. Los clientes continentales pueden desear crema o leche caliente en el té, y los escoceses lo prefieren sin leche.

El té limón o de Rusia se sirve en vasos que generalmente tienen asas plateadas o metálicas, sobre un plato base cubierto con una servilleta de papel; suele acompañarse de rodajas de limón, servidas por separado, y azúcar en cubos.

El té chino se prepara tradicionalmente en un tarro de porcelana o de gres y se sirve sin leche, pero se acompaña de limón en rebanadas, con azúcar, como el de Rusia.

Los tés de hierbas o *tisanas* se sirven de la misma manera que el té de China y son de muy diversos tipos, que pueden estar disponibles tanto sueltos como en bolsitas. Las hierbas más comunes son manzanilla, verbena, lima, escaramujo y bergamota, aunque se conocen muchos otros. El té de menta, preparado con hojas de menta, es muy apreciado por los árabes y los norafricanos; suele servirse en vasos con azúcar, adornado con una hoja de menta.

El té helado, preparado con una infusión de té fría, previamente hecha, se sirve en vasos con una rebanada de limón. El azúcar se lleva a la mesa.

Nota. El té, a diferencia del café, se deja invariablemente en la mesa para que los clientes se sirvan por sí solos; siempre se lleva a la mesa una jarra de agua caliente con la cual se corrige la concentración de la preparación al gusto personal.

Café. El café es una infusión de la semilla tostada y molida de la planta del café (*Coffea arabica* o *Coffea robusta*), y se ha conocido en Europa desde hace más de 300 años, habiéndose introducido en Venecia en 1615, donde se estableció un café en 1645.

El primer café de Inglaterra se estableció en Oxford, en 1650; dos años más tarde, otro abrió sus puertas en Londres. Pronto siguieron otros más, algunos de los cuales se hicieron muy famosos; el Jonathan's Coffee House, en Change Alley, se convirtió posteriormente en la Bolsa de Valores de Londres, y el Lloyd's Coffee House, en Lombard Street, llegó a ser el centro mundial de los seguros, conocido como Lloyd's de Londres.

Aunque el cafeto es originario del Yemen, se extendió por toda la región árabe, donde era celosamente guardado hasta que se sacó de contrabando en el siglo XVI. Los holandeses iniciaron su cultivo en sus colonias de Java y Sumatra, y

Amsterdam se convirtió en un centro de comercio del café. Los franceses empezaron a cultivarlo en su colonia de la Martinica con una planta que les dio el alcalde de Amsterdam. Más tarde los cafetos fueron traídos a América por los misioneros, y hoy se cultivan en muchos países del mundo, en las regiones comprendidas entre los Trópicos de Cáncer y de Capricornio.

Las características del café dependen de dos factores principales: el tipo de grano y el grado de tueste que se le dé.

La variedad *robusta* contiene el doble de cafeína que la *arábica*; a fin de obtener un producto estándar para cualquier propósito en particular, la mayoría de los cafés son mezclas de diversos tuestes y variedades diferentes.

Los distintos tipos de tueste son los siguientes:

Tostados ligeros o pálidos	–	Adecuados para conservar el delicado aroma de los granos suaves.
Tostados medianos	–	Dan un sabor más fuerte a los cafés de carácter bien definido.
Tostados completos	–	Producen un sabor amargo que se prefiere en muchos países latinos.
Cafés muy tostados	–	Esto acentúa los resabios amargos del café, en tanto que le hace perder gran parte de su sabor original.

Después del tueste, que generalmente se lleva a efecto en tostadores comerciales de café, éste se vende para molerlo o para convertirlo en café instantáneo (soluble).

Los granos de café tostados que se venden para su empleo por los establecimientos que sirven alimentos pueden estar enteros, lo cual requiere un molido posterior, o molidos, en bolsas cerradas al vacío, generalmente de tamaño apropiado para alguno de los aparatos que se describen más adelante.

Cuando el café está molido, no debe dejarse en contacto con el aire, porque perdería gran parte de su aroma y de sus aceites esenciales. La finura del molido depende del método que se vaya a emplear para preparar la infusión, y de la fuerza que se desee.

Los proveedores suelen suministrar el café molido según la finura especificada para el equipo que se vaya a usar; los grados de molido más adecuado para los diferentes tipos de equipo son:

Método	**Grado de molido**
Goteo y filtrado	Fino a mediano
Jarra	Grueso
Turco/griego	Pulverizado
Método de émbolo	Mediano
Globo de vidrio/al vacío/cono	Medio fino a fino
Expreso	Muy fino
Napolitano	Mediano
Percolación	Mediano

El Centro de Información del Café de Londres (London Coffee Information Centre) da la información siguiente sobre la preparación del café:

Reglas para preparar una buena taza de café

Agua. El agua se añade al café molido para extraer el contenido celular y obtener la infusión. Un error común es usar agua hirviendo, que echa a perder el aroma y el sabor del café; la temperatura más adecuada para que el agua entre en contacto con los granos molidos es de 92 °C a 96 °C.

El primer paso para la preparación de una buena taza de café es utilizar agua fría y fresca que se haga hervir y luego se deje enfriar a esa temperatura. Las cafeteras automáticas suelen estar diseñadas para añadir el agua a la temperatura ideal.

Café. Una vez que el café se ha tostado y molido, debe usarse tan pronto como sea posible, o guardarse en recipientes herméticos, en un lugar fresco. Los paquetes o recipientes generalmente ofrecen recomendaciones acerca de las cantidades que se deben usar, y de cómo hacer el café. En cualquier caso, es preferible emplear cantidades generosas.

El equipo. La higiene es vital; todo el equipo y los utensilios deben estar impecablemente limpios.

La preparación. El café siempre sabe mejor cuando está recién hecho. Se debe beber tan pronto como sea posible. Se deteriorará si se conserva demasiado tiempo, y no se debe guardar para recalentarlo.

Café instantáneo. El café instantáneo es conveniente porque se puede preparar en tazas individuales con sólo añadir agua al café y agitar la mezcla. El sabor puede mejorar si se prepara en un recipiente grande, usando una cucharadita de té colmada para cada taza, de acuerdo con el gusto.

La jarra. Este es uno de los métodos más antiguos para hacer café. Si es posible, conviene utilizar un recipiente de porcelana o de gres, aunque una jarra esmaltada puede ser adecuada.

La jarra debe calentarse vertiéndole agua caliente, y luego secarse. Entonces se añade café molido mediano o grueso, se agrega el agua y se agita la mezcla. Es importante dejar reposar el café en un lugar caliente durante cinco minutos antes de servirlo.

Cafetera de émbolo. Es una versión refinada de la jarra, diseñada para detener los asientos del café cuando la infusión se vierte en las tazas.

Consiste en una jarra de vidrio refractario, provista de un émbolo con un disco metálico perforado que sirve como filtro. El café se prepara con cuatro cucharadas soperas colmadas de café molido mediano por cada jarra de agua. La mezcla se deja reposar de cuatro a seis minutos antes de servirla.

La cafetera automática de goteo. Es necesario seguir las instrucciones del fabricante, porque cada aparato puede presentar algunas variantes menores en su forma de operación.

Se debe colocar café molido fino dentro del filtro y añadir agua fresca, fría, en el depósito. Una vez que el aparato se haya encendido preparará automáticamente el café y lo conservará caliente para servirlo.

La jarra de goteo. El agua, recién hervida, se vierte sobre café molido fino en el filtro hasta que todo el grano se humedezca. Después de un minuto, más o menos, puede añadirse el resto del agua. El café goteará a una taza o jarra, según la cantidad que se requiera.

Expreso y capuchino. Las cafeteras de café expreso hacen pasar vapor y agua a presión a través del café molido. Se utiliza café tostado oscuro y finamente molido para producir el característico sabor fuerte, ligeramente amargo.

La leche, que se ha calentado con vapor por medio de una boquilla inyectora de vapor, se añade luego para preparar el café capuchino, al que suele espolvorearse finalmente chocolate molido.

Cafeteras de vacío. Se vierte agua fría en un tazón de vidrio que se enrosca a continuación en un tazón superior provisto de un filtro, con lo cual se obtiene un cierre hermético.

Se añade al filtro café molido de mediano a fino. A medida que el agua hierve en el tazón inferior sube por un tubo y se mezcla con el café del tazón superior. En ese momento es necesario agitar la mezcla. Cuando se retira el calor del tazón inferior, el café goteará hacia abajo en él, listo para servirse, una vez que se haya retirado el tazón superior.

Café turco o griego. Idealmente, el café turco o griego debe prepararse en un recipiente tradicional de cobre, de mango largo, llamado "ibrik", aunque se puede utilizar un recipiente pequeño angosto, de pared alta. Se emplea una cucharadita colmada de café tostado oscuro, pulverizado, por cada media taza de agua.

El café turco o griego se puede tomar sin azúcar, aunque si se requiere una preparación dulce se puede añadir también una cucharadita de azúcar por cada cucharadita de café.

La mezcla debe añadirse al agua, agitarse y hacerse hervir. En cuanto hierve, se retira del fuego; la operación se repite tres veces. El café se vierte luego, sin agitar, en tazas muy pequeñas, de manera que cada taza quede cubierta con un poco de espuma.

Nunca debe usarse leche.

Servicio de café en el restaurante. Dependiendo del tipo de establecimiento, el café puede servirse de varias maneras:

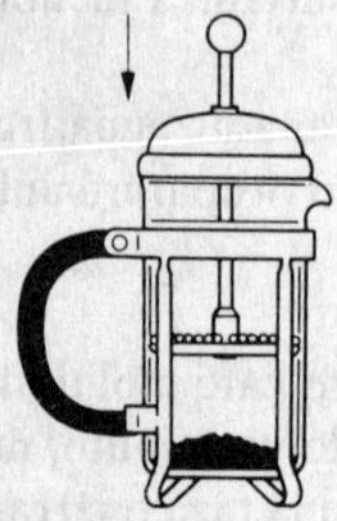

Cafetera de émbolo
Molido mediano.
Se recomiendan 4 cucharadas soperas colmadas por cada 1/2 litro de agua.
Precalentar la jarra.
Agua recién hervida.
Agitar.
Dejar reposar.

La jarra
Precalentar la jarra en seco.
Molido de mediano a grueso.
Agua casi en ebullición (92-96°C).
Agitar. Filtrar.

Cafeteras automáticas de goteo
Siga las instrucciones del fabricante.
Molido fino.
No automáticas
Molido fino.
Agua casi en ebullición.
Agitar antes de servir.

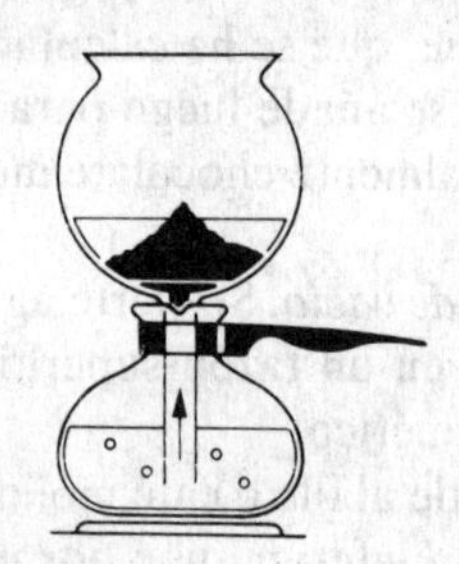

Globo de vidrio/ Método al vacío.
Molido mediano.

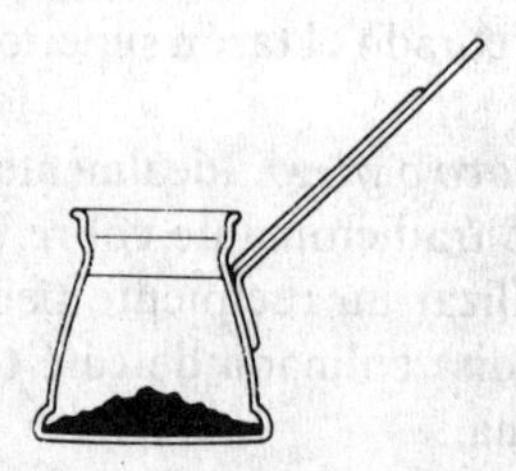

Café turco o griego
Tostado oscuro, molido pulverizado.
Una cucharadita colmada de café por cada media taza de agua.
Azúcar al gusto. Hacer hervir la mezcla
Agitar. Retirarlo del fuego.
Repetir la operación unas 4 veces
Dejarlo reposar.
Servirlo sin filtrarse

Expreso
Tostado oscuro, molido fino.

Fig. 3.25 Métodos para hacer café (London Coffe Information Centre)

Fig. 3.26 Servicio de café con una charola

1. De la jarra o cafetera directamente a la taza, por el propio cliente, en la mesa.
2. De jarras de café y de leche, por el mesero. Se usan generalmente dos métodos: el servicio de una fuente de plata, que constituye el método "inglés" aceptable, o bien con una jarra en cada mano, que es el método "continental", como se muestra en las Figs. 3.26 y 3.27.

Bebidas comerciales y otras del cuarto de destilados

Chocolate caliente. Puede prepararse con una de las numerosas mezclas comerciales disponibles para este propósito; consiste generalmente en mezclas de una pasta o un plovo con leche caliente o fría. Si se emplea leche fría, ésta suele calentarse por medio de una boquilla inyectora de vapor, en una cafetera de restaurante. Normalmente la bebida se vierte en una jarrita de loza y se lleva a la mesa con una taza de té o de desayuno, según la hora del día. También se acompaña de azúcar granulada.

Leche malteada. Se sirve de la misma manera que el chocolate caliente y generalmente se ha batido con ayuda de un agitador de leche. Una de las leches malteadas mejor conocidas es la Horlicks.

Extractos de carne. Los preparados comerciales mejor conocidos son Bovril y Oxo. El extracto se prepara con la cantidad requerida del producto, mezclada con agua caliente, en una taza grande; a menudo se utilizan tarros especiales que

Fig. 3.27 Servicio de café sin charola

llevan el nombre del producto. Con estas bebidas siempre se sirve pan tostado con mantequilla, caliente, y se ponen en la mesa sal y pimienta.

Leche caliente. Se sirve de la misma manera que el chocolate caliente. Es preferible emplear leche homogeneizada para que no se separe la nata que contiene, como sucede con la leche que únicamente está pasteurizada.

Leche fría. Siempre debe estar fría y servirse directamente del refrigerador, en un vaso de un cuarto de litro colocado sobre un plato lateral cubierto con una servilleta de papel. La leche fría constituye también la base de los batidos de leche, que constan de leche fría batida con saborizantes emulsionados, preparados especialmente con este propósito, con sabor de frutas, chocolate, café, etcétera.

Bebidas refrescantes. (De naranja, limón, lima, jarabes y jugos de fruta). Actualmente si un cliente solicita una limonada o naranjada, ésta se prepara con un producto comercial embotellado que se vierte en un vaso o una copa París, con cubos de hielo y agua simple o carbonatada, quizá adornado con una rebanada de la fruta correspondiente, junto con un popote.

Si el cliente lo desea y el tipo de establecimiento lo permite, las bebidas mencionadas pueden prepararse con fruta fresca, exprimida. En tal caso, el jugo obtenido deberá colarse para quitarle las semillas y el bagazo de la fruta, y luego servirse como se describe arriba.

Si se ordenan jugos, pueden prepararse con fruta fresca, o, más comúnmente, usando jugos embotellados en porciones individuales. Todos los jugos, excepto el de tomate, se acompañan de una azucarera y una cucharita de té; el vaso de jugo se presenta sobre un plato cubierto con una servilleta de papel. Para el jugo de tomate se ofrece sal y salsa inglesa; el servicio es el mismo que para los jugos de frutas.

Jarabes. Se encuentran normalmente en el bar, para usarse en bebidas mezcladas y cocteles; el único que suele encontrarse en el cuarto de destilados es el de grosella negra.

Aguas minerales. En este apartado se incluyen las aguas minerales y otras bebidas carbonatadas. Las aguas minerales son aquellas que se encuentran naturalmente en manantiales de diversas regiones; algunas son quietas y otras gaseosas. Todas las gaseosas contienen ácido carbónico (es decir, bióxido de carbono en disolución), que puede presentarse en forma natural o introducirse artificialmente.

A causa del contenido de sales minerales de estas aguas, muchas personas las beben por sus propiedades medicinales, mientras que otras lo hacen por gusto, ya sea solas o mezcladas con licores o con jugos de frutas. Las aguas minerales mejor conocidas son las siguientes:

Contrexeville	Francia
Evian	Francia
Perrier	Francia
Vichy	Francia
Vittel	Francia
Ashbourne	Reino Unido
Buxton	Reino Unido
Malvern	Reino Unido
Appollinaris	Alemania
San Pellegrino	Italia
Spa	Bélgica

Si las aguas minerales se sirven solas, se vierten en copas París, dejando las botellas sobre la mesa para que los comensales se sirvan por sí solos el resto. Conviene llevar las botellas a la mesa y destaparlas en presencia de los clientes.

Las bebidas carbonatadas son las que se producen artificialmente y se pueden tomar solas o mezcladas con otras bebidas, como el agua de soda, la cerveza de jengibre (*ginger ale*), el refresco de jengibre (*ginger beer*), el agua tónica y los refrescos de cola y de limón amargo. Estas bebidas se sirven tal como el agua mineral, dependiendo de la porción ordenada y según sea que se tomen solas o mezcladas.

Se debe observar que la mayor parte de las bebidas carbonatadas que se venden en la Gran Bretaña se preparan con agua común, mientras que en algunos otros países, muchas de ellas se preparan con aguas minerales y, por consiguiente, tienen las mismas propiedades que éstas solas.

3.2.2.8 Cambio de manteles en presencia de los comensales

En ocasiones es necesario cambiar el mantel en presencia de los clientes; la habilidad consiste en ser capaz de cambiarlo sin exponer a la vista la parte superior de la mesa (que puede estar manchada).

Véase la Sec. 3.1.4, "Manteles: de restaurante y para banquete.

Mantel

1. Coloque y desdoble el mantel tal como en los pasos 1 a 12 del método que se describe en la sección citada.
2. Deje caer el doblez inferior del nuevo mantel por el borde más distante de la mesa.
3. Con los dedos anular y meñique de ambas manos, tome el mantel que va a retirar.
4. Deje el mantel nuevo, como en el método básico, mientras tira del mantel viejo por debajo.
5. Compruebe que el mantel nuevo cuelgue uniformemente de todos los lados. Haga los ajustes necesarios.

Cubremantel. Los cubremanteles son más pequeños que los manteles; sirven para cubrir los manteles que se han manchado ligeramente durante las diversas sesiones de un día. Otro uso de los cubremanteles se da durante el desayuno o durante el té vespertino, cuando se pueden usar manteles de color.

Para el primer propósito, los cubremanteles se pueden poner paralelamente a los bordes de la mesa, como en la Fig. 3.28, pero en algunos establecimientos se ponen diagonalmente, cualquiera que sea el propósito.

Método

1. Párese en una esquina de la mesa, mirando hacia la esquina opuesta.
2. Coloque y desdoble el cubremantel como si se tratara de un mantel, manteniendo sus bordes en ángulo recto con respecto a los bordes de la mesa.
3. El resultado final es tal que solamente un pequeño triángulo del mantel queda visible en cada esquina; hay que cuidar que dichos triángulos sean de igual tamaño, para producir un buen efecto, como se muestra en la Fig. 3.29.

3.2.2.9 Presentación de la cuenta a los comensales

En los establecimientos de primera clase, la cuenta no debe presentarse sino cuando el cliente la ha pedido. Después de que el café se ha servido, el mesero debe fijarse en cualquier signo de que los comensales están listos para recibir sus cuentas (esto también elimina la necesidad de identificar a quién se debe presentar la cuenta).

Fig. 3.28 Colocación de un cubremantel para ocultar salpicaduras (método 1)

Fig. 3.29 Colocación de un cubremantel para ocultar salpicaduras (método 2)

Método

1. Cuando se le haya pedido la cuenta, solicítela y recójala con el cajero.

2. Compruebe que la cuenta esté correcta y que se hayan incluido todos los alimentos.

3. A menos que se utilicen cubiertas para las cuentas, doble la cuenta bajando el borde superior hasta el inferior, y luego levante la esquina superior izquierda. Si se emplean cubiertas, no doble la nota.
4. Coloque la cuenta doblada sobre un plato lateral, o bien la cuenta sin doblar dentro de su cubierta.
5. aproxímese al anfitrión del grupo por la derecha y póngale el plato con la cuenta o la cubierta que la contienen a su derecha. Las cuentas no debe entregarse a los clientes en la mano.
6. Regrese a la estación de servicio y espere hasta que el cliente deposite su pago en el plato o dentro de la cubierta.
7. Recoja la cuenta y el pago, y pague al cajero.*
8. Devuelva el recibo de la cuenta junto con cualquier cambio que se deba al cliente, tal como en los pasos 4 y 5.
9. Regrese a la estación de servicio.

3.2.2.10 Recibo del pago

Los clientes pueden liquidar sus cuentas en alguna de las formas siguientes: en efectivo, con cheque, en moneda extranjera, con cheques de viajero, con tarjetas de crédito o de cargo, con vales, con cargo a la cuenta principal (en hoteles), o con cargo a la cuenta de crédito o cuenta del libro mayor.

Efectivo. El pago en efectivo no necesita explicación.

Cheques. Los cheques personales de banco suelen aceptarse si se acompañan de una tarjeta de garantía de la validez del cheque (también conocida como tarjeta del banco). El límite máximo actual de garantía de tal tarjeta, en el Reino Unido, es de 50 libras. Los cheques por cantidades que excedan este límite se deben remitir a la gerencia antes de ser aceptados.

Moneda extranjera. El mesero debe familiarizarse con las diferentes monedas extranjeras que acepta el establecimiento y con su tipo de cambio.

Cheques de viajero. Éstos son emitidos por varias organizaciones bancarias y de viajes en diferentes monedas y cantidades, y se compran en efectivo. Son aceptables a su valor cuando el portador pone su contrafirma en presencia del mesero o del cajero; los cheques en moneda extranjera están sujetos a los mismos tipos de cambio que el efectivo.

Tarjetas de crédito. El mesero debe estar familiarizado con todas las tarjetas de crédito y de cargo aceptables por el establecimiento, y debe ajustarse a los pro-

*Véase la Sec. 3.2.2.10, "Recibo del pago", donde se mencionan las diversas formas de pago.

cedimientos establecidos por las compañías para hacer los pagarés, como los límites mínimos. Algunas de las tarjetas más comunes que se pueden encontrar son: Barcalycard (Visa), Access (Mastercharge), American Express, Diner's Club, Carte Blanche.

Vales. Éstos son emitidos por diversos agentes de viajes o líneas aéreas, excepto los vales de restaurante (*véase* abajo). El mesero debe remitir siempre el vale al cajero para cualquier acción posterior que sea necesaria.

Vales de restaurante. Los establecimientos de servicio de alimentos populares aceptan vales de restaurante al valor que indican. Si su valor excede el monto de la cuenta, no se devuelve cambio alguno.

Cargo a la cuenta principal. Los clientes que están hospedados en un hotel pueden desear que sus cuentas de restaurante se acumulen a la de hotel. En este caso, el mesero debe obtener la firma del huésped, junto con su número de habitación, en la nota de la cuenta. Algunos establecimientos pueden solicitar al huésped que presente la llave de su habitación o una tarjeta llave para identificarlo.

Cargo a cuenta de crédito o a cuenta del libro mayor. Este procedimiento sólo se permite por acuerdo previo con la gerencia y normalmente existe una lista de clientes a quienes se permite, guardada en la caja del restaurante. En el caso de cuentas de una compañía, en que más de una persona puede hacer uso de esta facilidad, también se debe conservar una lista de aquellos a quienes está permitido firmar sus cuentas.

3.2.2.11 Entrega del cambio

El personal de meseros siempre debe devolver el cambio al cliente, aun cuando éste le hubiera dicho que se quedara con él; con mayor razón si se trata de una gran cantidad. Si el cliente insistiera una vez devuelto el cambio, el mesero podrá guardarlo, siempre y cuando observe las reglas del establecimiento referentes a la retención de propinas.

3.2.2.12 Control de las notas

A fin de evitar el uso fraudulento de las notas, como lo sería el de adquirir alimentos para consumo personal, debe ejercerse un control estricto sobre las notas de los meseros y demás artículos de papelería.

En aquellos restaurantes en que a cada mesero se le asigna una letra o número, los blocs de notas que le son emitidos deben ser registrados por el jefe de meseros responsable de la emisión de papelería. No deben destruirse las notas echadas a perder, sino marcarse como "cancelada" o "nula" y enviarse al cajero para que elabore un resumen de operaciones al terminar su turno.

De manera similar, en los establecimientos que emplean el sistema "continental", los cajeros deben responder de toda las notàs usadas, e indicar en su hoja de resumen tanto el primero como el último folio, con el fin de ejercer un control financiero completo y ofrecer una secuencia de todos los ingresos para casos de auditoría.

3.2.3 *TAREAS POSTERIORES AL SERVICIO*

Muchas de ellas dependen de varios factores, como, por ejemplo, de si el restaurante abre para servir desayunos, comidas y cenas, y de la hora del día, ya que muchos restaurantes usan mantelería diferente para el desayuno y para la comida.

El patrón general de un día se inicia normalmente después de terminado el servicio del desayuno, cuando todo el "salón" se desviste y se lleva a cabo la preparación para la comida. Se realizan entonces las tareas descritas abajo, dejando listo el salón para el servicio de la cena.

Hacia el final de la cena, en el caso de un hotel, el salón se prepara para el desayuno, para que esté listo por la mañana, pero si en dicho salón no se sirven desayunos, o en el caso de un restaurante ordinario, la preparación puede hacerse en mayor o menor grado, según la hora de cerrar y el tiempo y personal de que se disponga. No se pueden aplicar reglas estrictas.

3.2.3.1 Quitar las mesas

Al final del servicio de la comida, las mesas deben despojarse de todos los artículos. Si no se va a cambiar el color de la mantelería para la cena, se pueden utilizar cubremanteles en caso necesario; de lo contrario, se dejan puestos los manteles de la comida por razones de economía.

3.2.3.2 Devolución de los alimentos a la despensa.

Todos los alimentos de las estaciones de servicio, de las mesas, de los carritos, etc., deben devolverse a la zona de cocina y de servicio para su apropiado almacenamiento higiénico al final del servicio, y entregarse debidamente a la persona responsable.

La única excepción a lo anterior son las salsas comerciales, mostazas, etc., las cuales se pueden recoger, limpiar y preparar para el servicio siguiente en la forma normal por el personal del restaurante.

3.2.3.3 Arreglo de los aparadores

Entre un servicio y otro, las estaciones de servicio o aparadores generalmente se vacían y vuelven a llenar con cubiertos, vajilla, etc., pero esto depende de la costumbre del establecimiento. Como antes, todos los alimentos, jarras de agua, etc., deben recogerse.

3.2.3.4 Operaciones de limpieza

Entre la comida y la cena bastará normalmente con mover las sillas y pasar la aspiradora por debajo de las mesas y en los pasillos para quitar migajas y otros desperdicios, si el piso está alfombrado. En los pisos de superficie dura (madera, mosaico, etc.), se puede usar una escoba suave. Esto debe hacerse antes de volver a poner las mesas para evitar que caiga polvo sobre los cubiertos limpios.

3.2.3.5 Revestido de las mesas

Véase la Sec. 3.2.3.1. Los manteles limpios sólo se utilizan cuando se va a cambiar la disposición de las mesas (para fiestas, etcétera).

Algunos restaurantes emplean cubremanteles de color para el desayuno, los cuales se colocan sobre los manteles de la cena si están suficientemente limpios.

Se aplican las reglas y costumbres del establecimiento, pero siempre debe tenerse en mente que los costos de lavandería aumentan continuamente, y que es del interés de todos que los gastos generales se mantengan al mínimo, siempre que no bajen las normas de servicio.

3.2.3.6 Disposición de las mesas

Esto se hará al final del servicio, de acuerdo con la costumbre del establecimiento, en preparación de la siguiente comida. Se puede realizar antes de que el personal termine sus obligaciones o, si el turno es continuo y el personal está en servicio durante la tarde, ellos pueden disponer las mesas para la cena.

Las mesas para el desayuno se pueden preparar por anticipado antes de que el personal de la cena termine su turno, o bien, por el personal del desayuno al llegar.

Si las mesas para el desayuno se arreglan la noche anterior, normalmente las tazas se colocan boca abajo y los manteles se doblan sobre los cubiertos para evitar que les caiga polvo.

4

CONOCIMIENTOS BÁSICOS E INFORMACIÓN RELACIONADOS

4.1 MENÚS

Existen diferentes opiniones sobre el origen de los menús. Algunas fuentes colocan la primera mención de éstos en 1541, cuando Enrique, duque de Brunswick, miraba una lista de platillos que habrían de servirse en un banquete, pero no hay certeza de su origen.

Aunque la palabra francesa *menú* significa realmente "pequeño" o "en detalle", es muy probable que también provenga del latín *minutia*, que significa detalle preciso o trivial.

Lo que es cierto es que durante siglos, los cocineros franceses recibieron listas conocidas como "escriteaux" de los platillos que debían preparar; el término puede traducirse casi exactamente con la expresión inglesa *bill of fare*.

Por otra parte, aunque los ingleses han adoptado la palabra "menú", los franceses usan *la carte* como equivalente, reservando el término "menú" para las comidas corridas; por ejemplo, *Menu @ 40 Fr.*

Existen dos tipos principales de menús en los restaurantes clásicos, cuyos ejemplos se presentan en las Figs. 4.1 a 4.10.

4.1.1 COMIDA CORRIDA (TABLE D'HÔTE)

Se trata de una comida con determinado número de platillos que se venden a un precio fijo, sin descuento alguno por los platillos no consumidos o no pedidos. También se conoce en francés como *menu à prix fixé* (menú a precio fijo). Algunos platillos de costo elevado pueden servirse con un cargo extra (complemento) (*supplément*).

4.1.2 COMIDA A LA CARTA

En este tipo de servicio cada platillo tiene un precio por separado, y se prepara o se cocina por una orden; es normal que el tiempo de preparación y de servicio se incluya en el menú.

Los menús de una clase o de otra son proporcionados para todas las comidas del día, y pueden adoptar la forma de una tarjeta colocada sobre el cubierto, un cartel, o bien, la lista de precios y fotografías preferidas por quienes sirven comidas rápidas. El objetivo en todos los casos es informar a la clientela de lo que hay disponible y de cuánto costará.

En la medida de lo posible, los menús se dividen en secciones que corresponden al orden de los platillos de la comida de que se trate; en el caso de la comida (servida a mediodía, generalmente de 12 a 4) y la cena (por la noche), se sigue aproximadamente el orden establecido por la evolución de las costumbres francesas de los siglos XVI y XVII, y suelen incluirse algunos de los títulos introducidos por entonces.

Incluso a finales del siglo XVIII era costumbre que una comida formal estuviera ya lista sobre las mesas antes de que los comensales se sentaran a comerla. Esto se llamaba *Entrée* (entrada). Cuando este platillo se terminaba, se retiraba y se iba sustituyendo por una serie de otros platillos. Esto se conoció como *Relève* (relevo) (o el equivalente en inglés *remove*).

Cuando se terminaba el segundo platillo, la mesa era despojada (*desservie*) de todo, de donde proviene la palabra *deseert* (postre).

Antes de entrar al salón en el cual se iba a servir la comida, los comensales podían encontrar una serie de aperitivos en una antesala que vino a llamarse *hors-d'oeuvre* [es decir, fuera del trabajo (principal)].

4.1.2.1 Comidas normales y sus menús

Desayuno. Es la primera comida del día. En los hoteles y en los establecimientos de servicio de alimentos se conocen dos tipos principales de desayuno, tradicionalmente llamados desayuno continental y desayuno inglés.

"Desayuno continental" es una denominación inapropiada, ya que se trata en realidad del desayuno de Francia; puede adoptar dos formas: "*sencillo*" y "*completo*", términos que se especifican a continuación de la bebida que se sirva; por ejemplo, té sencillo o café completo.

La forma "sencilla" consiste solamente en una gran porción de la bebida especificada.

La forma "completa" consiste en la bebida acompañada de pan francés o rosquillas, mermelada u otra conserva y cuernos (*croissants*, panecillos en forma de media luna, de masa esponjada por la levadura, enriquecida con mantequilla) o *brioches* (bollos de levadura, endulzados).

Como deferencia para la clientela inglesa y estadounidense, usualmente existe un menú complementario que incluye jugos de fruta, cereales y platillos de huevo.

Los desayunos varían en otros países europeos, con queso, jamón y panes de especias en Holanda; carnes rebanadas, salchichas y huevos cocidos en Alemania, todo ello servido como añadidura al desayuno "completo" estándar.

El "desayuno inglés", tal como solía servirse en su apogeo, durante las épocas victoriana y eduardiana, era verdaderamente una comida completa, un símbolo del imperio británico, abundante y conservador. En estos días de prisa y preocupación por la esbeltez, no se tiene tiempo ni apetito para tomar comidas de tal magnitud.

Muchos hoteles aún presentan menús que contienen todos o algunos de los platillos de que consta este desayuno, y los ferrocarriles británicos siguen tratando de conservar la imagen del desayuno inglés, que se compone de los siguientes platillos:

Fruta	—	Jugos (excepto de tomate), fruta fresca o cocida (manzanas, ciruelas pasas, frutas en conserva o compotas).
Cereal	—	Avena cocida con leche o crema caliente o fría, o algún cereal de marca comercial: hojuelas de maíz (*corn flakes*), muesli, etcétera.
Platillos de pescado	—	Arenques cocidos, asados o fritos, merlango ahumado escalfado, pescadilla bien frita o *kedgeree*.
Platillos de huevo	—	Cocidos, estrellados, revueltos, escalfados en crema o tortillas.
Platillos de carne	—	Tocino o jamón a la parrilla o frito; riñones a la parrilla o muy sazonados. Ahora es raro que se ofrezca filete o chuletas de cordero. Carnes frías de jamón, pollo o res.
Verduras	—	Generalmente no se sirven en el desayuno, excepto setas, tomates a la parrilla, papas salteadas o *bubble* y *squeak* (col frita y puré de papa).

Además de los platillos mencionados se sirven pan blanco y moreno, rosquillas, pan tostado, mantequilla y conservas o miel.

Como bebida se sirve café, té, chocolate o leche.

Comida. La comida se toma a mediodía, normalmente entre las 12 y las 4 p.m. El contenido de la comida puede variar según el tipo de establecimiento y los deseos de los comensales.

Tradicionalmente, el menú completo de la comida solía consistir en unos 12 platillos, menos que en una cena completa, pero con alimentos más pesados que sus contrapartes de la cena, incluyendo estofados, carnes asadas y a la parrilla, alimentos fríos y pudines cocidos al vapor, tanto salados como dulces.

Un menú de comida a la carta generalmente contiene varias posibilidades de elección para cada platillo, mientras que un buen menú de mesa de hotel o comida corrida incluye al menos dos opciones para cada uno de los platillos, que suman de tres a cinco.

Los platillos que integran una comida son los siguientes:

Entremeses (*hors d'oeuvre*)	—	Aunque en sentido estricto los entremeses consisten en diversas clases de carne, pescado o ensaladas muy sazonadas, que se sirven solas o en forma combinada, la denominación incluye también aquellos

Cena de la casa Jueves 15 de julio

Sopa del Día, o Paté Campesino, o Coctel Florida.

Pierna de Cordero en Perejil: $____*
o Pollo al Vino: $____
o Filete de Lenguado Frito: $____
o Una Selección de Carnes Frías con Ensalada: $____
o Costillas de Res Asadas del Carrito: $____
(todo ello servido con una selección de Verduras, Papas, o una Ensalada).

Postre del Carrito de Postres
o Queso y Galletas.

Café.

El precio del menú se muestra con el Platillo Principal seleccionado e incluye impuesto.

(las propinas son a discreción)

Fig. 4.1 Menú de comida corrida

***Todos los precios aparecen en blanco a fin de que el menú no pierda actualidad y cumpla su función de modelo para el establecimiento de que se trate.**

Para empezar

Aguacate selecto $____

Aguacate servido con gambas y mayonesa al ajo, cangrejo o vinagreta de estragón.

Melón helado con nieve $____

Melón de la estación, servido con nieve de naranja, oporto, o sencillo con jengibre acaramelado.

Salmón de Escocia ahumado al limón $____

Salmón fresco de Escocia, ahumado, en rebanadas, servido con limón y pan integral de trigo.

Paté de venado en barquillo con salsa de Cumberland $____

Paté de venado horneado en pasta y servido con salsa de naranja y oporto.

Botoncillos de mediodía $____

Champiñones frescos salteados con vino blanco y hierbas de olor.

Fettucine Carbonara $____

Tallarines verdes, frescos, con cebolla picada, servidos con jamón y crema.

Milhojas de caracoles a la marsellesa $____

Una combinación de caracoles, lengua de res y avellanas, flameadas con Pernod, servidos sobre una cama de espinaca y envueltos en pasta hojaldrada.

Las sopas

Consomé oscuro al vino de Madeira $____

Caldo dorado de res aderezado con verduras y vino de Madeira.

Crema de ave con puntas de espárragos $____

Sopa de crema de pollo con puntas de espárragos, cebollines y crema.

Los pescados y mariscos

Colas de cangrejo del puerto viejo $____

Cangrejos ligeramente fritos, guarnecidos con carne de cangrejo y pimientos, y servidos con salsa de queso y jerez.

Plato marino especial $____

Parrillada mixta de salmón, halibut, lenguado, escalopas, y lotte, servida con mantequilla al ajo y limón.

Lenguado a la parrilla "belle meunière" $____ o $____

Lenguado asado, acompañado de hongos, tomate, almendras y puntas de espárragos, y servido con hueva de pescado y mantequilla al limón, o sencillo asado con limón.

Ancas de rana en barquillo con mousse verde $____

Ancas de rana envueltas en pasta y servidas con salsa de hongos y berros.

Las entradas

Pierna de cordero en perejil $____

Pierna de cordero asada, servida con hierbas y ajo, y acompañada de tomate asado, papas rellenas y berros.

Escalopa de ternera de la vieja Inglaterra $____

Escalopa de ternera rellena de queso stilton y nueces, y servida con salsa de vino de Madeira.

Suprema de pollo de Provenza $____

Pechuga de pollo estofada y servida con una salsa ligera de queso.

Filete mignon a la pimienta $____
Filete de res frito, mechado con granos de pimienta, flameado con brandi y servido con setas, chalote y salsa de tomate.

Cacerola de patito con verduras $____
Pato pequeño cocido lentamente en miel y sidra, y servido con una guarnición de verduras.

"Nuestro jefe de comedor tendrá mucho gusto en ofrecerle una selección de alimentos frescos de temporada, comprados en los mercados locales."

De la tabla de carnes

Todas nuestras carnes son cortes de res escocesa de primera.

Solomillo a la parrilla con berros $____
Corte central de solomillo de res de primera, asado al gusto y servido con las guarniciones tradicionales.

Corazón de filete con salsa bearnesa $____
Filete de res asado, servido con papas rellenas y salsa bearnesa.

Brocheta de cerdo con champiñones $____
Filetes de cerdo marinados, asados en brocheta y servidos sobre una cama de arroz con salsa de hongos y vino de Madeira.

Del carrito de plata

Costillas de res asada con salsa de rábano silvestre $____
Un corte generoso de costilla de res asada, servida con salsa de rábano, pudín de Yorkshire y berros.

Todos los precios incluyen impuesto.
Las propinas son a discreción.

Las verduras

Ramillete de verduras de la estación $______

Una selección de verduras de temporada.

Papas fritas, al horno o en croquetas del día $______

Ensalada del patrón $______

Una ensalada nizarda con el aderezo especial del chef.

Ensaladas de la estación $______

Nuestra selección de ensaladas de temporada.

Los postres

$______

Por favor haga su selección del carrito de postres y de nuestro surtido de helados.

Para terminar

Plato de quesos $______

Una selección de quesos ingleses y europeos servidos con pan de avellanas y galletas.

Café

Servido con las pastillas de menta y chocolate de Holiday Inn. $______

Café gaélico, con whiskey irlandés; del Caribe, con ron de Jamaica; real, con brandy. $______

Fig. 4.2 Menú a la carta

Buenos días

Desayuno Inglés

$______

Jugo de naranja, ciruela o tomate
o avena o cereales fríos con crema o leche
o toronja helada

Huevos al gusto servidos con
jamón, tocino, salchichas u hongos
o
Arenque escocés

Cuernos, bollos de desayuno o pan tostado
con
Mantequilla, mermelada, jalea y miel

Jarra de té, café, chocolate o leche

Desayuno continental

$______

Jugo de naranja, ciruela o tomate
o toronja helada

Cuernos, bollos de desayuno o pan tostado
con
Mantequilla, mermelada, jalea y miel

Jarra de té, café, chocolate o leche

A la carta

Frutas y jugos

Jugo de naranja o toronja $______
Jugo grande $______
Jugo de tomate o ciruela $______
Toronja helada $______
Rebanadas de plátano con crema $______
Ensalada de frutas frescas $______ Ciruelas en compota $______
Naranjas en rebanadas $______
Melón helado a partir de $______ (en temporada)
Fresas frescas a partir de $______ (en temporada)

Huevo revuelto $______
Avena o cereales fríos con crema o leche $______
Cereales fríos con plátanos rebanados $______
Huevos cocidos preparados al gusto:
uno $______; dos $______
Huevos con tocino o salchichas $______; con jamón $______
Omelettes sencillos o con hierbas finas $______; con jamón $______
Tocino, hongos o salchichas de cerdo $______; jamón $______
Hot cakes con miel de maple $______
Filete de res para desayuno $______
Arenques escoceses, el par $______
Rebanada de jamón a la parrilla $______
Orden de panecillos, pan tostado, mantequilla y miel
jalea o mermelada $______
Orden de queso $______ Jamón o salami frío $______

Bebidas

Café $______ Jarra de té (de la India o de China) $______
Chocolate caliente $______ Chocolate frío $______
Leche fresca $______ Yogur $______
Infusiones $______

**Los precios anteriores incluyen impuesto
y cargo por servicio**

Fig. 4.3 Menú de desayuno

Té inglés de la tarde

$______

Una selección de emparedados recién hechos

Panecillo inglés tostado

Bollos con jalea y
crema cuajada de Devon

Pastel de frutas

Una selección de pastas francesas o pastelillos

Té indio de Balijen

Té chino Lapsang Souchong

Mezcla de tés Waldorf especial

Se sirve de 3.30 a 6.30 p.m.

Los precios incluyen el servicio y el impuesto

Fig. 4.4 Menú de té de la tarde

MENÚ DEL TÉ DE LA TARDE

BEBIDAS

Una jarra de Té de la India
o de China por persona
Una jarra de café
Una taza de café
Una taza de café negro con crema
Un vaso de leche
Chocolate
Aguas minerales y chocolate
Naranjada o limonada

PASTAS Y PASTELES

Pastas europeas surtidas
Pasteles daneses
Pastel europeo
Pastel de frutas o de vino de Madeira
Bollo de Bath
Galletas
Galletas de chocolate

PAN, PAN TOSTADO, etc.

Pan blanco y mantequilla
Pan negro y mantequilla
Pan tostado con mantequilla
Panecillo o Bollo tostado con mantequilla
Buñuelo
Mantequilla, por trozo
Mermelada o miel

EMPAREDADOS

De salmón ahumado
De pollo
De jamón o lengua
De huevo y berros
De queso

WAFFLES

Con mermelada y crema
Con Jarabe de maple o compota

OMELETTES

Natural
Con jamón
Con queso
Con hongos

BUFET FRÍO

Al de pollo con jamón o
lengua y ensalada mixta
Huevo en mayonesa
Jamón con ensalada
Lengua con ensalada
Pastel de ternera, jamón y huevo
con ensalada
Mayonesa hecha en casa

PLATILLOS CALIENTES

Setas en pan tostado

Huevo escalfado en pan tostado

Pan con queso gratinado

Pan con huevo escalfado y queso gratinado

Fig. 4.5 Menú de té con merienda

TÉS ESPECIALES

No. 1 Huevo benedictino
Huevo escalfado sobre jamón y bollo tostado con salsa de queso; jarra de té y pastas

No. 2
Dos huevos con jamón a la parrilla, mantequilla, pastas, jarra de té

No. 3
Bollos hechos en casa con crema y mermelada; jarra de té

No. 4 Pan con queso fundido
Huevo escalfado sobre pan con queso fundido, jarra de té y pastas

PESCADO
Filete de platija frito, papas fritas

ASADOS A LA PARRILLA *(15 minutos)*
Filete de res (cuando lo haya) con verduras a su elección
Filete de cuete con tomates, hongos, chícharos y papas fritas
Parrillada mixta (chuletas, salchichas, tocino, tomate y hongos con papas fritas)
Chuletas de cordero (2) a la parrilla con tomate y papas fritas

POSTRES FRÍOS
Ensalada de frutas y crema
Crema de caramelo
Mousse de chocolate fresco
Merengue Chantilly

HELADOS Y DULCES HELADOS
Vainilla
Fresa
Fudge de caramelo, por porción
Knickerbocker glory
Durazno Melba
Café
Chocolate
Nueces, por porción
Banana split
Merengue glaseado

La Cena

Paté con hierbas

Una delicada vasija de jamón y ternera con sabor de hierbas

o

Albóndigas de lenguado Newburg

Albóndigas de lenguado servidas con una delicada salsa de langosta

o

La pequeña marmita

Un rico consomé con verduras, servido con cubos de pan fritos

Filete de salmón a la champaña

Filete de salmón escalfado en champaña y adórnado con crema

o

Trozos de cordero Celestine

Tiernos filetes de cordero marinados en jugo de limón, ligeramente fritos y servidos en una salsa de queso stilton y oporto

o

Costillitas de ternera a la Chanterelle

Costillitas de ternera rellenas de paté, ligeramente asadas y servidas con salsa de hongos silvestres

Todos los platillos se acompañan de una selección de verduras

Fig. 4.6 Menú de cena

Nieve de frambuesas y melón Primavera

Nieve de frambuesas y coctel de melón servidos sobre hielo picado

o

La delicia de las damas

Café

$______

El precio incluye el servicio y el impuesto;
sin embargo, si usted considera que ha recibido
un servicio excepcional, por favor siéntase en libertad de gratificar al personal en consecuencia.

Restaurante Cavendish

Menú

Salmón ahumado

Coctel de Camarones San Silvestre

La copa deliciosa

*

Consomé de tortuga al jerez

Las pajillas doradas

*

Suprema de lenguado excelencia

*

Pechuga de gallina sans soucis

Ejotes maître d'hôtel

Manzanas botón de oro

*

Peras de la buena Ana

El anhelo de las damas

Fig. 4.7 Menú de cena

	sustitutos como melón, cocteles y jugos de fruta, así como verduras como elotes, alcachofas y espárragos.
Sopas (*potages*)	– Espesas o claras, incluyendo aquellas como el caldo escocés y la sopa minestrone.
Pastas y arroz (*farineux*)	– Incluyen todos los platillos de pastas, arroz, salado, ñoqui, etcétera.
Platillos de huevo (*oeufs*)	– Todos los métodos de preparación con excepción de los cocidos.
Pescado (*poissons*)	– Cocinados al vapor, escalfados, a la parrilla o fritos (en mucha o poca grasa), con guarniciones sencillas; platillos calientes de mariscos como veneras o mejillones, sin incluir langosta, excepto en los restaurantes de especialidades.
Platillos de carne (*viandes*)	– Éstos se clasifican generalmente en uno o más de los tipos siguientes:
Entradas (*entrées*)	– Platillos confeccionados con carne que puede estar cocida, asada o estofada; vísceras y platillos recalentados en la mesa.
Asados (*rôtis*)	– Carne de carnicería con preferencia a las aves y a la caza.
Parrilladas (*grillades*)	– Carnes de carnicería y pollo con guarniciones sencillas.
Bufet frío (*buffet froid*)	– Generalmente incluye asados fríos, ya sea de carne de la carnicería o aves, o bien, pasteles de carne con ensaladas como acompañamiento.
Verduras (*légumes, entremets de*)	– Se sirven como platillo aparte, que puede consistir en verduras de primera clase, como espárragos (calientes o fríos), fondos de alcachofa o elotes.
Soufflés (*savoury*)	– Pueden hacerse de queso, jamón, setas, carne de caza, etc. Actualmente es raro que se sirvan en esta etapa de la comida. Es más usual servirlos en sustitución de los entremeses.
Platillo dulce (*entremets, doux*)	– Puede ser alguno de los innumerables tipos de platillos dulces, desde las cremas ligeras hasta los pudines preparados al vapor, galletas, pasteles, buñuelos, etcétera.
Quesos (*fromages*)	– Cualquiera de los muy diversos tipos de queso, servidos con galletas, panecillos o pan francés con mantequilla, junto con apio,

		rábanos y berros o manzanas, según los deseos de los comensales.
Postre	–	Fruta fresca y nueces.
Café		

Té. El té, en su calidad de "comida", es una invención británica que se ha aceptado incluso en Francia. Aunque el té de la tarde en Gran Bretaña suele servirse a las 4:00 p.m., en Francia se ha conocido como *le five o'clock*.

La comida que acompaña a la bebida, a diferencia de ella, ha evolucionado hasta distinguirse tres tipos principales:

Té de la tarde (*afternoon tea*)	–	Consiste en pequeños sandwiches sin corteza, con frecuencia de berro o de pepino, junto con rebanadas delgadas de pan moreno con mantequilla y mermelada o miel, rebanadas de pastel de frutas o pastas y té de la India o de China.
Té con crema (*cream tea*)	–	Una variedad del té de la tarde, que se originó en Devon o Cornualles y que consiste en panecillos recién horneados, mermelada y crema cuajada, junto con pasteles o pastas y té.
Té con merienda (*high tea*)	–	Originario de Escocia y del norte de Inglaterra, consiste en una selección de platillos de pescado, carne o huevo con papas fritas o salteadas, pan blanco con mantequilla y, con frecuencia, pastelillos escoceses (*pikelets*), pan de fruta u otro adecuado para el té, mermelada, pasteles y té.

Cena. El menú tradicional completo para una cena, que comprende unos 12 a 14 platillos, es raro, si es que aún se sirven ahora, excepto quizá en los banquetes de Estado. Se trataba de una comida elaborada que incluía algunos de los platillos servidos en la comida del mediodía más algunos otros, pero todos ellos solían tener un "acento" mucho más ligero. Los platillos servidos tradicionalmente eran los siguientes:

Sopa	(*potage*)
Pescado	(*poisson*)
Entrada	(*entrée*)
Relevo	(*relève*)
Nieve	(*sorbet*)
Asado	(*rôti*)
Ensalada	(*salade*)
Plato frío	(*mets froid*)
Verdura	(*légumes, entremet de*)
Dulce	(*entremet doux*)

Postre salado (*savoureux*)
Postre dulce (*dessert*)
Café (*café*)

En las cenas menos formales, es posible que se hubiera introducido un platillo de queso entre el postre salado y el dulce. Normalmente no se incluían los entremeses; ha sido una tendencia reciente la de incluir sustitutos de entremeses, como ostras, salmón ahumado, trucha y ancas de rana. Los entremeses variados no se usan en un menú de cena clásico.

Sopas – Opción entre clara y espesa, incluyendo consomé en gelatina y *tortue claire*. La única sopa de tipo "caldo" que se sirve podría ser la marmita pequeña (*petite marmite*).

Pescado – Pescado de primera clase escalfado: salmón, trucha, rodaballo, etc., con guarnición y salsa, a la manera clásica.
– Frito (en mucha grasa): salmonetes, escampi, gobio en filetes. (En poca grasa): pescado de primera clase cocinado a la *meunière*.
– A la parrilla: salmón, lenguado, rodaballo, salmonete rojo.
– Frío, en áspic: salmón, lenguado, trucha, trucha salmonada. Mariscos: todas las formas calientes (excepto mejillones).

Entradas – Más ligera que en la comida, sin verduras cuando va seguida de un relevo. Puede incluir volovanes, *mousses* calientes, riñones, mollejas, chuletas y cortes de filete salteado, pollo salteado o frito, etcétera.

Relevo – Platillos de carne de carnicería que necesita ser trinchada (estofado no asado), o pollo (a la cacerola, estofado, etc.), con la guarnición descrita abajo. Jamón, lengua, pato o aves de caza cocidos a fuego lento, con guarnición de verduras que no sean col o tubérculos; por ejemplo, apio, fondos de alcachofas y platillos finos de papa, como *pommes Anna, pommes cocotte, pommes chateau,* pero no en puré ni fritas.

Nieve – Un helado de agua ligero, con sabor a licor de fruta o champaña. Originalmente se servía con cigarrillos rusos como un "refrescante" del paladar durante una comida formal larga.

Asado – Nunca se sirve carne de carnicería, con excepción posiblemente del filete de res. El asado normal es de aves de caza, liebre o venado.

Ensalada – Las ensaladas que se sirven pueden ser sencillas, por ejemplo, verde; o bien, compuestas (*salade composée*, por ejemplo, *ensalada mimosa, ensalada japonesa*).

Plato frío – *Mousse* de pescado o de carne, en frío (salmón, jamón, etc.); paté de hígado (*foie gras*); aspics, pasteles y conservas de carne, timbales, soufflés, etcétera.

Verduras – Una verdura fina que se pueda servir sola, como fondos de alcachofa, espárragos, berenjena, col marina o trufas.

Dulce	–	Soufflés calientes y fríos, pastelillos rellenos o flameados, todo tipo de helados (servidos con golosinas o pastelitos, platillos de frutas como condés, criollos, etcétera).
Postre salado	–	De todos tipos, generalmente a base de pan tostado o tartaletas. Muy sazonados, con queso, pescado, setas, etcétera.
Postre dulce	–	Todas las frutas frescas y secas, como pasas de Valencia, dátiles, higos y nueces.
Café	–	Todos los tipos posibles de café: normal, con licor, turco, etc.; con frecuencia acompañado de pastelitos (si no se sirvieron en el plato dulce), o con golosinas de menta.

Cena tardía (*souper*). Los menús para esta comida, que se hace tarde por la noche, son raros de encontrar hoy en día; la costumbre de cenar tarde encontró su popularidad en los días en que las personas iban al teatro después de tomar un bocadillo o una comida ligera sin que constituyera una cena; de este modo, al salir del teatro tomaban una comida más sustanciosa.

En Inglaterra, los menús de este tipo sólo se encuentran actualmente como una especialidad en hoteles y restaurantes del centro de Londres, cerca de la mayoría de los teatros; aunque ahora la mayor parte de los hoteles tienen "cafeterías", incluso esta tendencia casi ha desaparecido.

Los menús son del tipo de *table d'hôtel* o comida corrida, y consisten en unos tres platillos; éstos suelen ser del tipo de los servidos para los menús de cena normal, pero con la adición de parrilladas similares a las servidas en la comida; en los establecimientos que dan servicio después de la medianoche y durante las primeras horas de la madrugada, también aparecen los platillos del desayuno, como arenques y huevos con tocino.

4.1.3 TERMINOLOGÍA DEL MENÚ

Mucho se ha discutido si debe usarse el francés o los términos vernáculos para denominar los platillos de los menús.

Hay argumentos para poner los menús en la lengua de los interesados, pero muchos autores sostienen que el uso del francés constituye una forma rápida de escribir que evita la necesidad de muchas descripciones.

Básicamente, sea cual fuere el idioma que se utilice, un cliente desea conocer dos hechos: qué es lo que va a comer y cómo se ha cocinado.

Esto es muy sencillo cuando se trata de alimentos simples o enteros, como los pescados pequeños (por ejemplo, arenque y trucha); una pieza de ellos constituye una porción.

Pero tan pronto como se tropieza con el problema, digamos, de pescados más grandes que necesitan ser cortados, o de grandes trozos de carne, que deben trincharse, hay que considerar otro factor, que es el corte.

Dada su naturaleza, el hombre nunca queda satisfecho con las cosas sencillas y durante siglos se ha complicado con variaciones nacionales, regionales, locales y personales que han originado un estilo y un título del platillo.

Para el simple "asado de res" el "qué" y el "cómo" se han convertido en:
Filete de res asado a la inglesa (*Contrefilet de boeuf rôti a l'anglaise*)

CORTE QUÉ CÓMO ESTILO

y aun si esto se traduce al inglés, el hombre común tiene que saber lo que significa *sirloin* (filete), además de que el estilo "a la inglesa" (en este contexto solamente) indica la presencia de pudín de Yorkshire, aderezo para asado y salsa de rábano picante.

En el texto se dan los nombres de uso común de los alimentos, y otros términos aparecen después de la Sec. 4.1.3.1 "Métodos de cocinar", que sigue a continuación.

Los "cómo" son todos los métodos de cocinar, y se usa el participio pasado del verbo en cuestión (por ejemplo, de freír = frito).

4.1.3.1 Métodos de cocinar

Hervido [*bouillir–boulli(e)*]. Proceso de cocinar el alimento sumergido en un líquido (generalmente agua). Se usa para cocer las verduras y para las carnes encurtidas.

Escalfado [*pocher–poché(e)*]. Proceso de cocer a fuego lento en un líquido, que suele ser caldo, una mezcla de agua y vinagre con especias, e incluso leche. El escalfado conserva el sabor del alimento dentro del recubrimiento de albúmina que se produce durante el proceso, pero si se deja que el líquido hierva, se puede endurecer el alimento.

Asado [*rôtir–rôti(e)*]. Proceso de cocinar el alimento en el horno, en seco, salvo por un poco de grasa para evitar que se adhiera al recipiente (si se usa). Técnicamente, el asado debe hacerse encima o enfrente de fuego directo (como en un asador), mejor que en un horno cerrado. Los alimentos no se tapan. Con frecuencia se usa una temperatura elevada con la carne, para sellarla inicialmente, después de lo cual se disminuye el calor, para evitar que se encoja.

Estofado [*braiser–braisé(e)*]. Se usa para trozos grandes de carne; es como el asado, pero la carne se cocina después de haberla sellado en una cacerola caliente o sobre una cama de verduras de tubérculo (*mirepoix*), con agua o una mezcla de agua y vino, etc.; la cocción se realiza en una cacerola tapada.

A la parrilla [*griller–grillé(e)*]. Proceso de cocción usado para cortes de carne pequeños, de buena calidad, como filetes, chuletas, etc., o para pescados pequeños. Similar al proceso de asado, pero la transferencia de calor se hace a través del contacto con el metal de una parrilla. El calor puede venir de abajo, pero muchos establecimientos utilizan una parrilla superior, que técnicamente se denomina salamandra.

PARA DAR GRACIAS EN PLYMOUTH EN LA COLONIA DE LA BAHÍA

24 DE NOVIEMBRE DE 1623, A.D.

A Todos Los Peregrinos

Dado que el Buen Padre nos ha dado este año una abundante cosecha de maíz indio, trigo, frijoles, calabazas y verduras de hortaliza, y ha hecho que en los bosques abunde la caza y en los mares los peces y las almejas, y dado que nos ha protegido de ser destruidos por los salvajes, nos ha librado de la pestilencia y de la enfermedad, y nos ha otorgado la libertad de adorarlo según los dictados de nuestra conciencia; ahora yo, su magistrado, proclamo que todos los peregrinos, con vuestras esposas y pequeños, os reunáis en el templo de la colina, entre las 9 y las 12 horas del día, el jueves 29 de noviembre del año del Señor de mil seiscientos veintitrés, y el tercero desde que los peregrinos desembarcaron en la Roca del Peregrino, para escuchar a vuestro pastor y rendir una acción de gracias a Dios Todopoderoso por todas Sus bendiciones.

WILLIAM BRADFORD
Gobernador de la Colonia

Minuta de la Comida de Acción de Gracias

Para Empezar la Fiesta

Un Estimulante del Apetito

Hígados de Pollo Picados sobre una Cama de Lechuga

Melón de Otoño del Huerto

Fig. 4.8 Menú de banquete por celebración

Y luego una Sopa

Sopa de Almejas de Nueva Inglaterra — Sopa de Chícharos con Hierbas

Una Ensalada de Verduras Picadas

Seguida del Platillo Principal

Pavo de Tom Asado de la Antecocina, con Salsa de Arándanos
y un aderezo de Apio

Y de los Huertos de la Comunidad

Camotes en Dulce

Elotes Tiernos en Crema — Colecitas de Bruselas de la Cosecha con Mantequilla

Acompañamientos de los Hornos de la Pastelería

Abundancia de Pan de Maíz, Panecillos de Nuez y Pan de Centeno

Para Completar la Fiesta

Pastel Dorado de Calabaza de la Cosecha — Pastel de Manzana y Picadillo

Café de las Indias — Té de la Vieja Inglaterra

Diecisiete Libras Cincuenta Peniques

Incluido el Servicio y el Impuesto

Salón Rib del Hotel Carlton Tower, Situado en el Municipio Real de Kensington y Chelsea, en la Ciudad de Londres

Café el Jardín Menú

Aperitivos

Jugo de fruta helado (manzana, toronja, naranja, piña o tomate) $____

Melón $____ Toronja preparada $____ Hongos en sidra $____
Coctel de camarones $____ Salmón ahumado $____ con huevo revuelto $____

Selección de patés (hígado de pollo, mezcla de hierbas o arenque) $____

Calientes: Timbal de mariscos $____ Brocheta de res (servida con una salsa oriental de crema de cacahuate) $____

Sopas

Sopa del día recién preparada $____

Sopa goulash $____ Como platillo principal con pan francés de ajo $____

Huevos y pastas

Huevos con tocino Casa Blanca $____

Omelettes: Sencillo $____; al gusto $____ Tagliatelle $____ Cacerola vegetariana $____

Frijoles Winnsborough (un tazón de frijoles con salsa de chile y tomate) $____

Especialidades de ensaladas

Panecillos de jamón del diablo $____
(servidos sobre una cama de ensalada crujiente)

Ensalada del chef $____
(una combinación de pollo, salmón ahumado y ensalada mezcladas)

Carne del campo $____
(res, pollo o jamón, al gusto, con apio, tomate, cebolla y pan integral)

Quiche y ensalada $____
(hay un surtido de quiches)

Ensalada baja en calorías $____
(atún y requesón)

Pescados

Bacalao al horno $____
(con hongos, cebollas y papas a la duquesa)

Filetes de platija $____
(con papas a la francesa)

Lenguado a la parrilla con limón $____
(con papas a la francesa)

Fig. 4.9 Menú de cafetería

Entradas

Filete de res $____
(con hongos y papa al horno)

Park Schnitzel Holstein $____
(con croquetas de papa)

Pollo a la parrilla $____
(con croquetas de papa en mantequilla de romero)

Kebab de cordero $____
(con arroz oriental)

Pastel de pollo y jamón $____
(con papas y perejil)

Picadillo de ternera $____
(servido sobre una cama de espagueti con mantequilla)

Filete T-bone 340 g $____
(con hongos, anillos de cebolla y papas fritas a la francesa)

Verduras del día o Ensaladas $____

Hamburguesas

Hamburguesas de res molida pura, asadas al carbón servidas con papas fritas a la francesa y salsas

Hamburguesas: de 120 g $____; de 240 g $____

Con huevo (hamburguesas de 120 g con un huevo frito y anillos de cebolla fritos) $____

Hamburguesa de queso tipo Roquefort (hamburguesa de 120 g cubierta con queso tipo Roquefort) $____

Platillo del día

30 de junio de 1983

Sopa de naranja y zanahoria $____

Escalopas de pavo en salsa mexicana, servidas con papas y brócoli en mantequilla $____

Verduras mixtas en mantequilla $____

Sandwiches

Servidos en pan tostado, blanco o moreno

Una selección de sandwiches recién preparados desde $____

Abierto, con camarones y huevo $____

Club Albany de doble capa $____

Pan con queso fundido $____

Ensalada con queso $____
(espárragos y tomates cubiertos con queso fundido)

Postres

Sírvase pedir el menú de postres

Bebidas

Café: Casa Blanca tostado o descafeinado (con leche o crema) $____

Café especial El Jardín (un tarro de café con crema batida, nuez moscada y hojuelas de chocolate)

Expres/Capuchino $____

Jarra de té $____

Chocolate caliente con crema batida $____

Té limón $____

Leche fría $____

Batidos de leche (vainilla, chocolate, fresa o frambuesa) $____

Todos los precios incluyen el impuesto; las propinas son a discreción del cliente.

Bienvenido A Berni Inn.

Esperamos que disfrute su comida. ¿Por qué no prueba alguno de nuestros famosos jereces secos como aperitivo?

Jerez Fino Seco Chico $_____ Grande $_____

Jerez con Leche Bristol Chico $_____ Grande $_____

Jugo de fruta o de tomate helado $_____

Entremeses: **Sopa $_____** **Paté $_____**

Coctel de camarones $_____

Solomillo de primera de 225 g

Asado al gusto y servido con papas fritas a la francesa o papa al horno con crema agria y cebollinos, chícharos, tomate, panecillo y mantequilla. Y para seguir, helado o una selección de quesos y galletas. **$_____**

Cuete de primera de 225 g

Asado al gusto y servido con papas fritas a la francesa o papa al horno con crema agria y cebollinos, chícharos, tomate, panecillo y mantequilla. Y para seguir, helado o una selección de quesos y galletas. **$_____**

T-bone de primera de 340 g

Asado al gusto y servido con papas fritas a la francesa o papa asada al horno con crema agria y cebollinos, chícharos, tomate, panecillo y mantequilla. Y para seguir, helado o una selección de quesos y galletas. **$_____**

Filete de primera de 225 g

Asado al gusto y servido con papas fritas a la francesa o papa asada al horno con crema agria y cebollinos, chícharos, tomate, panecillo y mantequilla. Y para seguir, helado o una selección de quesos y galletas. **$_____**

Rebanada de jamón de 170 g con huevo frito y piña

Asado y servido con papas fritas a la francesa o papa asada al horno con crema agria y cebollinos, chícharos, tomate, panecillo y mantequilla. Y para seguir, helado o una selección de quesos y galletas. **$_____**

Fig. 4.10 Menú de establecimiento de comida rápida

Medio Pollo

Asado al horno y servido con salsa de barbacoa, papas fritas a la francesa o papa asada al horno con crema agria y cebollinos, chícharos, tomate, panecillo y mantequilla. Y para seguir, helado o una selección de quesos y galletas. $____

Medio pato

Asado al horno y servido con salsa de naranja o de manzana, papas fritas a la francesa o papa asada al horno con crema agria y cebollinos, chícharos, tomate, panecillo y mantequilla. Y para seguir, helado o una selección de quesos y galletas. $____

Filetes de platija de 225 g

Bien fritos y servidos con salsa tártara, limón, papas fritas a la francesa o papa asada al horno con crema y cebollinos, chícharos, tomate, panecillo y mantequilla. Y para seguir, helado o una selección de quesos y galletas. $____

Camarones

Bien fritos y servidos con salsa tártara, limón, papas fritas a la francesa o papa asada al horno con crema agria y cebollinos, chícharos, panecillo y mantequilla. Y para seguir, helado o una selección de quesos y galletas. $____

La ensalada Berni $____ extra

Otros postres:

Pastel de Queso $____ Pastel $____

Tarta holandesa de manzana y crema $____

Todos los platillos están sujetos a su disponibilidad y los pesos que se señalan son aproximados, antes de cocinar los platilos. El helado no contiene grasa de leche.

Todos nuestros precios incluyen el impuesto.
No hay cargo por servicio. Las propinas son a discreción del cliente.

Por favor comuníquese con el gerente si tiene alguna sugerencia de utilidad a raíz de su visita. Si no puede hacerlo, escriba al Director de Administración, Berni Inns Ltd., The Pithay, Bristol BS99 7BW.

Vinos por copa

Francés, tinto, blanco o rosado $____

Vinos de mesa franceses

	BOTELLA	MEDIA BOT.
1. Tinto	$____	____
2. Blanco	$____	____
3. Rosado	$____	____

Yugoslavos

4. Laski Riesling	$____	$____

Franceses

5. Burdeos AOC (tinto)	$____	$____
6. Beaujolais AOC (tinto)	$____	$____
7. Côtes du Rhône AOC (tinto)	$____	$____
8. Muscadet AOC (blanco)	$____	$____
9. Anjou Rosado AOC	$____	$____
10. Champagne NV	$____	$____
11. Châteauneuf-du Pape AOC (tinto)	$____	$____

Alemanes

12. Liebfraumilch QbA	$____	$____
13. Moselle QbA	$____	$____

Italianos

14. Chianti DOC (tinto)	$____	$____
15. Asti Espumoso DOC	$____	$____

AOC — Denominación de Origen Controlada *(Appellation d'Origine Contrôlée)* — Francés
QbA — Vino de calidad *(Qualitätswein)* — Alemán
DOC — Denominación de Origen Controlada *(Denominazione di Origine Controllata)* — Italiano

Todos los artículos están sujetos a su disponibilidad y los precios incluyen impuesto.

Disfrute de un café recién preparado o de un licor de café en la barra.

Freír [*frire–fri(e)*]. Proceso de cocinar por inmersión en manteca o aceite caliente. Se practican dos tipos diferentes de freído:

Freído profundo – Se usa para pescados o carnes que se han capeado con masa o con huevo batido y pan molido (empanizado); o bien, para papas a la francesa.

Freído superficial – Se usa para pescados que sólo se han enharinado como para el *meunière* o las escalopas (*escalopes*), es decir, cortes delgados de carne de carnicería o aves, los cuales se han empanizado como protección, pero que necesitan poca cocción.

Asado en cacerola [*poêler–poêlé(e)*]. Proceso similar al estofado, pero casi en seco, usando solamente una cantidad mínima de líquido.

Salteado [*sauter–sauté(e)*]. Proceso de freído superficial en una cacerola casi seca. Se llama así porque el alimento se conserva en movimiento agitando la cacerola.

Términos usados para los grados de cocción. Principalmente para los asados a la parrilla (filetes, etc.):

Muy poco cocido	*bleu(e)*
Poco cocido	*saignant(e)*
Término medio	*à point*
Bien cocidos	*bien cuit(e)*

Otros términos del menú que denotan procedimientos

En barquette	en un molde en forma de bote
Bouchée(s)	un pequeño recipiente de pasta hojaldrada lleno de una mezcla salada (literalmente, "bocado")
À la broche	cocinado sobre un asador
Brochette de	alimento cocinado en una brocheta (como el kebab)
Brouillés	revueltos, aplicado a los huevos
À cheval	sobre una rebanada de pan tostado, etc. (literalmente, "a lomo de caballo")
En cocotte	cocinado en una olla sin tapa y poco honda
Confit de	una confección (generalmente se refiere a hígado de ganso,
À la coque	hervido en el cascarón, como los huevos
En coquille	servido en una concha, generalmente una concha de venera (escalopa) o en otra
Cromesqui(s)	una croqueta de forma cilíndrica, generalmente de carne cocida
Croquette(s) de	croqueta cilíndrica a base de papa, muy frita
Croustade de	un pastel, generalmente de carne de caza
En croûte	en un recipiente de pasta, generalmente de carne o de caza

Sur croûte	sobre una rebanada de pan tostado
Cru(e)	crudo(a)
Crudités	surtido de verduras crudas, servidas como entremés
Diablé(e)	endiablado, picante, generalmente por el uso de pimienta de cayena
Émincé de	rebanadas delgadas de carne (no significa carne desmenuzada)
Farci(e) (de)	relleno
Aux fines herbes	con hierbas finas, generalmente en tortillas de huevo, etc.
Flambé(e)	flameado, casi siempre con un licor
Au four	cocinado al horno
Frappé(e)	helado
Fouetté(e)	batido, como la crema
Fumé(e)	ahumado
En gelé(e)	en gelatina, como el consomé frío
Givré(e)	helado, congelado
Glacé(e)	glaseado, recubierto
En goujons	en tiras, generalmente filetes de pescado
Au jus	en su jugo o caldo natural
Lames de	rebanadas delgadas
Macédoine de	macedonia, mezcla de frutas o verduras, generalmente picadas
En médaillons	en medallones, en forma de cilindros cortos
Au naturel	al natural, sin agregarle nada
En paillettes	en forma de pajillas
Pané(e) à l'Anglaise	empanizado, cubierto de huevo y pan molido, y muy frito
En papillote	cocinado en una bolsa de papel
Sur le plat	se aplica a los huevos estrellados
À la poêle	cocinado en sartén
Au(x) poivre(s)	cocinado con granos de pimienta
Rafraîchi(e)(s)	refrescado, ligeramente enfriado
Ramequin(s) de	cocinado en pequeños platos refractarios
Réchauffé(e)	recalentado (rama de la cocina que utiliza sobras).
Rissolé(e)	ligeramente sofrito
En robe de chambre	con cáscara (se aplica a las papas)
Soufflé(e)(s)	alimentos a base de huevo, esponjados al horno
Tartelette(s)	pequeños recipientes abiertos hechos de pasta
En tasse	servido en taza, generalmente los consomés
En terrine	servido en un plato de barro
En timbale	servido en un plato doble, el exterior lleno de hielo
Sur toast	sobre una rebanada de pan tostado
En tranches	trinchado en rebanadas
En tresses	trenzado, como filetes de pescado
Vol(s) au vent	volován, envase de pasta hojaldrada, relleno de una mezcla salada.

Tipos de sopas. Existen siete tipos principales de sopa, cada uno preparado de manera diferente, como sigue:

Consomé	–	Sopa ligera a base de carne, que se puede servir caliente o fría, como gelatina.
Puré ligero	–	Sopa espesa, preparada generalmente con leguminosas (chícharos, frijoles, lentejas), pasada por una criba.
Velouté	–	Sopa espesada con yemas de huevo.
Crema	–	Sopa espesa preparada con una base de verduras y terminada con crema antes de servirla.
Bisque	–	Sopa espesa hecha con mariscos (langosta, almejas, etc.).
Caldo	–	Sopa ligera con una base de caldo de carne o de verduras, con trozos pequeños de carne, verduras, legumbres, granos, etcétera.
Sin clasificar	–	En esta categoría se incluyen sopas como la de cola de res, la *tortue claire*, la minestrone y el caldo escocés.

4.2 COMESTIBLES COMUNES, TEMPORADAS Y TIEMPOS DE COCCIÓN

4.2.1 TIPOS DE ALIMENTOS

En términos generales, cualquier cosa que sea comestible se puede encontrar en un restaurante de una clase o de otra; no obstante, algunos alimentos sólo se pueden comer en ciertos países o regiones. Su importación y exportación están sujetas a la demanda y así se conservan bien.

Al considerar la situación que existen en el contexto del restaurante clásico se aceptan, en términos generales, aquellos alimentos que se encuentran naturalmente en Europa. A éstos se han sumado algunas frutas tropicales adoptadas durante varios periodos de explotación colonial, tales como mangos, aguacates, etcétera.

La influencia en Gran Bretaña de diversos grupos étnicos en años recientes ha significado que la lista “normal” de alimentos obtenibles en determinado momento, haya aumentado con la inclusión de muchos otros en las categorías de pescado, carne, verduras y frutas.

4.2.2 TEMPORADAS

Antes de la Segunda Guerra Mundial se decía de muchos alimentos que estaban en temporada o fuera de ella, y en este último caso eran inobtenibles en mercados, tiendas y restaurantes.

En el caso de ciertas frutas y verduras que no estaban en temporada, significaba que no crecían en ese momento del año en el país. No se importaban debido a la tardanza del transporte. En el caso de los pescados y carnes, otros dos

4.2.2.1 *Alimentos de temporada*

	Ene	Feb	Mar	Abr	May	Jun	Jul	Ago	Sep	Oct	Nov	Dic
Aves de caza												
Gallo lira								12 +	+	+	+	+ 20
Perdiz	+								1 +	+	+	+
Faisán	+	+								1 +	+	+
Chorlito										+	+	+
Perdiz nival								+	+	+	+	+
Codorniz	+	+	+	+	+	+	+	+	+	+	+	+
Agachadiza	+	+						+	+	+	+	+
Cerceta										+	+	+
Pato salvaje	+	+							+	+	+	+
Chocha	+	+						+	+	+	+	+
Paloma torcaz	+	+	+					+	+	+	+	+
Caza												
Liebre	+	+						+	+	+	+	+
Conejo	+	+	+						+	+	+	+
Venado	+				Macho	+	+	+	Hembra	+	+	+
Aves de corral												
Pollo (todos tamaños)	+	+	+	+	+	+	+	+	+	+	+	+
Pato	+	+	+	+	+	+	+	+	+	+	+	+
Ansarino								+	+	+		
Ganso												+
Gallina de Guinea	+	+	+	+	+	+	+	+	+	+	+	+
Pavo	+	+	+	+	+	+	+	+	+	+	+	+

	Ene	Feb	Mar	Abr	May	Jun	Jul	Ago	Sep	Oct	Nov	Dic
Carne												
Res	+	+	+	+	+	+	+	+	+	+	+	+
Ternera	+	+	+	+	+	+	+	+	+	+	+	+
Carnero	+	+	+	+	+	+	+	+	+	+	+	+
Cordero				+	+	+						
Cerdo	+	+	+					+	+	+	+	+
Pescado												
Salmón		+	+	+	+	+	+	+	+			
Trucha salmonada			+	+	+	+	+	+	+			
Trucha				+	+	+	+	+	+			
Macarela				+	+	+	+	+	+	+		
Mejillones	+	+	+	+					+	+	+	+
Ostras	+	+	+	+					+	+	+	+
Verduras												
Alcachofas globo	+	+	+	+	+	+						
Alcachofas de Jerusalén	+	+	+									
Espárragos					+	+	+	+				
Coles de Bruselas	+	+	+						+	+	+	+
Achicoria	+	+	+						+	+	+	+
Calabacín							+	+	+	+		
Frutas												
Cerezas						+	+	+	+			
Duraznos							+	+	+	+	+	
Ciruelas								+	+	+	+	+

factores eran importantes, el ciclo de reproducción y el almacenamiento frío durante el verano.

Tanto el pescado como la caza están regulados por leyes, y existen temporadas de veda en las que está prohibido cazar o pescar para proteger las especies.

De igual modo, antes de que la refrigeración se extendiera, solamente se comía cerdo durante los meses cuyo nombre tiene una "r", es decir, de septiembre a abril (los meses de invierno), cuando había menos probabilidad de que se echara a perder.

Ahora se puede disponer de fruta y verdura fresca de una u otra fuente durante todo el año. Las fresas, que alguna vez solamente aparecían en los menús desde finales de mayo hasta principios de julio, ahora se pueden obtener durante todo el año, procedentes de México, California e Israel.

Gracias al advenimiento de técnicas de congelación profunda, ahora se pueden obtener muchos alimentos, aunque no "frescos" en el sentido de estar en su estado natural.

Aunque muchos alimentos congelados son tan buenos como los frescos, existen excepciones. Algunas frutas suaves pierden su firmeza, pero son adecuadas para procesarlas, por ejemplo, las fresas y las frambuesas.

Las frutas suaves suelen estar en su mejor punto y son más abundantes en el verano, de junio a agosto, pero las manzanas, peras y naranjas se obtienen durante la mayor parte del año de una fuente u otra.

Véase el cuadro de alimentos de temporada en las págs. 238-239.

4.2.3 *TIEMPOS DE COCCIÓN*

En la mayor parte de los restaurantes que ofrecen un menú de comida corrida o *table d'hôtel*, casi todos los platillos ofrecidos están preparados de tal modo que pueden servirse sin tardanza.

Los menús a la carta, en cambio, en virtud de su variedad, incluyen alimentos que deben cocinarse o prepararse a la orden, lo que implica retardos más o menos largos para el servicio, según el platillo de que se trate.

En el menú convienen dar los tiempos de preparación para informar a los comensales y evitar posibles quejas.

En general, los tiempos aproximados de cocción y servicio de ciertos alimentos típicos son los siguientes:

Platillos de huevo	hasta 12 minutos
Platillos de pescado	de 10 a 20 minutos
Carnes a la parrilla (dependiendo del tamaño y el grueso)	de 10 a 25 minutos
Platillos de pasta	de 15 a 25 minutos
Asados de aves o de caza (según el tamaño)	de 15 a 85 minutos
Soufflés (dulces o salados)	de 25 a 30 minutos

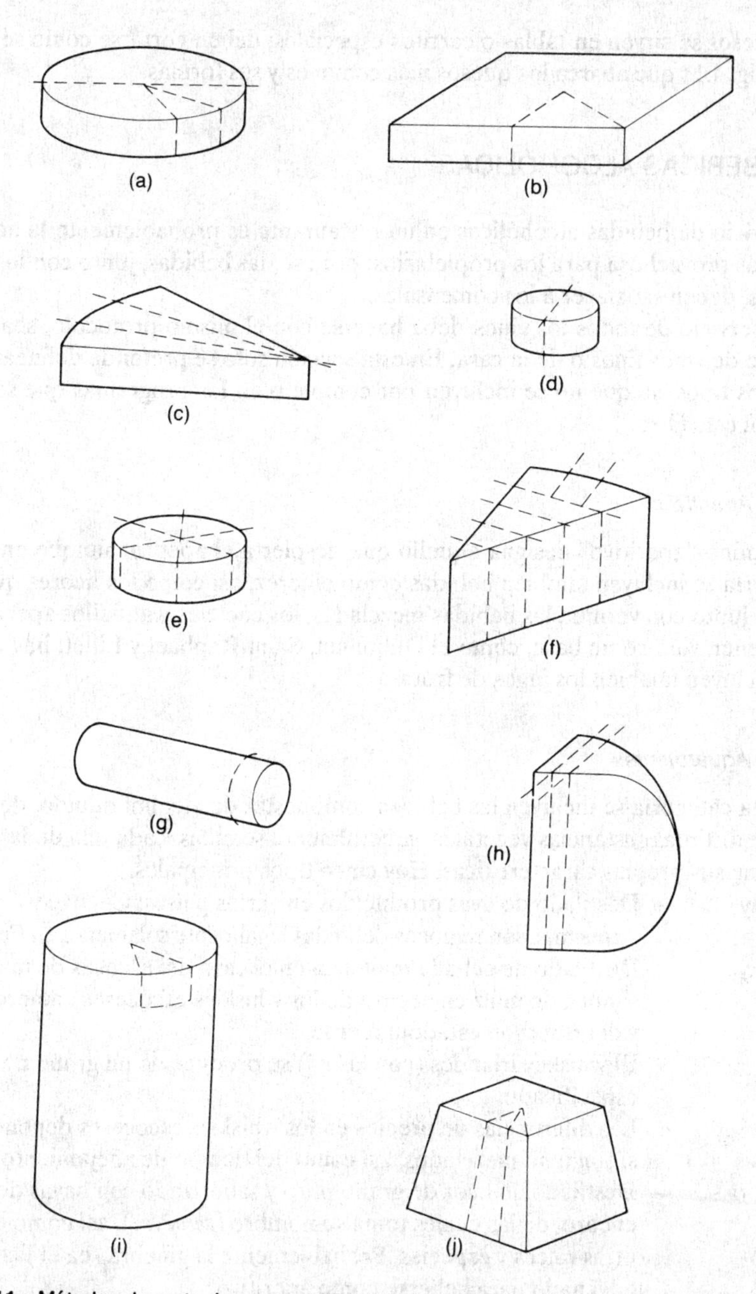

Fig. 4.11 Métodos de corte de quesos: (de arriba a abajo) *izquierda*: Coulommiers; Brie; Camembert; Emmental ahumando; Stilton; *derecha*: Pont l'Eveque; Boursin; Cheddar (cuña) Edam; Queso de cabra

4.2.4 *CORTE DE LOS QUESOS*

Los quesos se sirven en tablas o carritos especiales; deben cortarse como se ven en la Fig. 4.11 que abarca los quesos más comunes y sus formas.

4.3 BEBIDAS ALCOHÓLICAS

El servicio de bebidas alcohólicas en un restaurante es probablemente la actividad más provechosa para los propietarios; por eso, las bebidas, junto con los alimentos, deben satisfacer a los comensales.

El servicio de todos los vinos debe hacerse con el mismo protocolo, sea que se trate de vinos finos o de la casa. En esta sección sólo se pretende delinear sus diversos tipos, ya que no se incluyen por completo en los programas que se cubren en este libro.

4.3.1 *Aperitivos*

El término "aperitivo" designa aquello que despierta el apetito, aunque en esta categoría se incluyen también bebidas como el jerez, así como los licores que se toman junto con vermut, las bebidas mezcladas, los cocteles y aquellos aperitivos que tienen vino como base, como el Dubonnet, Saint Raphael y Lillet; hay quienen incluyen también los jugos de frutas.

4.3.2 *Aguardientes*

En esta categoría se incluyen las bebidas compuestas de alcohol diluido, destiladas de distintas sustancias vegetales, generalmente semillas, cada una de las cuales tiene sus propias características. Hay cinco tipos principales:

Brandy – Destilado de uvas producidos en varios países; Cognac y Armagnac son regiones definidas legalmente solamente en Francia.

Whisky – Destilado de cebada malteada en el caso del escocés de malta simple, de maíz en el caso de los whiskies escoceses comerciales y del Bourbon estadounidense.
El whiskey irlandés (con la "e") se produce de un grano no especificado.
Las diferencias de precios en los whiskies escoceses dependen de si son o no mezclados, así como del tiempo de añejamiento.

Ginebra – Destilado de licor de grano puro y saborizado con bayas de enebro, de las cuales toma su nombre (*genièvre*), así como con otras raíces y especias. Probablemente la ginebra sea el licor más adecuado para beberse como aperitivo.

Ron – Un licor destilado en varias partes de la América tropical a partir de azúcar de caña, melaza o ambas.

El ron varía desde el Bacardí claro hasta el jamaiquino dorado y el Demerara moreno.

Vodka – Un alcohol claro originario de Rusia y Polonia, destilado de grano o de papa.

Otros tipos – Otras varias bebidas alcohólicas se producen en diferentes países, como el schnapps y korn de Alemania; el akvavit danés; el ouzo griego; el tequila mexicano, y varias a base de frutas, como el slivovitz (Yugoslavia), calvados (Normandía) y las aguas de vida (*eaux de vie*) de Suiza y Alsacia, hechas con cerezas, así como las preparadas de frambuesa, fresa, ciruela y pera.

4.3.3 VINOS ESPIRITUOSOS

El término "vinos espirituosos" se refiere a aquellos vinos a los que se les añade brandy y que incluyen el jerez, el oporto, el madeira y el marsala, así como los vermuts y los aperitivos basados en vinos que se mencionaron en la Sec. 4.3.1.

Jerez – Solamente se produce en el sudoeste de España, aunque se fabrican imitaciones en otros varios países. Todos los jereces son mezclas obtenidas por el sistema llamado de "solera", que mantienen constantes la calidad y las características. Los tipos de jerez van desde el muy seco (fino), a través del amontillado, manzanilla, oloroso y crema, hasta el moreno; se puede generalizar diciendo que cuanto más claro sea el color de un jerez, tanto más seco resultará.

Oporto – Producido solamente en Portugal, en el valle del río Duero, se embarca en la ciudad de Oporto, de donde toma su nombre.
Lo hay de tres colores: rubí, blanco y leonado. El rubí es el más joven y por consiguiente el más barato. El blanco se hace solamente de uvas blancas, y puede ser dulce o seco. El leonado suele ser más viejo que el rubí, y se añeja en toneles hasta que toma el color de su nombre, lo que puede tardar de 7 a 30 años.
Los oportos finos son los que se elaboran en ciertos años en que se declaran buenas cosechas. Todos los oportos finos son mezclas del mismo año y deben añejarse de 10 a 30 años.

Madeira – Producidos en la isla del Atlántico del mismo nombre, estos vinos son mezclas elaboradas por el sistema de "solera", como el jerez. Hay cuatro tipos principales; cada uno de ellos tiene sus características propias y uso tradicional: el sercial (ámbar claro, para aperitivos); verdelho (dorado intenso, para antes o después de las comidas); bual o boal (un vino dulce para los postres); malmsey (oscuro y fuerte, un buen sustituto del oporto al final de la comida).

Marsala – Vino espirituoso que proviene de la isla de Sicilia. Es un buen vino para el postre, con aplicaciones en la cocina para preparar salsas y postres.

Vermuts – Son mezclas de vinos, aromatizadas con hierbas (unas 40 a 50) que incluyen ajenjo (en alemán, *vermut*), de donde la bebida toma su nombre. La mayor parte provienen de Italia, y pueden ser dulces o secos, y tintos, blancos o rosados. Los vermuts son a la vez vinos espirituosos y aperitivos.

4.3.4 VINOS DE MESA

Los vinos de mesa no son sino jugo de uva fermentado, y se producen en muchos países del mundo; los más notables son los procedentes de Francia, Italia, España y Alemania.

El vino puede ser normal o espumoso, y tinto, blanco o rosado; los vinos clásicos suelen estar embotellados en botellas fácilmente reconocibles; la mayor parte de ellas indican su origen, como se ilustra en la Fig. 4.12.

Por tradición, cada tipo de vino exige una copa de distinta forma; en la medida de lo posible, conviene mantener esta tradición, pero si no se cuenta con la gama completa de copas, debe haberlas estándar para servir vinos tintos y blancos (*véase* la Sec. 2.2.4).

4.3.5 CERVEZAS Y SIDRA

Las cervezas, incluyendo las ligeras, se preparan con una infusión de cebada malteada y agua, se saborean con lúpulo y se dejan fermentar.

El diferente carácter de las cervezas se debe a diversos factores, sobre todo al grado de tostado de la malta, al tipo de lúpulo usado, y a origen y contenido de minerales del agua.

Fig. 4.12 Diversas formas de botellas (izq. a der.): Burdeos tinto; blanco; Borgoña, tinto; champaña espumosa; rosado de Anjou; Mosela; vino del Rin

Los tipos de cervezas usualmente ofrecidos para la venta son ales, robusta/negra y cervezas ligeras.

Ales – Pueden ser de color claro u oscuro, y de sabor suave o amargo.

Robusta/negra – De carácter completo y de color muy oscuro (casi negro); la mejor conocida es la Guinness.

Cervezas ligeras (lagers) – Un tipo de cerveza muy ligera, originaria de Alemania y Checoslovaquia, aunque dos cervezas ligeras danesas son de fama mundial: Tuborg y Carlsberg.

El carácter de las cervezas en general varía de lugar a lugar, dependiendo de los gustos locales.

Sidra y perry – Se elaboran con jugo de manzana y de pera fermentado, respectivamente. Varían de muy dulces a muy secas y se preparan en una gama completa. Algunas sidras y perries son espumosas y se venden en botellas del mismo tipo que la champaña, en ocasiones con el nombre de Pomagne.

4.3.6 LICORES

Como sus nombres lo indican, varios de los muchos licores que se venden tienen sus orígenes en los monasterios de Europa, en donde se originaron como medicamentos, especialmente como digestivos; su elaboración ha persistido hasta nuestros días. Generalmente algunos se utilizan como ingredientes de cocteles.

Existen más de 70 de ellos, con un contenido alcohólico muy variable. Generalmente tienen como base diversas hierbas, especias o frutas, y unos cuantos se basan en café o chocolate.

4.4 FACTURACIÓN DEL RESTAURANTE

Los sistemas de cuentas de los meseros, si se llevan a cabo correctamente, cumplen tres funciones principales:

Suministro – Son un medio de obtener alimentos de la cocina, del bar, etc., para llevarlos a los comensales.

Registro – Cuando se resumen, son un medio para registrar las ventas de artículos individuales de la "existencia".

Ingresos – Al asegurar que cada uno de los alimentos consumidos se cobre al cliente, o que se dé de baja oficialmente en otra forma, se obtienen cifras del volumen del negocio y un control sobre las posibles prácticas fraudulentas.

Existen muchos sistemas de facturación, algunos sencillos y otros más complicados, pero todos deben ofrecer los medios para cumplir estas tres funciones. En la Fig. 4.13 se ilustra una caja registradora que puede proporcionar 8 totales separados para un análisis de las ventas, con los encabezados que se escojan, según las necesidades. Los sistemas pueden variar desde manuscritos hasta manejados por computadora, y la elección de cualquiera en particular es una decisión de la administración, basada generalmente en el tipo de restaurante de que se trate.

El sistema más común de los restaurantes de primera clase se conoce como el "continental" o sistema de cuentas por triplicado; consiste en un bloc de órdenes en el que se intercala papel carbón de doble cara. Cada orden consta de una copia superior, una inferior y una central; esta última es la única de papel translúcido que facilita su lectura, ya que la imagen de carbón se forma en el reverso.

La copia superior está destinada para la cocina o para el bar, y es el original; la copia inferior (al carbón) va al cajero. La copia central la conserva el mesero en su estación de servicio como recordatorio.

El cajero tienen la responsabilidad de cargar todos los artículos en cada cuenta, y la cocina de surtir solamente aquellos artículos que aparezcan escritos, sin que se permitan alteraciones posteriores.

Cualquier artículo adicional que se surta y se pierda por accidente, por una insatisfacción del cliente o por cualquier otra razón válida (como cortesías), de-

Fig. 4.13 Caja registradora electrónica de ocho totales (Norfrond)

be registrarse en una nota firmada por el jefe de meseros o por el gerente del restaurante. Otros sistemas que se basan en una responsabilidad total del mesero son aquellos con hojas desprendibles que el mesero llena como órdenes para la cocina y que deben servir de base para que el mismo mesero elabore la cuenta. Si la oficina de control comprueba que se han surtido órdenes que no se han cobrado, el mesero será responsable de pagarlas.

Existe otro sistema que se usa en Europa, principalmente en los establecimientos de tipo bar, según el cual los meseros usan una caja registradora múltiple; cada uno de ellos tiene su propia clave de acceso y, por consiguiente, su propio total. Los meseros registran allí los artículos requeridos y obtienen la cuenta, que sirve como orden para la cocina; el mesero recoge los artículos y luego el pago de los comensales; al final del día se lee el registro, y el mesero paga la cantidad registrada bajo su clave.

En los restaurantes de tipo popular se emplean cada vez más adelantos más recientes: los sistemas computados en los cuales el mesero pulsa en la máquina los artículos ordenando; ésta tiene un botón numerado por cada artículo del menú. Una impresora colocada en la cocina imprime simultáneamente la orden. En la Fig. 4.14 se ilustra una máquina de este tipo.

Todos los débitos se van almacenando en la memoria hasta que el mesero pide la cuenta del comensal; ésta se imprime, y al ser liquidada se borra la transacción. Todos los artículos vendidos quedan registrados acumulativamente, de modo que en cualquier momento pueden obtenerse informes para la administración sobre los niveles de existencia, así como sobre los ingresos.

Fig. 4.14 Computadora para la facturación en el restaurante (Retail Control Systems Ltd)

Muchas de estas máquinas también tienen una función de registro del personal, lo cual es muy útil en los establecimientos que están abiertos durante 18 a 24 horas y que emplean personal eventual o de tiempo completo; la entrada y la salida quedan registrados en la máquina, que calcula el tiempo neto de trabajo para determinar el pago de salarios.

Aun en aquellos establecimientos que operan con el sistema "continental" de triplicado, muchas cajas y bares están provistos actualmente de terminales conectadas a los sistemas computados de un hotel, a fin de que los cargos del restaurante puedan acumulase directamente a la cuentas de hotel de los comensales.

4.5 ASPECTOS LEGALES BÁSICOS - ESBOZO

Como existen ya muchos libros que tratan sobre este tema en forma completa, y en vista de la distinta situación legal entre Inglaterra, Gales y Escocia, es nuestra intención solamente incluir aquellos puntos que se refieren directamente al personal de mesero como agentes de sus patrones en lo que respecta al servicio de alimentos y bebidas, y con su trato general con los clientes.

4.5.1 SERVICIO DE BEBIDAS ALCOHÓLICAS

La edad permitida para el consumo de bebidas alcohólicas en general es de 18 años. No obstante, a aquellos de más de 16 se les puede servir cerveza, sidra o perry para acompañar la comida.

A ninguna persona menor de 18 años se le puede permitir que sirva bebidas alcohólicas, ni que esté directamente relacionada con su servicio

4.5.2 LICENCIAS Y HORAS PERMITIDAS

"Las horas permitidas" son aquellas durante las cuales se pueden servir bebidas alcohólicas al público y que varían dentro del Reino Unido; como las instancias locales que otorgan las licencias tienen el poder para variar estas horas, el personal de meseros debe conocer las horas aplicables a sus propios establecimientos.

4.5.3 PESOS Y MEDIDAS

Las cervezas y las sidras, a menos que estén embotelladas o enlatadas, se deben vender en múltiplos de medias pintas (250 ml) en copas marcadas por el gobierno.

Los licores (por ejemplo, el whisky, la ginebra, el ron, y el vodka) solamente deben venderse en cantidades de 1/4, 1/5, o 1/6 de gill (31.2, 25 o 20.8 ml)* o sus

*1 gill = 1/4 pinta, corresponde aproximadamente a 1/8 de litro. (*N. del T*)

múltiplos, y la medida empleada en un bar en particular debe estar exhibida en él y en la lista de vinos.

El vino puede venderse por "copa", en medidas fijas o por botella.

4.5.4 DESCRIPCIÓN DEL MENÚ

Los meseros deben saber que es un delito, describir con falsedad los artículos del menú; por ejemplo, las "zanahorias con mantequilla", deben tener mantequilla y no margarina.

4.5.5 FIJACIÓN DE PRECIOS EN LOS MENÚS

Todos los precios de los menús deben incluir impuesto, y fuera del restaurante debe fijarse un menú con los precios. El cargo por servicio, si se exige como porcentaje, debe quedar establecido con claridad.

4.5.6 RESPONSABILIDAD POR LAS PERTENENCIAS DE LOS CLIENTES

Si el mesero acepta recibir pertenencias de los clientes, como abrigos, capas y cámaras para su custodia, técnicamente, acepta también la responsabilidad por esos artículos en nombre de sus propietarios. Por consiguiente, el mesero debe informarse de la política y la práctica del establecimiento con respecto al manejo de las pertenencias de los clientes.

4.6 SALUD Y SEGURIDAD

Bajo este encabezado, de acuerdo con las estipulaciones de la Ley, y según el sentido común, el personal de meseros debe estar siempre alerta para tratar de evitar accidentes que los puedan afectar a ellos, a sus colegas o a sus clientes.

Cada establecimiento debe tener sus propias reglas o lineamientos por lo que respecta a los procedimientos de seguridad que se hayan de adoptar; las siguientes observaciones pueden servir de ayuda para determinarlos.

4.6.1 PREVENCIÓN E INFORMES DE ACCIDENTES

4.6.1.1 Comensales

Algunos de los accidentes más comunes que afectan a los comensales son los siguientes:

El mesero salpica con algún alimento al comensal:

El mesero debe disculparse por la molestia que ha causado, y ofrecer una servilleta húmeda para que el comensal se limpie personalmente la salpicadura.

Debe informar al jefe de meseros o al gerente del restaurante, quien dará los pasos posteriores necesarios (por ejemplo, anotar lo sucedido en un libro de incidentes; tomar nombre y dirección del comensal y ofrecer el pago por la limpieza de la ropa; tratar de tranquilizar al comensal).

La salpicadura es causada por el propio comensal:

El mesero debe dar seguridad al comensal de que todo se puede arreglar.

Debe ofrecer servilleta(s) húmeda(s) para que se limpie por sí solo la salpicadura.

Cambiar a los comensales a otra mesa, si fuera necesario.

Volver a servir la comida, si fuera necesario.

Informar al jefe de meseros o al gerente del restaurante, como se indica arriba.

Cualquier otro accidente que requiera primeros auxilios debe informarse de inmediato al jefe de meseros o al gerente del restaurante, quien tomará las medidas necesarias.

4.6.1.2 Personal

El mesero debe cultivar prácticas de trabajo seguras en todo momento y reducir al mínimo el riesgo de accidentes; por ejemplo, utilizar correctamente las puertas para entrar y salir de la zona de servicio, y no correr en el restaurante ni en la zona de servicio.

Toda salpicadura debe limpiarse de inmediato; las copas rotas deben desecharse de modo seguro o en receptáculos especiales para ello. Todos los ceniceros deben vaciarse al final de cada servicio en botes metálicos para evitar el riesgo de incendio.

Todos los accidentes que ocurran a los miembros del personal deben informarse al jefe de meseros o al gerente del restaurante.

4.6.2 URGENCIAS Y ALERTAS POR BOMBAS

La mayoría de los establecimientos tienen sus procedimientos propios establecidos para las situaciones anteriores, los cuales deben seguirse escrupulosamente. A pesar de ello, el personal de meseros siempre debe estar vigilante e informar de cualquier paquete o persona sospechoso al jefe de meseros o al gerente del restaurante.

4.6.3 PROCEDIMIENTO EN CASO DE INCENDIO

El procedimiento en caso de incendio lo debe establecer la administración en consulta con la autoridad correspondiente.

Deben seguirse al pie de la letra todas las indicaciones del procedimiento, y el personal de meseros debe cuidar que todas la salidas de emergencia o incendio se mantengan libre de obstáculos y sin llave en todo momento en que las instalaciones estén ocupadas.

4.6.4 PÉRDIDAS DE PERTENENCIAS

Los clientes pueden olvidar pertenencias suyas en el restaurante, tales como abrigos, capas, sombreros, cigarrillos y encendedores, bolsas de mano, cámaras, etcétera.

El procedimiento para manejar los objetos encontrados suele estar determinado por las reglas del establecimiento, pero, a manera de principio general, cualquier artículo encontrado después de que los comensales hayan salido debe entregarse al jefe de meseros o al gerente del restaurante, quien registrará el artículo junto con la fecha, el número de mesa, el nombre del cliente (si se conoce) y el nombre de quien lo encontró. Por ningún motivo puede el mesero guardar el artículo.

4.6.5 HIGIENE

Bajo la actual legislación sobre higiene, los funcionarios de sanidad ambiental tienen autoridad para entrar a cualquier establecimiento donde se expendan alimentos a fin de inspeccionar las instalaciones y las prácticas que se llevan a cabo allí; también tienen poder para clausurar de inmediato por infracción a las leyes. Por consiguiente, es del mayor interés de todos los empleados cultivar prácticas de trabajo higiénicas, y tener el cuidado razonable para proteger todos los alimentos de cualquier tipo de contaminación mientras los manipulan.

La falta de higiene puede ser causa de un brote de intoxicación por alimentos, con publicidad adversa y la consecuente pérdida de clientela.

A fin de reducir al mínimo el riesgo, el personal de meseros debe observar las siguientes reglas básicas con respecto al cuidado de su persona, de su equipo y de los alimentos que manejan.

4.6.5.1 Aseo y hábitos personales

Pelo. Debe estar limpio y bien peinado. El cabello largo puede estar atado atrás y no debe peinarse ni tocarse en el restaurante.

Dientes e higiene oral. El mal aliento ofende y transmite gérmenes; evítelos mediante un cepillado regular de los dientes y visitas regulares al dentista. Debe evitarse el comer alimentos de sabor muy fuerte (por ejemplo, ajos) y el fumar antes del servicio.

Manos y uñas. Las manos deben conservarse limpias y sin manchas de nicotina, y la uñas cortas, bien cepilladas y no mordisqueadas. Es necesario lavarse las manos después de usar el inodoro. No deben tenerse uñas barnizadas de color.

Aseo corporal. El bañarse o ducharse regularmente es un deber para todo el personal de meseros. Si es necesario, deben usarse desodorantes y polvos para los pies, pero no deben estar muy perfumados.

Ropa. Debe mantenerse limpia en todo momento, con cambios diarios de calcetines o medias y de ropa interior.

Nariz, boca, pelo y frente. No deben tocarse durante el servicio.

Lienzo de mesero. Por ningún motivo debe utilizarse como pañuelo o sacudidor, y tampoco llevarse sobre el hombro, bajo el brazo o en el bolsillo.

Tos y estornudos. Debe hacerse sobre un pañuelo y lavarse las manos después de cada ocasión.

Fumar. Es ilegal en toda zona de preparación de alimentos y detrás de las barras.

Cortaduras, quemaduras e inflamaciones. Deben cubrirse con vendajes impermeables.

Enfermedades. Todos los casos de enfermedades, en particular la diarrea, deben informarse al jefe de meseros en primera instancia; luego es preciso consultar al médico.

4.6.5.2 Equipo

Cucharas y tenedores de servicio, cucharas para té y café. Deben estar inmaculadamente limpios y no lavarse en una jarra de agua caliente en la estación de servicio.

Otro equipo de servicio. Las tablas para quesos, los carritos para trinchar, etc., deben mantenerse escrupulosamente limpios.

Copas, tazas. No deben usarse si están astilladas o resquebrajadas.

Vajilla. La vajilla manchada o con pegaduras debe devolverse a la zona de lavado para que se vuelva a lavar (a mano si es necesario).

4.6.5.3 Alimentos

Muchos alimentos son susceptibles al desarrollo de bacterias nocivas en determinadas condiciones, y se debe tener cuidado para evitarlo.

Como regla general, los alimentos calientes deben conservarse así, y los fríos, refrigerados hasta el momento en que se inicie el servicio.

Todos los restos de alimento que queden en las fuentes después de servir deben devolverse de inmediato a la cocina, y cualquier alimento frío que se exhiba en los mostradores o en carritos, etc., debe devolverse a la cocina al final del servicio de la comida, y no dejarse allí hasta la cena.

Se debe evitar la presencia de moscas en el restaurante, y todo alimento debe protegerse adecuadamente contra ellas; en el caso de los mostradores de autoservicio, deben estar provistos de protectores contra estornudos.

Nunca se deben manipular los alimentos con las manos desnudas.

4.7 ATENCIÓN DE LAS QUEJAS DE LOS CLIENTES

A pesar de los mejores esfuerzos del personal, las quejas de los clientes, de una suerte o de otra, son inevitables.

Generalmente, las quejas se centran alrededor de cuatro asuntos distintos, a saber: alimentos; sevicio; personal; instalaciones.

4.7.1 ALIMENTOS

Las quejas respecto a los alimentos se pueden relacionar con que los alimentos calientes estén fríos, el tamaño de la porción, el grado de cocimiento, la calidad de los alimentos, etc. La responsabilidad de todo ello recae sobre el *chef*.

Hasta donde sea posible, el mesero debe hacer todos los esfuerzos para atender por sí solo la queja (por ejemplo, hacer recalentar el alimento) y después informar al jefe de meseros, quien podrá decidir si toma alguna otra medida.

Si la queja es de una naturaleza que va más allá de la competencia del mesero (por ejemplo, tamaño de la porción) éste deberá informarlo de inmediato al jefe de meseros.

4.7.2 SERVICIO

Las quejas referentes al servicio pueden ser respecto a su calidad o a su rapidez.

Si una queja referente a tardanza en el servicio se debe a la cocina, hay que remitirla de inmediato al jefe de meseros. Cuando pueda preverse un retardo en el servicio debido a otras circunstancias, el mesero debe informar, con el debido tacto, a los comensales sobre un posible retardo, lo que puede prevenir una queja posterior, ya que algunos comensales pueden tener más prisa que otros.

4.7.3 PERSONAL

Las quejas sobre el comportamiento o la actitud del personal se hacen normalmente en forma verbal al jefe de meseros, o por escrito a la administración. Por consiguiente, es del interés de todo el personal de meseros cultivar una forma de trato a los clientes que no provoque ofensas de ningún tipo.

4.7.4 INSTALACIONES

La mayoría de las quejas respecto a las instalaciones se relacionan con el estado de los sanitarios; cualquiera de ellas debe dirigirse al jefe de meseros para una acción inmediata.

4.8 FÓRMULAS DE TRATAMIENTO

En el ámbito de un restaurante o de un banquete, con frecuencia es necesario dirigirse a clientes que ostentan algún título, al recibirlos o en la mesa, en cuyo caso debe utilizarse la forma apropiada, que puede variar según su rango o, en el caso de los títulos académicos o eclesiásticos, su grado o cargo.

En un banquete formal, el título completo no se usará sino en tarjetas colocadas en los cubiertos, o lo aplicará un maestro de ceremonias al presentar a los invitados.

Título	**Forma de tratamiento**
Realeza	
S.M. La Reina	Su Majestad *después* Señora
S.M. La Reina Madre	Su Majestad *después* Señora
Duque de Edimburgo	Su Alteza Real *después* Señor o Señora
Príncipes, princesas	
Duques y duquesas de sangre real	
Aristocracia	
Duques y duquesas	Su Gracia
Marqueses y marquesas	Lord o Lady
Condes y condesas	Lord o Lady
Vizcondes y vizcondesas	Lord o Lady
Barones y baronesas	Lord o Lady
Baronet	Sir (*su nombre de pila*)
Esposa del baronet	Lady (*su apellido*)
Caballero y esposa	como para el baronet y su esposa
Dama	Dama (*su nombre*)
Funcionarios del gobierno	
Embajadores	Su Excelencia o Señor
Altos Comisionados	Su Excelencia o Señor
Ministro del Gabinete	Ministro/Señor o Señora
Consejero de gobierno	Ministro/Señor o Señora
Eclesiásticos	
El Papa	Su Santidad
Arzobispo	Su Gracia
Obispo	Señor mío o Su Señoría
Decano	Señor Decano

Canónigo	Canónigo...
Vicario/Rector	Vicario o Rector o Señor...
Sacerdote católico	Padre...
Rabino	Rabino...
Fuerzas armadas	
Rango	El rango... o Señor...
por ejemplo, Almirante	Almirante... o Señor...
Civiles	
Lord Jefe de la Suprema Corte	Si es un noble, dirigirse en consecuencia; de otro modo, Señor Mío o Su Señoría
Juez de la Suprema Corte	Señor Mío o Su Señoría
Jueces de la Corte Condal o de la Corona	Juez, Juez... o Señor
Concejales	Señor Concejal o Señora Concejal
Alcalde y esposa	Señor Mío/Señora Mía o Señor Alcalde o Su Señoría
Alcaldesa	Su Señoría
Consejero	Consejero... o Señor o Señora
Ciudadano	Señor o Señora...
Esposa del ciudadano	*Madame*... o Señora de...
Hijo del ciudadano (joven)	Señorito... (*con el nombre de pila o el apellido*)
Hija del ciudadano	Señorita...
Académicos	
Profesor	Profesor...
Doctor	Doctor...

PREGUNTAS DE REPASO

CAPÍTULO 1

1. ¿Cuáles son las obligaciones principales de una hostería?

2. Defina un "ordinario".

3. ¿Cuál es el origen del término "restaurante"?

4. Cuál es el efecto social que trajo la formación de salones de té?

5. Una introducción reciente en los hoteles es la cafetería. ¿Cómo difiere ésta del restaurante "clásico"?

6. Considere las características necesarias de un restaurante y mencione cinco de ellas.

7. ¿Qué instalaciones deben ofrecerse en un restaurante por ley?

8. ¿Cuáles factores determinarán el tipo de mesas y asientos que habrá en un restaurante?

9. Nombre los departamentos auxiliares que se encuentran bajo el control del gerente del restaurante.

10. ¿Bajo el control de quién está la zona de calentamiento de platos?

11. ¿Por qué se recogen antes los platillos fríos que los calientes en la cocina?

12. Nombre los artículos proporcionados al restaurante por el cuarto de destilados.

13. ¿Cuál es el objeto de una máquina bruñidora?

14. Defina el propósito y la forma de uso de una placa de "Polivit".

15. ¿Cómo se puede almacenar la existencia de vajilla adicional?

16. Defina el objetivo de una despensa en un restaurante.

17. ¿Por qué no se deben lavar las copas en un lavavajillas?

18. ¿Cuál es el propósito de la despensa del bar?

19. ¿Qué equipo debe contener la despensa del bar?

20. ¿Cuál es la responsabilidad del cuarto de mantelería?

21. Nombre las funciones principales de la oficina de control.

22. Nombre dos de los principales tipos de servicio que ofrecen los comedores populares y de comida rápida.

23. En los establecimientos de autoservicio, ¿por qué se emplean diferentes configuraciones de mostradores?

24. Nombre los cinco tipos principales de servicio usados en los restaurantes, explicando la diferencia entre ellos.

25. Describa las operaciones de la clásica *brigada de restaurante* francesa.

26. ¿Cuál es la función del *chef de rang*?
27. ¿Cuál es la función del *sommelier*?
28. Nombre tres funciones desempeñadas por el personal uniformado de meseros.

CAPÍTULO 2

1. ¿Cuáles tres cualidades debe tener un mesero?
2. ¿Qué cualidad física debe tener un mesero?
3. ¿Por qué la higiene personal es tan importante para el personal de meseros?
4. Explique brevemente las razones de un aspecto pulcro en el personal de meseros.
5. Describa las razones para tener una escritura clara.
6. El personal de meseros debe llegar siempre puntualmente a su trabajo. Explíquelo.
7. ¿Por qué debe tener buena memoria un mesero?
8. Establezca las tres cualidades morales necesarias para el personal de meseros.
9. ¿Debe tener el personal de meseros la costumbre de hablar correctamente? Explíquelo.
10. ¿Debe un mesero dar servicio sin "servilismo"? Explíquelo.
11. ¿Por qué es bueno que el personal de meseros conozca el menú?
12. Explique la relación mesero-cliente.
13. Mencione dos razones para la popularidad de las mesas redondas en los restaurantes.
14. ¿Qué diámetro debe tener una mesa para acomodar a 10 personas?
15. ¿Cuál es el uso de una mesa redonda (*allonge*)?
16. ¿Cuál es la mayor desventaja de los asientos de banca?
17. ¿Por qué los respaldos de las sillas deben ser más angostos en la parte superior que en la base?
18. Mencione las características principales necesarias para las estaciones de servicio o aparadores.
19. Enumere los cubiertos de uso general en los restaurantes.
20. Enumere los tamaños de los platos que se usan en restaurantes y mencione el objetivo para el cual se usan.
21. Mencione las clases de copas usadas en los restaurantes.
22. Nombre ocho piezas de cubiertos de uso especial.
23. ¿Qué tamaño de mantel se necesitará para una mesa de 3 × 3 pies (90 × 90 cm) de tamaño?
24. ¿Por qué se usa el lino puro para la manufactura de lienzos para el cristal?
25. Enumere diez tipos de carritos usados en los restaurantes.
26. Cuando no está ocupado en otras tareas, ¿por qué debe estar un mesero parado junto a la estación de servicio, de frente al interior del restaurante?
27. ¿Qué tamaño tiene la charola que se debe usar para transportar alimentos de la cocina al restaurante?

28. ¿Por qué deben estar desocupadas las cubiertas de los aparadores?
29. ¿Cuáles métodos de traladar copas vacías deben emplearse en las circunstancias siguientes: (*i*) durante el periodo de preparación;
(*ii*) con los comensales en el restaurante;
(*iii*) después del servicio.
30. ¿Qué artículos se sirven generalmente sólo con una cuchara?
31. ¿Qué cubiertos son adecuados para servir la mayoría de los alimentos?
32. ¿Qué alimentos se sirven mejor usando dos cuchillos para pescado?
33. ¿Qué alimentos se sirven mejor con un tenedor?
34. Dé dos ejemplos de alimentos que se puedan servir utilizando dos tenedores?
35. Se ha traído de la cocina un platillo bien decorado. ¿Qué debe hacer el mesero antes de servirlo?
36. "Si se está sirviendo de un carrito de entremeses o de algún otro, es mejor colocarse detrás de él". Dé una razón para esta afirmación.
37. ¿Por qué los cubiertos lavados necesitan un pulido final antes de su uso? Dé dos razones.
38. ¿Por qué se debe comprobar la limpieza absoluta de todas las copas?
39. ¿Cuál debería ser su primera acción si la vajilla lavada a máquina sale limpia, pero con manchas de agua?
40. Mencione tres usos del lienzo de mesero.
41. ¿Por qué es necesaria una postura correcta cuando se está sirviendo una mesa?
42. ¿Qué precauciones debe usted tomar antes de servir alimentos a un comensal?
43. Si se utiliza vajilla con emblemas, ¿cómo se debe colocar en la mesa?
44. Describa cómo se debe acomodar la comida sobre el plato del comensal.
45. Antes de recoger platos entre el servicio de un platillo y otro, ¿qué señal debe usted buscar que le indique que los comensales han terminado de comer?
46. ¿Qué acción debe realizarse después de retirar el platillo principal y antes de servir el postre?
47. Describa el método para cambiar los ceniceros de la mesa, y mencione las razones.

CAPÍTULO 3

1. ¿Como debe mantenerse el mobiliario de madera pulimentada (*i*) en uso normal; (*ii*) si está grasiento por el uso frecuente?
2. ¿Qué procedimiento se sigue para limpiar el acabado de Formica o de otros plásticos?
3. ¿Qué procedimiento adoptaría usted para asegurar una limpieza rápida y eficiente de un piso alfombrado antes del servicio?
4. ¿Que procedimiento adoptaría usted para limpiar un piso alfombrado, si se ha salpicado comida sobre él?

5. Mencione dos métodos posibles para la limpieza de las losetas termoplásticas.
6. ¿Qué método de limpieza adoptaría usted para las paredes recubiertas con papeles tapices aterciopelados o de relieve?
7. En los restaurantes que tienen cortinas pesadas, ¿qué mantenimiento se les debe dar entre una limpieza y otra?
8. ¿Cuál es el principio más importante que debe tenerse en cuenta cuando se traslada mobiliario?
9. ¿Cuáles dos factores se deben considerar al dejar especio entre las mesas al disponer el restaurante?
10. ¿Cómo se deben maniobrar los carritos: (*i*) en uso normal; (*ii*) al cruzar las puertas?
11. Mencione las tres razones principales para el uso de manteles en los restaurante.
12. ¿Cuáles dos artículos pueden utilizarse para fijar una mesa que se balancea?
13. ¿Qué debe buscarse en el doblez central de un mantel para mesa de banquete?
14. Nombre los cubiertos que se requieren para una comida de tres platillos.
15. ¿En qué artículos consiste un cubierto a la carta?
16. Dé dos razones contra el uso de servilletas dobladas de modo ornamental.
17. ¿Por qué se debe comprobar a diario el contenido de saleros y pimenteros?
18. ¿Qué le sucede a la mostaza inglesa preparada con polvo si no se desecha después de cada servicio?
19. Sugiera una disposición estándar para un aparador de restaurante.
20. ¿Qué acción debe tomarse después de limpiar las lámparas para flamear?
21. ¿Qué mantenimiento requieren las botellas de salsas comerciales?
22. Describa la preparación del pan tostado delgado.
23. Mencione los cuatro métodos usuales de presentar la mantequilla en un restaurante de primera clase.
24. ¿Por qué las jarras de agua deben colocarse sobre servilletas de tela en platones o charolas de servicio?
25. ¿Nombre tres platillos que deban acompañarse de un enjuague.
26. ¿Cómo se debe guardar el limón cortado para evitar que se reseque?
27. Al poner un cubierto de dos copas, una para vino tinto y otra para blanco, ¿dónde deben ponerse éstas y por qué?
28. ¿Por qué no se deben usar floreros grandes sobre las mesas de un restaurante?
29. ¿Por qué se debe cambiar con frecuencia el agua de los floreros?
30. Diga en dos palabras la sensación que debe experimentar el cliente a su llegada.
31. Enumere las acciones que se deben llevar a cabo tan pronto como los clientes llegan a la mesa o estación.
32. ¿Por qué es importante reconocer al "anfitrión" de un grupo de comensales?
33. Idealmente, ¿cuántos menús se deben presentar a la mesa?
34. ¿Para cuáles platillos se debe tomar inicialmente la orden de los comensales?

35. ¿Cómo debe el mesero escribir la orden?
36. Defina lo siguiente: (*i*) nota de "devolución"; (*ii*) nota de "sustitución por devolución"; (*iii*) "complemento"; (*iv*) "suite".
37. ¿Qué hechos debe conocer un mesero de vinos (*sommelier*) antes de aproximarse a la mesa para tomar la orden del vino?
38. ¿Por qué los meseros no deben utilizar encendedores de gasolina para cigarrillos?
39. Mencione un factor que deba tomarse en cuenta cuando se trata a cada uno de los siguientes grupos de clientes: (*i*) bebés; (*ii*) niños; (*iii*) personas minusválidas.
40. ¿Cuántos servicios de mantequilla se deben utilizar para un grupo de 12 cubiertos?
41. ¿Cuándo se debe servir agua en la mesa?
42. ¿Qué tarea se debe llevar a cabo entre la toma de la orden y el servicio del primer platillo?
43. Mencione la presentación y acompañamiento de un coctel de frutas.
44. Mencione el acompañamiento del melón.
45. Nombre el cubierto y el acompañamiento de un entremés mixto.
46. Describa el servicio de una sopa normal.
47. Describa el cubierto y el servicio de un consomé.
48. Mencione los acompañamientos de la sopa de cebolla.
49. ¿Cuál es el acompañamiento más común para las pastas y el arroz?
50. ¿Qué tipo de platillos de huevo normalmente no se sirven en la comida o en la cena?
51. ¿Qué cubierto se requiere para el servicio de una tortilla Arnold Bennett?
52. Mencione el cubierto y el acompañamiento de los mejillones a la marinera (*moules à la marinière*).
53. ¿Por qué hay dos tamaños posibles de platos para servir pescado?
54. ¿Qué tipo de cuchillo debe proveerse al servir filetes?
55. Enumere los acompañamientos para la carne de res asada.
56. Mencione dos salsas posibles para servir con espárragos fríos.
57. Mencione los métodos posibles para servir ensaladas.
58. ¿Cuál es el cubierto y cuáles los acompañamientos de los postres salados (*savoureux*)?
59. ¿Cuándo se puede servir queso durante una comida? Mencione las dos posibilidades.
60. Describa la presentación y el cubierto para el servicio de frutas frescas.
61. ¿Qué salsa se sirve generalmente con jamón o lengua cocidos a fuego lento?
62. ¿De qué se compone la mayonesa?
63. ¿Cuáles salsas comerciales se guardan generalmente en un restaurante de primera clase?
64. Mencione la regla referente a la temperatura a la cual se debe servir el vino.
65. ¿Qué se debe preguntar a los clientes cuando han ordenado licores con mezclas?
66. Defina el té "ruso" y describa su servicio.

67. Describa el servicio del té chino.
68. ¿Qué es una tisana?
69. ¿Qué tipo de café es el único que debe hervirse en su preparación?
70. Además del té y el café, enumere otras bebidas que se obtienen del cuarto de destilados.
71. Mencione la diferencia entre aguas minerales y bebidas carbonatadas.
72. Diga cuáles son los usos del cubremantel.
73. Habiendo pedido la cuenta un comensal, ¿cuáles son las tres cosas que debe hacer el mesero?
74. ¿Cuáles son las ocho formas posibles de pagar la cuenta?
75. Si una cuenta se echa a perder, ¿qué procedimiento se debe seguir?
76. ¿Qué tipo de limpieza se debe realizar entre el almuerzo y la comida?
77. ¿Qué operación realiza el personal de un restaurante antes de salir en la noche?

CAPÍTULO 4

1. Mencione la diferencia entre el servicio a la carta y la comida corrida.
2. Nombre los dos tipos de desayuno y describa cada uno.
3. Describa brevemente las diferencias entre los alimentos servidos en la comida y en la cena.
4. Mencione la diferencia entre té de la tarde y té con merienda.
5. Defina la cena tardía como una comida.
6. ¿Cuáles son los dos hechos básicos que debe dar a conocer un menú?
7. Describa el término “salteado”.
8. Mencione en francés y en español los cuatro términos usados para denotar el grado de cocción de la carne.
9. Defina un *cromesqui*.
10. Defina las seis categorías principales de sopas.
11. ¿Cuáles son las dos principales razones de que los alimentos estén o no en temporada?
12. ¿Por qué es necesario incluir los tiempos de cocción de ciertos alimentos en los menús a la carta?
13. ¿Qué bebidas abarca el término “aperitivo”?
14. Nombre los cinco tipos principales de aguardientes usados en los bares.
15. Defina el término “vinos espirituosos”. Enumere los tipos principales.
16. Defina brevemente cuál es el significado de vinos de mesa.
17. Establezca los tipos y colores de los vinos de mesa.
18. Nombre los principales tipos de cervezas y mencione las diferencias entre ellas.
19. Defina el término “licores” y mencione su uso.

20. ¿Cuáles son las tres funciones principales de los sistemas de cuentas de los meseros?

21. ¿Cuál es el nombre del sistema de cuentas adoptado comúnmente en los restaurantes de primera clase?

22. Mencione el propósito y el destino de cada una de las copias de la orden de un mesero.

23. ¿Qué bebidas alcohólicas pueden ofrecerse a las personas mayores de 16 años y menores de 18?

24. ¿Cuál es el significado del término "horas permitidas"?

25. ¿Cuáles son los cuatro licores cuya medida debe exhibirse en los bares según la Ley de Pesos y Medidas de 1963?

26. ¿Qué legislación hace ilegal la descripción falsa de los artículos de un menú?

27. ¿Qué condición se impone a los operadores de restaurantes según la Orden de Marcaje de Precios (Alimentos y Bebidas en el Local) de 1979?

28. ¿Cuál es la situación legal de un mesero si toma el abrigo de un cliente para guardarlo?

29. ¿Qué debe hacer un mesero si salpica con algún alimento a un cliente?

30. ¿Qué tipo de comportamiento se espera del personal de meseros según la Ley de Salud y Seguridad en el Trabajo de 1974?

31. ¿Qué procedimientos deben seguirse respecto a objetos olvidados en el restaurante?

32. ¿Qué es lo que nunca se debe usar para manipular los alimentos?

33. Mencione los cuatro asuntos principales alrededor de los cuales se centran las quejas en un restaurante.

34. En la posición de subalterno, ¿a quién remitirá cualquier queja dirigida a usted?

ÍNDICE ANALÍTICO

ESTA IMPRESION DE 2 000 EJEMPLARES
SE TERMINO EN MARZO DE 1992,
EN EL TALLER NATIONAL PRINT, S.A.
SAN ANDRES ATOTO No. 112 NAUCALPAN
EDO. DE MEXICO

Rosi
1800-6258879
Ext: 52115
Rossi